C0-ALM-222

Михаил

МАРТ

ЗМЕИНАЯ ЯМА

РИПОЛ
КЛАССИК
Москва, 2002

ББК 84 Р7
М29

Иллюстрация на обложке *И. И. Иванова*

Март М.

М29 Змеиная яма: Романтический триллер. – М.: РИПОЛ КЛАССИК, 2002. – 416 с. – (Криминальный проект).

ISBN 5-7905-1400-6

Можете ли вы себе представить, что такое преследовать преследователей — смертельно опасных, безжалостных, одержимых фанатиков? А если к тому же внутри стана врага кровавые разборки, война всех против всех, уничтожение даже косвенных свидетелей?.. Но они преследуют. Ради чего? Ради страшной тайны, десятилетия хранившейся за такими печатями, что и нескольких жизней не хватит на разгадку...

О развязке интриги криминальных романов М. Марта, блестящего мастера слова и сюжета, невозможно догадаться до самой последней страницы его произведений. «Змеиная яма» — тому подтверждение.

ББК 84 Р7

Вышли в свет: «Оставь ее небу», «Двуликое зеркало», «Мертвецы не тоскуют по золоту», «Погашено кровью», «Кровавый круг», «Вальсирующие со смертью», «Агония страха».

Готовятся к печати: «Мороз по коже», «Театр мертвецов».

ISBN 5-7905-1400-6

Часть I

КАК АУКНЕТСЯ, ТАК И ОТКЛИКНЕТСЯ

1

Это место выбрали не случайно. Во-первых, с левой стороны находился лес — очень удобное место для стрелка. Справа поселок и школа, в связи с чем на шоссе сделали бугры, называемые в народе «лежачими полицейскими». Тут особо не разгонишься на машине. А это главное, если учесть, что «объект» привык носиться на высоких скоростях. И дело не в том, что снайпер мог промахнуться — просто машина потеряет управление, если у нее лопнет колесо на скорости в сто пятьдесят километров. Костей не соберешь. Такой оборот никого не устраивал. Клиент должен остаться живым и здоровым. А во-вторых, время появления объекта в данной точке было выверено чуть ли не по минутам. Таким образом, план непременно сработает.

Заговорщики не ошиблись, все прошло гладко, как и задумывалось. Серебристый «Мерседес SLK-купе» с откидным верхом перевалил через «лежачего полицейского», и в ту же секунду снайпер, притаившийся в кустах, нажал на спусковой крючок. Глушитель загасил пламя и шум, а пуля точно легла в цель, и левое переднее колесо осело на обода. Хозяйка «мерседеса» проехала еще пару десятков метров, жуя резину об асфальт, превращая ее в лохмотья и только потом припарковалась к обочине.

Выйдя из машины, молодая красотка уперла свои изящные кулачки в крутые бедра, с негодованием глянула на поломку.

— Этого мне еще не хватало!

Она обернулась назад, словно выискивая виноватых в своем несчастье, но таковых не обнаружила.

До главного шоссе не менее десяти километров. Там такие проблемы решаются проще. А что прикажете делать здесь?

Будний день, солнце в зените, дорога ведет в тупик, а точнее, к коттеджному поселку, до которого она не дотянула не многим более трех километров. Рассчитывать на помощь не приходилось — если только на чудо. Одно дело управлять машиной, тут она считала себя асом. Ну, в крайнем случае, залить бензин. Но менять колеса — это уже слишком! Она даже не имела представления, в какую сторону откручиваются гайки.

Однако Наташа была не из тех женщин, которые отчаиваются. Она считала себя цельной и сильной натурой, готовой принимать не только дорогие подарки, но и всякого рода козни, подбрасываемые ей под ноги корявой и неустойчивой судьбой. С ней всякое случалось в жизни, и она умела держать удар, а в некоторых случаях и давать сдачи, никогда не опускала руки и не хныкала.

Что такое пробитое колесо по сравнению с пробитой головой? Нужно засучить рукава и приниматься за работу. Рукава засучивать не пришлось — их на блузке не было, а багажник она открыла.

Грязная запаска, покрытая пылью, не очень хорошо гармонировала с белой юбкой, но это полбеды, а вот что такое домкрат и как он выглядит — вопрос серьезный.

Разглядывая содержимое багажника с видом невежды на выставке художников-авангардистов, Наташа не услышала, как возле нее остановилась машина.

— Какие-нибудь проблемы?

Она повернула голову. Обычный «жигуленок» четвертой модели и молодой парень лет тридцати пяти рядом.

— Переднее колесо. Очевидно, прокол.

— Это не проблема, если есть запаска,— улыбнулся молодой человек.

— И джентльмен в придачу, готовый прийти на помощь молодой леди.

— Достаточно быть просто мужчиной. Вы позволите?

Он подошел к багажнику и с деловым видом проверил его содержимое.

Наташе оставалась роль наблюдателя. Парень, не раздумывая, приступил к работе. Делал он все быстро, четко, без примерок и молча.

Наташа закурила и смотрела на него, делая собственные оценки. Высокий, натуральный блондин, прекрасно сложен, синие глаза, белые зубы и кокетливые ямочки на щеках. Она тут же представила себе его в постели. Если он и там не подведет, то почему бы его не использовать в своих целях. Вот только слишком молчалив. Может быть, не уверен в себе? Или его смущает «мерседес»? Судя по машине, он не очень хваткий тип для тех условий, которые сегодня диктует жизнь. Но какое ей до этого дело? Куда важнее не приспосабливаемость, а решительность, воля и сила.

— Мне вас Господь Бог послал,— заговорила девушка, не отрывая взгляда от работяги.— Сколько времени прошло, а машин все нет. Будто мы на другую планету попали.

— Вы правы. Сюда я попал случайно. Еду в Ракитки по вызову. Вы знаете дорогу?

— Я тоже туда еду.

— Значит, попутчики. Пристроюсь за вами.

— Как вас зовут?

— Дик. Вообще-то, Вадим, но друзья с детства зовут Дик. Мой дружок школьный сильно заикался и сокращал все слова до минимума. Вадик – Дик, уроки – уки, учитель – чик.

— Меня зовут Наташа. Очень приятно смотреть на мужчину, у которого руки растут из нужного места.

— Обычная работа для тех, кто имеет колеса. А вот готовить я не умею, хотя люблю вкусно поесть.

Девушка усмехнулась.

— Это тот самый случай, когда вам бы пришлось любоваться моими руками и фантазией.

Колесо заняло свое место, домкрат и инструменты сложены в багажник.

— Хорошо, когда у женщины есть фантазия. Тем более приятно, если это сочетается с красотой.

«А он не так прост и скромен,– подумала Наташа.– В этом парне что-то есть. Во всяком случае, он не слюнтяй».

— Сколько я вам должна?

— Брать деньги с женщины — это не по-джентльменски.

— Как же мне с вами расплачиваться?

— Доставьте мне удовольствие полюбоваться вашими руками и фантазией.

— Обмен не эквивалентен. На ужин уйдет целый вечер, а вы сделали свою работу за пять минут, да еще мимоходом.

— Вы скупы на время? Я не тороплюсь. Когда будете мимоходом в районе Калужской площади и возникнет желание провести какое-то время с бокалом шампанского в руках — милости просим.

Он достал из кармана платок, вытер руки, а потом извлек свою визитную карточку из бумажника. Протянув ее девушке, он добавил:

— Вы можете ее выбросить, а можете позвонить. У каждого человека бывает смена настроений. А вдруг?

Наташа взяла визитку. Этот парень ей нравился. Даже его нахальство выглядело не вульгарно, а с каким-то небрежным шармом. Она чувствовала, что нравится ему, его поведение скорее выглядело защитой, чем напором. А как еще можно вести себя на его месте? Сесть и уехать? Тогда и думать не о чем. Но ей не хотелось терять этого парня. Ей хотелось узнать о нем как можно больше.

— Хорошо. Я не люблю оставаться в долгу. Будет вам ужин при свечах. Позвоню — как смогу.

— Готов в любой момент принять вас на любых условиях.

— Договорились. Сегодня я вам говорю спасибо, а завтра посмотрим.

Шапочное знакомство состоялось. Никто из них еще не знал, к чему оно приведет. Имелись лишь скромные представления, какие обычно бывают при обоюдной симпатии противоположных полов. Заглядывать далеко вперед могут только очень одинокие люди, вечно ждущие чуда, верящие в судьбу и в это самое «а вдруг!», которое обычно приводит к быстрому разочарованию и новым надеждам.

2

Приемная выглядела вполне пристойно и просторно. Дубовая дверь босса с никелированной табличкой «Генеральный директор Ханс Шефнер», секретарша за огромным столом, заставленным телефонами и компьютером. Огромное окно, выходившее на Садовое кольцо, было прикрыто жалюзи, море цветов, занимавших все плоскости, подвешенные и стоявшие на мягком ковре кашпо. Кондиционер поддерживал ровную, умеренную температуру, а удобные кресла позволяли посетителям вздремнуть в ожидании, пока босс соизволит их принять и выслушать.

Понедельник был относительно спокойным днем, и очередному посетителю ждать пришлось недолго. Длинноногая секретарша с невозможными апельсиновыми волосами пригласила гостя пройти в кабинет.

На описание кабинета могла бы уйти еще пара страниц, и мы это опустим, тем более что хозяин офиса выглядел куда импозантней всего окружающего. Несмотря на внушительные размеры помещения и огромного резного стола, директор офиса был очень крупным мужчиной. Казалось, если он встанет со своего кресла, то прошибет головой потолок. Седовласый, с густой шевелюрой, крупными чертами лица. Нос так нос, губы так губы, но и глаза не подкачали: серо-зеленые, большие, проницательные. Именно таким себе многие и представляют высокого начальника. Подобного человека трудно нарисовать в своем воображении одетым в рабочий комбинезон с лопатой в руках.

Посетитель остановился в дверях, ожидая дальнейших распоряжений. Директор прочитал его визитную карточку.

— Евгений Метлицкий. Детективное агентство «Сириус». Руководитель разыскной группы.

Он оторвал взгляд от карточки и посмотрел на гостя. Высокий, коренастый, без особых примет. Не урод и не красавец. Одет стандартно, стрижется в обычной парикмахерской. Внешность вполне подходящая для сыщика, способного оставаться в толпе незамеченным.

— Чем вас заинтересовала наша фирма?– спросил директор низким голосом под стать своей внешности.

— Позволите присесть?

— Не возражаю, но время нашей встречи ограничено пятью минутами.

Метлицкий не стал терять драгоценных секунд и тут же устроился на стуле напротив хозяина.

— Не буду вдаваться в подробности нашей работы, но у нас есть золотое правило: доводить любое дело до конца. На данный момент ваша фирма нас не интересует. Не исключено, что мы заинтересуем вас лично. В ходе одного расследования, которое мы только что закончили, несколько раз всплывало имя вашей жены, господин Шефнер. Я счел своим долгом предупредить вас об этом только с одной-единственной целью — сохранить вашу репутацию.

— Вот оно что! Заботливые господа...

— Мы всегда ставим точки в своих делах. Если бы речь шла о нарушении закона, то, согласно нашему уставу и лицензии, я сидел бы не перед вами, а в кабинете следователя и представил бы ему отчет о проделанной работе. Это моя обязанность.

— В чем же замешана моя жена?

Детектив знал, что Шефнер чистокровный немец и всю жизнь прожил в Германии. Но разговаривал он без малейшего акцента.

— Она вам не верна. И я думаю, что это не просто флирт, а нечто большее.

— Копаетесь в грязном белье?

— В основном. За уголовные дела мы не беремся. Милиция не любит конкурентов и людей, знающих и умеющих больше, чем она.

— Допустим, вы правы. И какой реакции вы ждете от меня?

— Любой. Я поставил вас в известность. Эта услуга вас ни к чему не обязывает, но если вы пожелаете выяснить подробности с доказательствами, то мы сможем в определенный отрезок времени представить вам все, что требуется в этих случаях. Если вам безразлична ваша репутация и отношения с женой, то на этом моя миссия заканчивается.

Шефнер покрутил ручку, лежавшую на папке, немного подумал и спросил:

— Сколько стоят ваши услуги?

— Если мы справимся с делом за две недели, то вы получите фотографии, аудиозаписи, видеокассеты и другие подтверждения с полным почасовым графиком. Такая работа встанет вам в пятнадцать тысяч долларов.

— Несуразная цифра,– тут же парировал Шефнер.

— Машинистка, работающая секретаршей, получает гроши. Но когда ее просят сделать срочную, качественную работу на дому, например напечатать и оформить докторскую диссертацию, то она заламывает цену в пять-шесть своих окладов. Скорость, качество, время приобретают особые ценности. Мы недавно искали и нашли ребенка, пропавшего в одной семье. Милиция не нашла, а мы его вернули в дом — целого и невредимого. Эта работа обошлась родителям в двадцать пять тысяч. Мы также передали правосудию похитителей, которые, кстати, намеревались потребовать выкуп в десять раз больше нашего гонорара. Тут трудно делать однозначные оценки.

— Мою жену никто не похищал.

— Согласен. Здесь действует древний как мир метод шантажа, а от этого вас никто уберечь не сможет. Женщины, как дети, беззащитны, болтливы, любят авантюры, нестандартные ситуации и прочую мишуру. Тут трудно себе представить, как может обернуться ситуация к завтрашнему дню, если не поставить дело на контроль. В итоге кашу придется расхлебывать вам, а не жене. Ведь вы же не собираетесь с ней разводиться?

— Неверных жен порядочные люди при себе не держат.

— Согласен, но у вас еще нет доказательств. Это первое, а второе — ваш случай особый. Вся недвижимость в Москве, области и даже эта фирма принадлежит вашей супруге. Вы же иностранец. И не путайте наши законы с германскими. Никто и затылок не почешет, если вы будете доказывать с пеной у рта, что все приобретено на ваши деньги. Есть документы с печатями, а нашим бюрократам этого достаточно.

Шефнер опять принялся крутить ручку на столе.

— Вижу по вашей хватке, что ваше агентство не бедствует. Хорошо. Я принимаю условия. Приступайте к работе. Завтра я улетаю в Германию и вернусь через десять дней. Жду вас с результатами.

— У нас несколько другие правила. Пять тысяч аванс и остальное по результату.

Шефнер не стал спорить, достал из стола чековую книжку и выписал чек на предъявителя.

— Мне нужна ваша расписка.

— Расписку я даю только при получении наличных. Я оставлю расписку в банке, если мне выдадут деньги по вашему чеку. А теперь подпишите формальный договор, что вы меня нанимаете для выполнения задания. Это учетная формальность, которая необходима для нашей документации.

Детектив достал из портфеля заполненный бланк договора и положил его на стол перед хозяином кабинета. Шефнер ознакомился с документом и подписал его. Гость взял со стола подписанный договор и чек и, откланявшись, ушел.

Шефнер тут же снял трубку и вызвал к себе в кабинет начальника внутренней безопасности Крылова.

Мужчина лет сорок пяти, среднего телосложения, среднего роста, лысоватый, легкой бесшумной походкой подошел к столу и сел.

— Слушаю тебя, Ханс.

Тот подал ему визитную карточку.

— Я должен знать об этой шарашкиной конторе все подробности. Желателен компромат. Возможно, мне придется вступить с ними в конфликт либо зажать их в тиски. Займись этим делом вплотную. Завтра Гюнтер полетит в Германию с моим паспортом. Для всех меня нет в России. Пусть Козин отвезет меня вечером в Красково. На некоторое время мне придется скрыться из виду. Кроме тебя, в Краскове никто появляться не должен. Будешь приезжать ко мне через день. Телефонной связью не пользоваться. Боюсь, мы имеем дело с «бывшими», а они знают свою работу. Все. Свободен, Юра.

Шефнер вновь начал крутить ручку на столе.

3

Когда Геннадий Иванович вышел из министерства на улицу, он не подозревал, что за ним наблюдают. Молодой человек сидел в скромных неприметных «жигулях», стоявших напротив министерской стоянки, и внимательно наблюдал за солидным мужчиной лет сорока, выглядевшим из-за своей полноты и обильной седины значительно старше своих лет.

Геннадий Иванович прошел на стоянку, сел в «BMW» вишневого цвета и неторопливо выехал на улицу.

Молодой человек взял трубку сотового телефона и набрал нужный номер. Ему тут же ответил женский голос.

— Настена? Он выехал, свернул на Бульварное кольцо, едет обычным маршрутом. Будь на подхвате, я двигаю за ним. В случае нарушения линии сообщу. Оставайся пока на месте.

— Все поняла.

Молодой человек тронулся с места и поехал за машиной Геннадия Ивановича, держа умеренную дистанцию. «BMW» не менял своего маршрута. На переезде от Сретенки к Чистым прудам молодой человек вновь позвонил женщине.

— Настя, через две минуты он свернет в твой переулок, приготовься.

— Я уже давно готова.

Девушка глянула в зеркальце, поправила прическу и вышла из своей машины.

Узкая улочка в разгар рабочего дня выглядела безлюдной и серой. Не заметить яркую, стройную красотку в короткой юбочке просто невозможно.

Геннадий Иванович свернул в Кривоколенный переулок и поехал в сторону Маросейки. Он заметил ее сразу. Старый ловелас не мог пропустить мимо своего взора ни одной мало-мальски интересной женщины. Ну а если ей нет тридцати и у нее шикарная попка и длинные ноги, то у Геннадия начиналось слюноотделение.

Он притормозил, позволяя даме перейти дорогу, но она не собиралась этого делать, а подняла руку, не забывая поглядывать на часы. Такой шанс упускать нельзя.

Машина подкатила к красотке и плавно затормозила. Геннадий Иванович вышел и, обойдя «BMW» спереди, открыл дверцу.

— Прошу вас, сударыня, садитесь. Я еду в ту же сторону.

— Но вы не знаете, куда мне нужно,– удивилась зеленоглазая красавица с длинными темно-каштановыми волосами.

— Это не имеет значения. У меня есть свободное время, а у вас, как я вижу, его очень мало. Почему бы не помочь!

— Вы очень добры. Я действительно тороплюсь. Но мне нужно в Теплый стан. Это не очень близко.

— Садитесь, расстояние значения не имеет для колес, а по мне — чем дальше, тем лучше. В приятной компании всегда веселей.

Расстояние его действительно не интересовало, тем более что он ехал в ту же сторону.

Девушка села на переднее сиденье, водитель занял свое место. Геннадий не любил быстрой езды, но ради такого случая придется показать, на что он способен. Главное — добиться своей цели, заполучить номер телефона.

Как только она очутилась рядом, он почувствовал, что по салону машины начал распространяться сладкий аромат нежных духов.

Он глянул на ее колени, и у него перехватило дыхание. Только бы не врезаться в ближайший столб.

— Давайте познакомимся, меня зовут Гена. А вас?

— Настя. Мне не совсем удобно называть вас Геной.

— Это нормально. Мне всего лишь сорок один год. Просто я выгляжу старше. Мой отец уже в тридцать пять был абсолютно седым, и полнота мне досталась по наследству. Но я человек спортивный. Теннис два раза в неделю, бассейн, сауна. Против конституции никуда не денешься. Генами заложено.

— Гена с наследственными генами.

Он засмеялся.

— А вы с чувством юмора.

— Без чувства юмора на нынешнюю жизнь смотреть невозможно. Удавиться захочется.

— Неужто все так плохо?

— На отчаяние времени не хватает. При сегодняшних ритмах требуется мобилизованность и быстрая реакция.

— С одной стороны, согласен, с другой — нет. Человеку необходимо расслабляться. Хотя бы изредка. Не век же вкалывать, нужно и об удовольствиях не забывать. А иначе жизнь превратится в каторгу, а мы в рабов. Вто-

рой жизни нам никто не подарит. Годы уходят, энергия растрачивается, а труд ничего не стоит. Поэтому предпочитают воровать.

— Интересная позиция. Вы тоже воруете?

Он опять рассмеялся.

— Я пользуюсь своим положением, скажем так. У меня хорошая должность, чиновник высокого ранга, но зарплата по нынешним меркам мизерная. А моя машина стоит больше сорока тысяч долларов. Помимо этого, кучу денег съедает дача, продукты, развлечения, одежда. Я не могу себе позволить прийти на прием к министру в костюме с оптового рынка и в часах от Первого Московского часового завода. Должность не позволяет. Вот вам и тупик. Министр знает рамки моей зарплаты, но он у меня не спрашивает, на какие деньги я купил четырехкомнатную квартиру, «Ролекс» и «BMW». Все всё видят и понимают, но молчат. Так что мои погрешности не назовешь воровством, а, скорее, порядком вещей.

— Хорошо, что у вас есть такая возможность, а у меня нет, и мне приходится вкалывать.

— У каждого человека есть своя кормушка. Занимаемая им ниша. Ее надо найти и застолбить. С любой деятельности можно иметь деньги. Все зависит от четкого понимания своих возможностей и целеустремленности.

— Пожалуй, вас стоит взять в консультанты. И дорого вы берете за свои уроки?

— Готов стать вашим рабом. Навечно и безвозмездно.

— Не перегибайте палку.

— Давайте начнем с тихого вечера где-нибудь в уютном месте, с хорошей музыкой и легким вином. Вы мне расскажете о своих чаяниях, а я постараюсь вам помочь.

— Только уютное местечко должно быть людным.

— Как скажете, принцесса. Раб должен повиноваться и не возражать.

Настя достала из сумочки блокнот и записала номер мобильного телефона.

— Вот, возьмите. Только со временем у меня напряженка. Конкретно ничего обещать не могу.

— Я терпеливый. Очень терпеливый.

Своего Гена добился. Номер телефона он получил. Теперь можно торжествовать. Значит, не такой уж он урод, как утверждает его жена.

4

Звонок не заставил себя долго ждать. Наташа позвонила на второй день после случайного дорожного знакомства. Дик не скрывал своего восторга, и она это поняла. Парень клюнул. Впрочем, она в этом не сомневалась. Они тут же договорились о встрече на Калужской площади. Наташа приехала на такси, а Дик на своей машине.

— Я мог бы пригласить вас в ресторан. Нет ничего проще, но, помня ваше обещание показать мне искусство ваших рук и фантазию кулинара, было бы лучше, если мы устроим ужин в домашних условиях.

— У меня хорошая память, только нам придется купить необходимые продукты.

Они отправились в супермаркет и приехали на квартиру к Вадиму с полными сумками разнообразной снеди. Жилище кавалера вызвало у дамы улыбку. Крохотная прихожая, небольшая кухонька и единственная комната, совмещающая в себе кабинет, гостиную, столовую и спальню. Два кресла, журнальный столик, широченная кровать и компьютер у окна. Стены были увешаны картинами неизвестных художников в духе сюрреализма. О вкусе говорить не приходилось. Для него здесь, как и для дизайна, не хватало места и должного размаха. Правда, Наташа и не рассчитывала увидеть что-то из ряда вон выходящее и отнеслась к скромным возможностям молодого человека без издевок и насмешек. Такой парень ей и нужен. Обычный смертный, пылкий влюбленный, не избалованный жизнью, симпатичный и бесхитростный.

Приготовление ужина заняло около двух часов. Дик сидел на кухне, любовался девушкой, вдыхал аромат вкусной готовящейся еды и по мере необходимости помогал по хозяйству, пытаясь при этом разбавлять рутинную работу разными шуточками и анекдотами. Наташа смеялась, а он восхищался ее красивыми зубами и непосредственностью. Каждый из них видел то, что хотел видеть в другом.

Наконец они устроились за журнальным столиком в комнате, предварительно накрыв его белой скатертью и поставив подсвечники со свечами. Обстановка стала более уютной, мягкой и располагающей к интиму и доверительности. Шампанское позволило им еще больше расслабиться, и они уже не отводили друг от друга взгляда.

— Мне очень комфортно с тобой, — сказала Наташа.– Жаль, что я не встретила тебя раньше.

Вадим улыбнулся.

— И что изменилось бы? Я не сомневаюсь в том, что ты удачно вышла замуж и вполне счастлива. Может быть, я неплохой парень, но как муж никуда не гожусь. Не умею устраиваться, пробиваться, зарабатывать деньги, приумножать капиталы и делать карьеру. С этим надо родиться.

— Думаю, поэтому тебе легче живется, чем всем тем, кто умеет приспосабливаться. Зажиточная жизнь в большей степени доставляет не удовольствие, а головную боль. Начиная строить свое благополучие, ты не осознаешь, что в результате ограждаешься от мира золотой клеткой, в которой и останешься с подрезанными крыльями.

— Ты недовольна своей жизнью? Странно.

— Была бы довольна, здесь бы не сидела. Я вышла замуж по расчету. За одного богатого немца. Фашиста.

— Это ты всех немцев считаешь фашистами?

— Нет, конечно. Моя подруга уехала в Германию на постоянное место жительства всей семьей. Немцы в долгу перед евреями, и их там принимают. А ее дед, впрочем, как и мой, прошел концлагеря. Но это детали. Короче говоря, моя подружка неплохо устроилась за границей и прислала мне приглашение. Я поехала. На машине мы сделали небольшой круиз по стране. Я хорошо знаю немецкий язык, а подруга слов десять, поэтому она не рискнула бы кататься по стране одна или с мужем, который и десяти слов не знает. А со мной можно путешествовать без проблем. Находясь в Мюнхене, мы как-то попали на митинг неофашистов. Оголтелая публика, мечтающая о возрождении Третьего рейха. Моя подружка старалась меня утащить, но я осталась. Мне было интересно на это посмотреть и послушать. Там я впервые и увидела своего будущего мужа. Нет, он не выступал и не выкрикивал лозунгов. Он и его дама сидели на трибуне для почетных гостей, но нарукавники со свастикой они не забыли надеть. В тот день он меня не видел. Второй раз я встретилась с ним в Берлине. Случайность или судьба — затрудняюсь сказать. Мы с подружкой сидели в уличном кафе, пили кофе, коктейль и болтали. И вдруг я вижу, как какой-то очень высокий мужчина остановился возле нашего столика. Я подняла голову и увидела его. У него очень специфическая внешность: однажды увидишь и уже не забудешь. «Извините,— сказал он,– я услышал русскую речь и остановился. Мне очень нравится русский язык. Я заканчивал военную академию в Москве».

Он говорил без акцента, как мы с вами. Потом попросил разрешения присесть и угостил нас хорошим вином. Моя подруга его не узнала, а мне было просто любопытно познакомиться с живым фашистом. Кстати,

я никогда не разговаривала с ним по-немецки, и он до сих пор не ведает о том, что я знаю немецкий язык. Меня это устраивает. Во всяком случае, я знаю, о чем он разговаривает по телефону, не смущаясь моего присутствия. Так состоялась наше знакомство. Он сказал, что собирается в Россию, и попросил мой телефон. Я дала. Во всяком случае, меня это ни к чему не обязывало, а он обещал быть курьером между мною и подругой. Мы любим посылать друг другу подарки и сувениры.

Вскоре я уехала домой, а через месяц он позвонил, но уже из Москвы. Мы встретились. Он привез посылку от подруги и кучу сувениров от себя лично. Ухаживать он умеет красиво. А через две недели сделал мне предложение, встав на колени, рассыпая к ногам кучу роз, и преподнес мне колечко с рубином в два карата. Меня не смутил тот факт, что он старше меня на двадцать два года. Меня прельщала будущая беззаботная жизнь. Подруга была против нашего брака, но я не прислушивалась к советам. Ни о какой любви речи не идет, это чистая сделка, спрятанная под маской тонких чувств. Благодаря русской жене он смог открыть в России несколько фирм и развить свой бизнес. Я не ограничена в свободе, деньгах и во всем прочем, чего мне недостает для легкой, беззаботной жизни. Единственное, чего мне не хватает, так это настоящих чувств, которые за деньги не купишь.

Наташа подняла бокал с шампанским.

— Выпьем за любовь!

— Своевременный тост.

Они выпили и перевели разговор на другую тему. После ужина был десерт. Потом вторая бутылка шампанского и музыка. Они ухитрились потанцевать на пятачке метр на метр. Возникла необходимость встать с кресел и приблизиться друг к другу. Потом они перешли к поцелуям, и страсти начали накаляться.

Рука Вадима скользнула под кофточку и прошлась по гладкой гибкой спине. Она не возражала. Потом она не протестовала против того, чтобы снять ее совсем, а следом и юбку. На раздевание ушло три пластинки с блюзами. Когда он включил свет, Наташа запротестовала, но Вадим убедил ее, что такое тело нельзя прятать в темноте, его нужно видеть и любоваться им. Она и с этим смирилась, тем более что и сама с удовольствием пожирала глазами смуглый, сильный торс своего партнера.

Подготовительный период прошел безупречно, и в один прекрасный момент они рухнули на постель. Здесь было где разгуляться, и страстная парочка дала волю чувствам, истязая друг друга до глубокой ночи.

Наташа ушла утром и просила ее не провожать. Он смотрел на нее с надеждой, и она кивнула.

— Ну конечно, это не последний раз. Ты уже во мне, я допустила тебя ближе, чем хотела, и вряд ли сумею вытравить то, что разлилось по крови. Мне даже не хочется думать о последствиях.

— Лучше ни о чем не думать. Будем брать от жизни то, что она нам дает.

5

Наконец-то Геннадию Ивановичу удалось уговорить Настю встретиться, но она не пришла. Он ждал ее час и решил позвонить еще раз.

— Настенька, извините за назойливость, но я уже промок насквозь. Дождик замучил, и цветы вянут.

— Извините, Гена. Так получилось, я не виновата. Подруга уехала на два дня, а ей должны привезти холодильник, вот мне и приходится сидеть на привязи.

— Что же нам делать?

— Знаете что? Раз уж я виновата перед вами, приезжайте сюда. Тут вы сможете обсохнуть. Правда, я не уве-

рена, что у нее есть согревающие средства, но я думаю, вы сами сможете сориентироваться. Квартира находится на Калужской площади.

— Какой я дурак, что не позвонил раньше! Лечу на крыльях. Говорите адрес.

И он прилетел. Коньяк, шампанское, вино и все сопутствующие товары заняли две полные сумки, цветы пришлось держать под мышкой.

Скромность однокомнатной квартиры его вовсе не смущала. Первое, на что он обратил внимание, была кровать. Шикарный квадратный сексодром, занимавший половину комнаты. А прелюдию можно сыграть за скромным журнальным столиком в креслах.

Появилась белая скатерть и свечи. Деликатесы, как из рога изобилия, посыпались на стол. Хлопнула пробка из-под шампанского, и искрящийся напиток полился в бокалы. Геннадий предложил тост: «За любовь!»

Прелюдия началась. Знал бы он, чем она закончится... В соседней квартире прелюдия уже закончилась — там полным ходом шла работа.

Зеркала на стене и картины, на которые Геннадий Иванович не обращал внимания, имели особое свойство. Они были прозрачными со стороны стены, где имелись соответствующие отверстия под объективы фото- и видеокамер. Мало того: под журнальным столиком, за спинкой кровати и везде, где только можно, были расставлены микрофоны.

Главный оператор, он же технический редактор, находился в соседней квартире, вооруженный наушниками. Квартира напоминала студию. Здесь стояли фотоаппараты, видеокамеры, магнитофоны, мониторы, и все крутилось, работало, жужжало, а стрелки индикаторов плясали из стороны в сторону. Процесс шел полным ходом.

Женя Метелкин, который предпочитал, чтобы его называли Евгением Метлицким, суетился возле правой стены, где располагалась на штативах вся аппаратура, следил за каждым движением, происходившим в соседней квартире, через монитор.

В комнате находился еще один человек. Звали его Вадим Журавлев. Он не принимал участия в операторской работе, сидел в кресле и разглядывал свежие фотографии.

— Снимки у тебя получаются — хоть на выставку отправляй,— рассуждал Журавлев.— А тут требуется обычная порнуха с вожделенными мордами.

— Ты не прав, Дик, — отвечал Метелкин.— От порнухи клиента будет воротить, и, кроме злости, в нем ничего не проснется. А злость отразится в первую очередь на мне. Нет, тут нужен деликатный подход. Муж жену или жена мужа должны увидеть в момент их удовольствия, а не животной страсти. Тогда в них вспыхнет обида, а не злость, ущемленное самолюбие, а не ненависть. Пусть муж сволочь, а жена шлюха, но они и в себе начнут искать причины измены, а не приравнивать их к животным.

— Философ.

— Моя философия приносит нам неплохие доходы. И ни одной промашки с клиентами. Платят все без исключения. А значит, мы делаем все правильно.

— Вот здесь ты прав: «Мы делаем». Наш труд не что иное, как коллективное творчество.— Журавлев отбросил фотографии в сторону, а одну положил к себе в карман.— Оставлю себе на память. Уж больно она на ней хороша.

— Нарушаешь устав. Мы не держим архивы и не собираем досье. Не мне учить тебя — идеолога нашего дела. По закону бутерброда, этот снимок непременно попадет не в те руки. Не рой себе яму. У тебя странная манера выхватывать по одному снимку из каждой серии. Ты ими туалет оклеиваешь, что ли?

— Ладно, оставь свою демагогию. Ты хочешь сказать, что с Наташей больше работать не надо?

— Материала более чем достаточно. Аванс Ханс заплатил, через несколько дней он вернется из Германии, и на этом деле будет поставлена жирная точка.

— Надеюсь, ты не собираешься передавать ему «звук»?

— А что там особенного?

— Никаких аудиокассет. И вообще, поверь моему чутью, тут не все так просто. Она клюнула на меня не потому, что я такой неотразимый, ей что-то нужно от меня. Но пока она еще не готова к серьезному разговору.

— А тебе это надо? Хочешь влипнуть в очередную передрягу? Не можешь жить как все люди?

— Скучно мне с вами. Душа просит алых парусов и попутного ветра. Я же тебе уже говорил, что деньги меня не интересуют. Слишком однообразно мы живем. Изо дня в день одно и то же.

— Нет уж, позволь. Ты у нас принц привередливый. Такого клиента упустили в прошлом месяце и только из-за того, что ты не захотел с его женой в постель ложиться. Ишь какой разборчивый! И я молчу. Не хочешь Машу, бери Дашу. Пожалуйста. Теперь ему алых парусов захотелось. Вон смотри, как Настя работает. С таким крокодилом сидеть рядом страшно, а она вон пьет с ним на брудершафт, а через полчаса кульбиты будет в кровати вытворять.

— Настя шлюха.

— Прекрати. Ты знаешь ее ситуацию. Врагу не пожелаешь, и она занимается этим не из любви к сексу, а из-за любви к ребенку. У каждого свой выбор, но иногда его нет, и приходится идти на крайности... Нет, ты только послушай, что этот боров говорит о своей жене! И не понимает, кретин, что каждая его фраза в тысячу баксов весом.

— Давай-ка вернемся к нашим баранам. Я хочу встретиться с Наташей еще пару раз. Здесь. Мне очень хочется выяснить, зачем я ей нужен.

— Ладно, делай как знаешь.

— И еще. Я хочу, чтобы кто-нибудь из наших ребят присмотрел за ней. По-моему, она что-то затевает.

— Послушай, Дик, ты сам распределяешь роли: кто, куда, зачем, почему и так далее. Мое дело техника и переговоры с клиентами. Остальное решаешь ты. Все мои идеи принимаются в штыки. А скольких клиентов мы из-за этого упустили!

— Клиентов на нашу жизнь хватит. Женская похотливость и прелюбодеяние – грехи вечные и неискоренимые. Пока они существуют, мы будем процветать.

— Так, тихо, не отвлекай меня, они переходят в постель. Начинается самая работа... Черт! Почему она не зажигает свет. У нас ни одного кадра не получится.

— А ты возьми вспышку и иди в соседнюю квартиру. Извинись и скажи: «Ребята, не обращайте на меня внимания, я тут на стульчике посижу и пофотографирую». Чудак! Это самый сложный трюк — включить свет перед тем, как лечь в постель. Люди к этому не привыкли, и у них может возникнуть подозрение, и все пойдет насмарку...

— Включили! Молодец Настя! Золото! Четко работает.

Дик вновь взял в руки фотографии и начал их разглядывать. Он видел то, чего в момент встречи не замечал. У девушки был очень напряженный взгляд. Она постоянно о чем-то думала.

— Женя, где видеокассета?

— Какая?

— С Наташей.

— В черной коробке на полке. Только не перепутай ничего, я надписей не делаю.

— Ладно.

Журавлев взял видеокассету и вставил ее в магнитофон. Со стороны все выглядело не так, как ему казалось.

Страсти за стеной закончились. Настя проводила Геннадия Ивановича далеко за полночь. Она даже не зашла в соседнюю квартиру проститься с Метелкиным — торопилась домой к ребенку.

6

В поселке Красково, что по Казанской железной дороге недалеко от Москвы, расположился очень милый лесной участок размером в четверть гектара. Крепкий домик в пять комнат с терраской в стиле сталинских построек, беседка, гамак и высокий неприступный забор.

Здесь и проводил свое время Ханс Шефнер вместе со своей секретаршей Ингрид, привезенной им из Германии. Элегантная, умная женщина лет сорока с энциклопедическими знаниями, она умела быть незаменимым помощником, хорошей хозяйкой и отличной собеседницей. Ингрид являлась дочерью друга отца Шефнера, и они знали друг друга с детства. Родители хотели их поженить, когда дети станут взрослыми, но не случилось. Ханс был старше на десять лет и слишком рано начал увлекаться девочками, а Ингрид была слишком целомудренной и больше увлекалась историей, астрономией, географией и даже археологией. Они любили друг друга, но родственной, платонической любовью, а не плотской. Конечно, Ингрид не была синим чулком и имела мужчин, но лишь на одну ночь, максимум на две. Мужской пол для нее ассоциировался с грубым, тупым животным, который можно подпускать к себе только для удовлетворения собственных страстей. В остальном она была самодостаточна, независима и свободолюбива.

Секретаршей Ханса она стала по настоянию отца. Ему доверили определенную миссию в России, и для выполнения ее требовался грамотный, хладнокровный и рассудительный помощник. Ханс получил достаточно хорошую подготовку. Многое знал и умел, но иногда нуждался в корректировке своих действий и замыслов. Ингрид играла роль человека со стороны, которому всегда видны чужие ошибки и оплошности. В итоге они лишь дополняли друг друга, а не становились бельмом в глазу.

В один из поздних вечеров на дачу приехал Крылов. Ханс не видел своего начальника службы безопасности несколько дней и уже начинал беспокоиться.

Крылова нельзя назвать обычной шестеркой. Нет, он имел свой голос и влияние. Если Шефнер выстраивал стратегию и решал глобальные задачи, то Ингрид играла роль серого кардинала, тайного советника и сочинителя интриг. Крылов в этой компании имел пост главного жандарма, отвечавшего не только за безопасность, но и за наступательную стратегию силовой политики, если того потребует обстановка.

Ингрид провела гостя на террасу и подала на стол чай. Нельзя сказать, что за полтора года они совсем обрусели, но некоторые обычаи им нравились — такие, как чаепитие из самовара с баранками.

— Какие новости, Юра?

— Это тебе судить, но они есть. Детективное агентство «Сириус» действительно существует. Оно зарегистрировано около года назад. Имеет лицензию. Официальный хозяин агентства бывший подполковник милиции Кузнецов ушел в отставку по ранению. Сорок четыре года. Воевал в Чечне в первую кампанию, имеет орден. Миной оторвало ступню левой ноги. Тот тип, который у тебя был, к сыску не имеет никакого отношения. Бывший репортер скандальной газетенки из Краснодара. Светские сплетни соби-

рал и торговал ими. Думаю, именно этим они и кормятся. В штате агентства пять человек. Я сумел побывать у них, когда сыщики мирно спали в своих постелях. Ничего особенного обнаружить не удалось, кроме блокнота в столе секретарши. Там выписаны имена и адреса состоятельных мужчин. Я не поленился и заглянул в их компьютер. Они вооружились полной базой данных. База ГИБДД, база БТИ, база прописки, база прокуратуры, телефонные базы, короче говоря: из этого арсенала можно узнать о человеке все, что хочешь, вплоть до анализа мочи. Обычное явление для агентства сыска; такие базы необходимы. Полный комплект такой атрибутики можно купить за полторы тысячи долларов на любом радиорынке. Это не проблема. Но блокнотик натолкнул меня на одну мыслишку. Я проверил список мужчин по их же компьютеру и получил ожидаемый результат. Все потенциальные клиенты агентства женаты, имеют по нескольку квартир в Москве и не по одной машине. Копию блокнота я себе сделал на их ксероксе, думаю, он нам пригодится. Твоего имени в нем нет. Я так думаю: секретарша вносила в блокнот уже обработанных клиентов.

— Что еще? Как ведет себя Наташа?

— Боюсь, она действительно нашла себе хахаля. Кто он, я еще не выяснил. Но по виду ясно, что парень — специалист в области женского пола.

— Вот что, Юрий. Тебе нужно выяснить, имеет ли любовник моей жены связь с этим агентством.

— Ты хочешь сказать, что сыскари провоцируют ситуации с женами, а потом...

— Именно так. И если я не ошибаюсь в своих подозрениях, то мы сможем обойти все углы, не поцарапавшись. Наталья слишком много знает, а мы не можем рисковать операцией, на которую ушли годы, из-за глупой промашки. Займись вплотную этим парнем, но не спугни. Двое суток тебе на все уточнения. Проверь список мужчин — подвергались ли они шантажу или нет. А также мне нужны подробности о штате агентства, и главное: кто на них работает внештатно. Я думаю, официальная контора это лишь прикрытие, табличка на двери. У них должны быть и другие адреса.

— Согласен, где-то должна быть бухгалтерия, если в штате есть бухгалтер.

— И должен быть притон, где создается компромат.

— Я все сделаю. Через пару дней появлюсь с новостями.

— Надеюсь на это.

Чай остыл, к нему так и не притронулись. До калитки Крылова проводил сам хозяин. Когда он вернулся, Ингрид сидела в плетеном кресле на террасе.

— Твою маленькую стервочку пора убирать. Она была твоей главной ошибкой, Ханс, а теперь может стать роковой.

— Думаю, и тебе следует подключиться к делу, дорогая. Меня в России нет. Я в Германии. А ты с твоим легким акцентом можешь сойти за литовку или латышку. Где-то у тебя был прибалтийский паспорт.

— Я чувствую, без меня тебе не обойтись.

— А кто бы спорил!

7

Режим есть режим, и Геннадий Иванович его никогда не нарушал. Он выходил из дому ровно в восемь тридцать и без пяти минут девять садился за рабочий стол в своем министерстве.

Сегодняшний день не отличался от остальных, с той лишь разницей, что возле его машины стоял незнакомец. Хозяин «BMW» был человеком трусоватым и мнительным, но посторонний мужчина выглядел безобидно, в его облике не наблюдалось агрессивности.

— Здравствуйте, господин Лукашов. Мне необходимо с вами переговорить.

— Кто вы?– спросил Геннадий, подходя к машине.

— Сыщик из частного детективного агентства.

— Вы это серьезно? Я о таких только в американских детективах читал. А у нас...

— Все, что могли, мы уже переняли у американцев. Начиная с Белого дома, жвачки и переименования гастрономов в супермаркеты. Чего уж тут удивляться.

— Ну, допустим. Чего же вы от меня хотите?

— Мне нужно десять минут на беседу. Вы едете на Сретенку, вот мы с вами по дороге и поговорим, чтобы не нарушать ваш распорядок дня.

— Хорошо, садитесь.

Они сели в машину и выехали за ворота дома.

— И что вы имеете мне сообщить?

— Хочу сразу сделать оговорку. Я являюсь посредником, и сам никаких вопросов не решаю. К нам обратилась одна дама и попросила провести с вами переговоры от ее лица. Почему она не захотела сделать этого сама, меня не касается. Нам платят — мы работаем.

— И что этой даме нужно?

— Разумеется, деньги. Сумма значительная. Десять тысяч долларов.

Лукашов присвистнул.

— Ну и запросы. И за что же?

— По поводу запросов она сказала, что вы ее сами научили, как делать деньги. Она заняла свою нишу и считает, что все делает правильно.

— Ах, значит, речь идет о Насте. Хваткая бабенка! Молодец! Только вряд ли она что-нибудь получит. Мы уже дали друг другу то, что могли дать. Воспоминания самые приятные.

— По ее мнению, вы можете дать больше, чем дали. Она не просит дополнительных вознаграждений. Настя продает информацию. Сначала предлагает ее вам.

Сыщик достал из дипломата большой конверт и положил его на панель перед ветровым стеклом.

— Это для ознакомления. Тут фотографии, видеокассета, аудиокассета. Вот тот самый товар, который она выставляет на продажу. Разумеется, здесь копии.

Лукашов перестроился в правый ряд и припарковал машину к обочине. Он взял пакет, вскрыл его и достал содержимое. Фотографии лежали сверху. Он тут же начал их просматривать. Снимки были выполнены на профессиональном уровне, это и неспециалисту было понятно. Постельная серия, где он развлекается с Настей, меняя позы, выглядела впечатляюще.

Лукашов побледнел.

— Ну стерва! Ах гадюка! Ну я ей покажу!

— Для этого вам надо ее найти. А потом: вы не из тех людей, кто может противостоять подобным фактам.

— И этим она хочет меня запугать?

— На аудиокассете отчетливо слышен ваш голос, его трудно перепутать с другим. Вы очень нелицеприятно отзываетесь о своей жене и ее отце. Тут уместно вспомнить, что вы женились из чистого расчета. Ваша жена — дочь министра, непосредственного вашего начальника, который сделал из простого клерка высокопоставленное лицо. Теперь представьте себе на минуту, как среагирует отец, обожающий свою дочь, и она сама, попади эти материалы к ним в руки. В лучшем случае вы окажетесь на улице у разбитого корыта и вам придется в сорок лет начинать карьеру заново. А ведь у вас нет даже полного высшего образования. Языками вы не владеете, с компьютерной техникой — на «вы». Специальности нет, таланты отсутствуют. А что из себя представляет ваш тесть, вы очень хо-

лучите оригиналы, а не фальшивку. К тому же мы возьмем расписку с Насти, что дело закрыто и она сдала нам все материалы. Только после этого мы отдадим ей деньги.

— Значит, деньги я должен принести вам?

— Разумеется, на визитной карточке указан адрес. С двенадцати до восемнадцати без выходных. С клиентки мы тоже берем проценты. Наша фирма гарантирует, что по завершении сделки шантаж не возобновится. Советую вам не мудрить. Влипли, так винить в этом надо только себя. За ошибки приходится платить.

— Послушай, приятель! – оживился Лукашов.– А давай сделаем так. Зачем тебе проценты? Я заплачу тебе половину — и ты все уладишь сам.

Глаза его горели.

— Не получится. У меня нет оригиналов. Она принесет их в день получения денег. И вряд ли захочет приходить к нам в контору. Не так она глупа. Я на вашем месте не стал бы мудрить. Усвойте урок и смиритесь. Жду вас в течение трех суток. А теперь небольшая формальность для нашей бухгалтерии. Подпишите договор с нашим агентством для предоставления вам определенной документации. Подробности мы не указываем.

Детектив достал из кармана свернутый вчетверо лист бумаги, подал его Лукашову, а также протянул ему ручку. Лукашов подписал бумагу не читая.

— Желаю вам удачи,– сказал на прощанье Метлицкий, вышел из машины и смешался с потоком пешеходов.

Геннадий Иванович еще долго сидел на месте, не двигаясь, и с грустью смотрел через лобовое стекло в неизвестную точку.

Впервые за много лет он опоздал на работу на сорок минут. Секретарша его не узнала — на нем лица не было. Правда, она не задумывалась, существовало ли оно ранее.

рошо охарактеризовали сами, и это записано на пленк «Старый сумасбродный маразматик, деспот, безмозглы осел, бесцеремонный хам, хапуга, жлоб, бездарь, взяточник, лизоблюд». И прочие нелицеприятные эпитеты. Чт касается его дочери и вашей жены, то она вам напомина ет бесформенную ожиревшую жабу, дряхлый кусок пс желтевшего сала с протухшими подмышками. Семейк яйцеголовых дебилов, с которой вы вынуждены миритьс и от которой вас тошнит.

Теперь представьте себе, что все, мною пересказанно с ваших слов, заняло меньше минуты, а запись на аудио кассете вместила в себя девяносто минут ваших завыва ний, возмущений и жалоб на невыносимую жизнь.

У Геннадия Ивановича скрипели зубы. Он выронил фотографии, схватил сыщика за ворот пиджака и хорошенько тряхнул.

— Это ты все подстроил, гаденыш! Я тебя удавлю!

— Не будьте идиотом, Лукашов. Во-первых, я сильне вас, а вам только еще синяка под глазом не хватает дл полного счастья. Во-вторых, наше агентство имеет офи циальный статус и лицензию. Мы шантажом не заним емся, но запретить другим не можем. Ваша ученица ок залась талантливее учителя.

Лукашов убрал руки и откинулся на сиденье.

— Меня зовут Евгений Метлицкий. Вот моя визитн карточка,— сыщик положил визитку на колени к ошар шенному клиенту.— Мой вам совет: расплатитесь с эт девчонкой, получите оригиналы и впредь будьте осторс ней. И еще: по ее условиям, деньги должны быть че три дня, потом пойдут пени по тысяче долларов за сут Судя по настроениям этой дамочки, отступать она не бирается. Чем быстрее вы с этим покончите, тем лу для вас. Агентству, как посреднику, вы заплатите г процентов от сделки, а мы вам гарантируем, что вы

8

Когда он вошел в комнату и включил свет, то увидел мужчину, сидевшего в кресле. Испугаться он не успел, а только вздрогнул от неожиданности. Когда-нибудь это должно было случиться. Глупо, что он не впускает в квартиру охранников, а они провожают его до дверей. Киселев больше всего боялся подъездов, где обычно работают киллеры, но в собственной квартире он опасности не ожидал: замки и двери надежные, девятый этаж, сигнализация, а тут на тебе — сюрприз!

Мужчина сидел на диване. Руки в карманах плаща, и еще эта дурацкая шляпа — такие давно никто не носит.

— Проходите, Георгий Валентинович, вам ничего не грозит. Не стесняйтесь, вы у себя дома.

— Кто вы такой?

Ответ последовал странный.

— Теперь живете один. Жену выгнали. Я так и думал. Вы человек крутой.

— Что вам нужно?

— Всего лишь навсего поговорить. Долго вас не задержу. Только не делайте резких движений — у меня палец лежит на спусковом крючке, а с такого расстояния трудно промахнуться в крупную мишень.

Киселев сделал два шага вперед и сел за стол.

— Руки положите на скатерть так, чтобы я их видел.

Требование было выполнено.

— Я представляю организацию, которая занимается шантажистами. Вы у нас не первый клиент. Конфиденциальность нашей беседы я гарантирую. Ваши показания мне нужны лишь для подтверждения, а не для разглашения. Речь идет о детективном агентстве «Сириус». Вы с ним имели дело?

— Это они со мной имели дело. Некий Метлицкий. Он у них заправляет розыском.

— И он сообщил вам о том, что ваша жена имеет любовника, а за подробности потребовал вознаграждение.

— Естественно. Никто бесплатно не работает.

— Вы получили от него доказательства?

— Больше чем достаточно. С картинками.

— Кем же оказался любовник вашей жены?

— Имени они мне не назвали. Хочешь — ищи сам, или пусть тебе жена расскажет. Они представляют только факты.

— И вы нашли его?

— А зачем он мне нужен? Морду ему набить? Так это каждому мужику придется морду бить. Какой дурак откажется трахнуть хорошенькую телку, если та сама ноги раздвигает. Знаете поговорку: «Сучка не захочет, кобель не вскочит».

— Резонно. Хорошие в агентстве работают психологи. Они прекрасно знают, что все шишки посыпятся на неверную супругу. А вы еще деньги платите, чтобы вашу жену грязью облили с ног до головы.

— Если баба грязная сама по себе, то обливать ее незачем. Они это просто мне доказали, вот и все. Я к ним претензий не имею.

— Вы сохранили материалы, которые вам представило агентство? Только не лгите. Все мужики мазохисты. Жену-то вы вышвырнули, а когда тоска по любимому телу начинает брать за глотку, хватаете фотокарточки и скрипите зубами от злости.

— Это мое дело.

— Согласен, но мне достаточно взглянуть только на одну фотографию, на ваш выбор. Но такую, где отчетливо видно лицо любовника.

— Таких фотографий нет. Есть пара снимков, но там его физиономия получилась смазанной.

— Не сомневался в этом, но я его узнаю даже со смазанной мордой.

— Зачем он вам?

— Затем, что все жены изменяют с одним и тем же человеком и именно к их мужьям обращается детектив с предложением уличить неверную супругу.

— Сговор.

— Одна контора, но хорошо закамуфлированная.

— Плевать. Я отдал деньги и не жалею об этом. Как они работают, меня не касается, но они доказали мне, что я рогоносец, а моя жена шлюха. Будь она порядочной женщиной, никакой сговор не помог бы. А так бы я всю жизнь прожил со змеей на груди. Она как сыр в масле каталась, так ей этого мало, стерва ненасытная.

— Может быть, вы и правы. И все же я хотел бы взглянуть на фотографию ее любовника.

Киселев встал из-за стола, подошел к висевшей на стене картине, сдвинул ее в сторону и открыл встроенный в стене сейф с цифровым замком.

— А теперь отойдите в сторону.

Хозяин обернулся. Мужчина стоял в двух метрах с пистолетом в руке.

— Так хотите? А я вам почти поверил.

— Мне нужны улики, Георгий Валентинович, а добровольно вы их не отдадите. Вы же мазохист, как и все остальные.

Киселев отошел в сторону.

Человек в плаще подошел к сейфу и достал из него прозрачный целлофановый пакет, где лежали фотографии, аудио- и видеокассеты.

— Не травите себе душу, Георгий Валентинович. Забудьте свою жену и меня тоже. Прощайте.

Он направился в прихожую. Киселев слышал, как в коридоре хлопнула входная дверь.

В сейфе лежали деньги, значительная сумма в валюте, но пришелец их не тронул, хотя не заметить солидную стопку пачек мог только слепой. Значит, этот тип действительно из органов. Теперь это не имело значения. Главное, он остался жив и его посетил не киллер, которого Киселев давно уже поджидал. Большие деньги всегда запачканы кровью, а Киселев владел огромными средствами.

9

Они лежали в постели и курили. Это была третья встреча, но Наташа никаких разговоров не заводила. Сплошные чувства, а Вадим давно уже не доверял чувствам. Женщина такого ранга, как Наташа, могла найти себе что-нибудь более интересное, чем просто красивого парня.

— Ты ничего не рассказываешь о себе, Дик.

— Не хочу наводить скуку. Родился, учился, женился, развелся. Сплошные глаголы и никаких определений.

— Определения буду давать я. Высокий, интересный, остроумный, молодой, сильный, ласковый. Сказать «любимый» пока не решаюсь. Слишком мало прошло времени.

— Ты замужняя женщина, Натали. Находишься под полной защитой. Ты можешь позволить себе любые игрушки. Я одна из них.

— Ты так ничего и не понял. Я живу в страхе. Мой муж держит меня при себе, пока я ему необходима. С русской женой он имеет свободу предпринимательства и передвижения по России. Только за этим я ему и нужна, но истинная цель его пребывания в России мне еще не ясна. Три фирмы записаны на мое имя. Так меньше налогов, чем если бы он открыл их на свое имя. Но парадокс заключается в другом. Можно идти на жертвы из-за

большой любви, но ни о какой любви не может быть и речи. Я служу ему прикрытием. Тогда дело в деньгах. И тут все шито белыми нитками. Фирмы не приносят никакого дохода. Они занимаются поставками электроники из Германии. На этом можно делать большие деньги. Однако товар приходит минимальными партиями, и фирмы едва сводят дебет с кредитом. С учетом аренды, зарплаты, налогов и прочей мишуры в результате получается ноль. Зачем же ему понадобилось строить особняк под Москвой, под Смоленском, где есть филиалы фирмы, и в Белоруссии? На это идут громадные средства. В чем же резон? Все руководящие посты в фирмах занимают немцы. Наши работают на побегушках, а вся недвижимость записана на мое имя, правда, здесь есть нюанс: все унаследовано мною в его пользу. Почему? Он думает, что проживет больше меня?

— Мне кажется, ты слишком мнительна.

Наташа приподнялась на локтях и внимательно посмотрела на Вадима.

— Я боюсь. Как ты не можешь этого понять?!

— Сделай проще. Разведись с ним.

— У нас брачный контракт. При разводе все имущество остается ему и не имеет значения, на чье имя оно записано, и я подписала этот контракт. Тогда мне казалось такое соглашение вполне справедливым — ведь деньги принадлежат ему, а я намного моложе и могу воспользоваться положением. Он мне сказал: «Если ты выходишь замуж не по расчету, то тогда тебе не о чем беспокоиться. Но если ты хочешь на мне заработать, то это, с моей точки зрения, несправедливо. Захочешь уйти — пожалуйста, но ни с чем». Я согласилась.

— Боишься остаться ни с чем?

— К роскоши быстро привыкаешь. Особенно если всю жизнь прожила в нищете. Меня воспитывала бабушка, мать вышла замуж вторично, когда мне едва стукнуло девять лет. Вышла и упорхнула. Отца я вообще не помню. Окончив школу в Минске, я приехала в Москву и поступила в историко-архивный институт на дневной. Жила на стипендию в общежитии, учила немецкий язык, чтобы читать документы в оригинале. А потом работала секретарем у одного профессора-историка, бывшего генерала КГБ, который вышел в отставку и стал писателем. У него и жила. Секретарша, горничная, любовница и домработница. Трудно мне доставался кусок хлеба. Бабушка умерла, а ее дом под Минском разграбили соседи. Мне и деваться-то было некуда. И тут эта встреча с Хансом. Цветы, рестораны, предложение руки и сердца. Я согласилась. Он обещал мне золотые горы и держит свое слово.

— Так чего же ты боишься?

— Я боюсь Ханса, боюсь его прихвостня Крылова. Страшный тип. Он способен на все. Для него человеческая жизнь – пустой звук. Он подчиняется своему боссу беспрекословно. Боюсь секретаршу Ханса Ингрид Йордан. Настоящая железная леди. Один взгляд чего стоит. Ей бы в концлагере работать — самое место. Это с ней Ханс был на неофашистском митинге в Мюнхене. Теперь она работает здесь, в России. Без нее он не принимает ни одного решения.

— Может быть, ты преувеличиваешь? У страха глаза велики.

— Помнишь, я тебе говорила про подружку в Германии? Так вот, она была против моего брака и даже на свадьбу не приехала. Когда я сказала ей, что выхожу замуж за Ханса, то они с мужем провели свое расследование в Германии. Сделать это непросто, и многого узнать им не удалось, но кое-что они выяснили. Ханс носит фамилию матери. Магда Шефнер. А по отцу он Груббер. Его отец Вальтер Груббер был не только фашистом, а груп-

пенфюрером СС, что соответствует генерал-лейтенанту. Эти подробности я узнала от Никанора.

— Кто такой Никанор?

— Тот самый военный историк и писатель. Мой бывший патрон и любовник. Никанор Евдокимович Скворцов. У него своя картотека на весь Третий рейх. Теперь он пишет книги. Когда-то он был русским резидентом в Германии. Его засветили, и он с трудом вернулся в Советский Союз. От разведывательной деятельности его отстранили, и он двадцать лет сидел в архиве. Защитил докторскую, стал профессором, а когда ушел в отставку, занялся историческими очерками. Человек незаурядный и очень сильная натура. Я жила с ним, как кролик в клетке с удавом. Но когда я вырвалась из клетки, он мне этого не простил.

— Значит, ты вышла замуж за неофашиста и сына бывшего генерала СС. Но он же не собирается устраивать в России революцию и возрождать национал-социалистскую партию во главе с фюрером в собственном лице, а тебя взять на роль Евы Браун.

— Я ничего не знаю о его планах. Этого человека не просветишь рентгеновскими лучами. Он скрыт панцирем на девяносто процентов. Его окружают очень опасные люди. А сколько на него работает всякой нечисти, и представить трудно! То к нему приезжают из Минска, то из Прибалтики, то с Украины. И все встречи проходят тайком, как у настоящих заговорщиков.

— Сейчас в Германии другие порядки. Это очень демократическая страна, где фашисты, если они и есть, не влияют на политическую погоду. Реванш невозможен.

— А я не говорю о Германии. Речь идет о масонах. Рыцари Черного ордена. Они есть и влияют на жизнь не только в Германии, но и на всей планете, даже на войны и террор. В их руках собраны колоссальные капиталы.

Заговоры, интриги, диверсии. Я уверена, что и события в Чечне не обошлись без масонов.

— Похоже на навязчивую идею. Хорошо, давай попробуем во всем разобраться. Во всяком случае, я тебя в обиду не дам. Пусть будет по-твоему. Поверим во все твои страхи и подозрения. Я на твоей стороне. Какие у тебя есть предложения?

Наташа взяла сигарету и закурила. Она долго смотрела в потолок, потом сказала:

— Зло надо вырывать с корнем. Пока не поздно, нужно уничтожить всех главарей банды. У меня есть план, но одной мне его не осилить.

Журавлев не удивился.

— Значит, вот какую роль ты мне уготовила?

— Ты можешь не согласиться. От этого наши отношения не пострадают. Но я своего добьюсь. Бабушка мне много рассказывала о войне. Мой дед погиб в концлагере. Он был председателем сельсовета. Немцы его схватили в первый же день войны. Деда выдал агроном. Потом выяснилось, что агроном был завербован еще задолго до войны немецкой разведкой. Он так и ушел вместе с немцами, когда партизаны начали выходить из лесов. Мой муж мне очень напоминает того агронома.

— Твоего мужа на свете не было, когда кончилась война.

— Остаются параллели. Есть история и уроки истории.

— Да, ты человек серьезный. Тебя не переубедишь. Но из меня мстителя не получится. Я способен убить лишь комара, который пьет мою кровь на шее.

— Я ведь тоже не террористка, а обычная женщина, пытающаяся защитить себя. Если не упредить удар вовремя, то останешься без головы. А я чувствую, как надо мной сгущаются тучи.

Они замолкли. Вадим был разочарован. Он ждал чего-то необычного, соответствующего загадочности и таинственности лежавшей рядом женщины. А она оказалась обычной сумасшедшей, начитавшейся книжек про шпионов. Дон Кихот в юбке, точнее, даже без нее.

10

Как и было обусловлено, Крылов приехал на дачу в Красково через три дня.

— Мои прогнозы оправдались,– уверенно докладывал Крылов.– Я проверил трех клиентов агентства «Сириус», и все они подвергались специальной обработке.

Он выложил на стол стопку фотографий, видеокассеты, негативы и аудиопленку.

— Что это?

— Это то, Ханс, что ждет и тебя, как только ты вернешься из Германии. Наташа встречается с неким Вадимом Журавлевым. Очень неординарная личность. Все, что мне удалось о нем узнать, так это то, что он окончил юрфак и пять лет работал следователем в московской прокуратуре. Чем он занимается последние пять лет, никому не известно. Год назад прошумел скандал с хищением алмазов из России. Там фигурирует имя этого Журавлева, будто он сумел предотвратить переправу крупной партии алмазов за границу. Шумные статьи об этом писал небезызвестный тебе Метлицкий, который теперь возглавляет агентство «Сириус». Так что связь между ними очевидна. Журавлев завлекает женщин, а Метлицкий фиксирует интим на пленки. Вот и весь бизнес.

Ханс закурил сигару, которая не очень гармонировала со стоявшим на столе самоваром.

— Сколько женщин охмурил этот тип?

— Я знаю о двадцати восьми за последние три месяца. Троих из них я проверил и убедился, что именно Журавлев их обработал. Конечно, на женщин я не выходил, а имел дело с их мужьями.

— Бывший следователь и искатель кладов. Мне представляется, что он может быть опасным для нас. А мы сейчас находимся в той стадии работы, когда нам некогда отвлекаться на мелочи и помехи. Надо повесить этих женщин ему на шею, и пусть господином Журавлевым займется милиция. Только сделать это надо ненавязчиво.

— Ты думаешь, Наташа была с ним очень откровенна?

— Наташа напуганный глупый зверек, который ничего не знает и не понимает. Она должна исчезнуть. Сейчас она только мешается под ногами. А этому типу нужно создать кучу проблем, чтобы он забыл обо всем на свете. И отправь кого-нибудь в Германию по Наташиному паспорту. Ее исчезновение должно быть полностью оправданным.

— С этим проблем не будет, а с Журавлевым дело обстоит куда серьезней. У него неплохие связи. Может быть, его убрать?

— Слишком простое решение. Тогда придется убирать все агентство. Они проворные ребята и могут взять след, а нам надо, чтобы все следы вели к ним. Это внутреннее дело. Следствие должно идти параллельно, в стороне от нас. Во всех грехах должны быть виновны Журавлев и его окружение. Зачем же нам его убирать? Пусть наслаждается жизнью, но так, чтобы у них у всех хватало времени только на самих себя, как бы выпутаться из передряги. Займи их делом. Через два дня я должен вернуться в Москву из Берлина. Не забудь о штампах в моем паспорте и таможенном контроле, но до моего возвращения должны быть решены все проблемы, чтобы ко мне не приходили следователи с глупыми вопросами.

— Я могу идти?

— Надеюсь на тебя, Юра.

Как только Крылов ушел, на террасу вышла Ингрид.

— Ты все правильно решил, Ханс.

— Хочешь сказать, что я впервые обошелся без твоей помощи?

— Я хочу сказать, что мне самой пора заняться господином Журавлевым. Одному Крылову с этой задачей не справиться.

— Что ты задумала?

— Пока не знаю, но аппетит приходит во время еды. Не исключено, что я использую Крылова, но так, что он сам об этом знать не будет.

— Только не вздумай подставить его. Крылов мне нужен. Он один десятка стоит. Такими сторожевыми псами не рискуют.

— Не беспокойся о своем дружке. Он останется в стороне, но я не уверена, что у него все получится так, как того требует желаемый результат. Просто я хочу поставить ситуацию под свой контроль.

— Не возражаю. Меня ваши интриги не интересуют. Наше дело подходит к главному и решающему этапу, и я не могу отвлекаться из-за глупых случайностей.

— Конечно, дорогой. Твоя миссия продиктована свыше.

11

Машина ехала по Садовому кольцу. За рулем сидел Метелкин, Журавлев занимал место рядом.

— Упрямый ты мужик, Женя. После того что мне рассказала Наташа о своем Хансе, ты в наглую прешься к нему и даже не представляешь себе, какие могут быть последствия.

— Именно так и надо делать. Во-первых, если ее бредовые идеи имеют под собой хоть какие-то основания, то он выложит деньги не задумываясь. Хотя бы ради того, чтобы избавиться от нас. Во-вторых, ты утверждаешь, что девчонка пропала. Не исключено, что мне удастся что-нибудь выяснить.

— Меня этот вопрос больше всего беспокоит. Она третий день не подходит к телефону. Мобильник Наташа таскает в сумочке. Он всегда при ней. Допустим, она его потеряла, но и дома ее нет. Телефон нигде не отвечает. Я уже на дачу ездил, и там ее никто давно не видел.

— Зачем ты светишься?

— Я обещал помочь ей. Хотя бы тем, что не дам ее в обиду. Правда, я и сам ее басням не очень поверил. Сказки какие-то. Завербованные агрономы, папаша мужа эсэсовец, чуть ли не сам фюрер.

— Вот-вот. А тебе не приходило в голову, что красотка ищет себе лоха на роль исполнителя? История стара как мир. Даже нам приходилось сталкиваться с похожей ситуацией. Ты не должен забывать, что все имущество записано на ее имя. В случае смерти мужа она получит все до последнего гроша. Может быть, он решил ее бросить и она об этом узнала. Ведь мы уже натыкались на такую ситуацию, а брачные контракты в суде ничего не значат. К ним никто серьезно не относится. У нас есть кодекс о семье и браке, где черным по белому сказано, что в отсутствие других наследников жене по праву переходит все имущество умершего мужа. Даже если твоя неотразимая Наташа изменяет мужу направо и налево, то визит к Хансу все равно необходим. Это единственный источник информации. Других нет. И ты можешь искать свою пассию еще сто лет и не найдешь. А вдруг она в тебе разочаровалась и захотела найти себе более решительного сообщника? Сменила номер мо-

бильника, а дома ей появляться необязательно, пока муж в Германии. Лежит себе в постели с сигареткой с каким-нибудь Стасом и рассказывает ему страшилки про гестапо. Ты не забывай, что дамочка окончила историко-архивный институт, знает немецкий, была любовницей писателя и бывшего разведчика. Уж кому, как не ей, знать историю Третьего рейха и всех его фюреров. Достаточно иметь один грамм фантазии, чтобы придумать страшилку про своего коварного мужа-монстра.

— Так это или нет, но я успокоюсь тогда, когда мы все проверим сами. Досконально. Ты займешься фирмой Шефнера. Нам надо установить их финансовое положение, адреса всех филиалов. Сколько человек на них работает — штатно и внештатно. А для начала обрати внимание на сейф, стоящий в его кабинете.

— Хочешь взяться за старое? Ты же зарекся, что больше не подойдешь ни к одному замку.

— Пока в этом нет необходимости, но жизнь, как ты знаешь, часто преподносит сюрпризы. Как ты любишь говорить, в каждом деле надо ставить точку.

— Скорей бы ее поставить. Во всем виноваты твои алые паруса. Ты в черта готов поверить, лишь бы найти на свою задницу новые приключения. Пора остепениться.

— Уже остепенился, но точку поставить придется. А пока на горизонте только вопросительные знаки мелькают.

Машина остановилась возле современного здания, каких в Москве за последние десятилетия выросло море. Журавлев остался в машине, а Метелкин направился к подъезду.

Шефнер принял детектива вне очереди. Вид у босса был не очень радостным. Впрочем, радоваться особо нечему. К нему не Санта-Клаус заявился с мешком подарков за спиной.

— Садитесь, господин Метлицкий, и выкладывайте грязное белье на стол.

Детектив сел на уже знакомый стул.

— Прошу выдать мне деньги. Если материал вас не устроит, то деньги останутся у вас. Но мы, как правило, не торгуем требухой. Наша фирма держит марку. Кстати, если вам понадобится наша помощь, всегда готовы. Не пожалеете.

Шефнер встал. Он и впрямь был очень высокого роста. Личность яркая и незабываемая.

Хозяин кабинета подошел к сейфу, открыл его ключом и достал из него деньги. От Метелкина не ускользнул тот факт, что в сейфе ничего, кроме денег, не было. Полки пустовали.

Пачка стодолларовых купюр упала на стол. Метелкин открыл свой портфель и выложил компромат перед заказчиком.

Шефнер долго разглядывал каждую фотографию, просматривал негативы, потом кивнул.

— Работа выполнена на совесть. Складывается впечатление, что моя жена вам позировала, а снимки вы делали в студии порножурнала для мужчин. Слишком гладко причесано.

— Качество гарантировано. Где это снималось, не имеет значения. Речь идет о фактах, а они налицо.

Метелкин взял со стола деньги и достал расписку, сделанную на бланке детективного агентства с печатью.

— При получении наличных мы оставляем расписки.

— Да, я помню. Вы говорили об этом.

— Вы уже видели свою жену после возвращения?

— Конечно, она меня встречала. А вчера я проводил ее в аэропорт. Она уехала в Германию по делам фирмы, потом полетит на юг Франции отдохнуть.

— Вы очень благодарный муж.

— Что делать... Надо было понимать, когда женился на женщине на двадцать с лишним лет моложе себя. Во всяком случае, я ей этих снимков показывать не собираюсь.

— Дело хозяйское. Нас это не касается.

— Вот здесь я с вами абсолютно согласен. Постарайтесь как можно быстрее забыть обо мне и моей жене.

Метелкин встал.

Журавлев давно уже вышел из машины и прошел вперед шагов на сто. Он это сделал сразу, как только заметил видеокамеры у центрального подъезда. Метелкин не удивился — они уже научились друг друга понимать.

Когда они вновь оказались вместе, Метелкин сказал:

— Деньги он отдал без сожаления, что очень странно. С этой минуты я перестал ему верить. Тут что-то нечисто. Они пытаются отделаться от нас. Шефнер утверждает, что вчера проводил Наташу на самолет и она улетела в Германию по делам, а позавчера она его встречала в аэропорту. Тут три варианта. Либо она нашла себе нового клиента, либо ее убрали, а может быть, мы обычные психи и делаем из мухи слона. Живет баба в свое удовольствие, трахается с мужиками, а от безделья время от времени ей в голову взбредают всякие фантазии, что на научном языке называется «вялотекущая шизофрения». Это и тебя касается. Только у тебя возникают сезонные обострения, когда в твою задницу втыкается шило, и ты начинаешь метаться по клетке в поисках алых парусов.

— У меня есть старые связи в аэропорту, — не слушая приятеля, рассуждал Журавлев.– Надо выяснить, улетала вчера Наталья Шефнер в Германию или нет. Я уверен в одном: если все ее подозрения верны хотя бы отчасти, то Шефнер нас в покое не оставит. В его деле свидетелей быть не должно.

— И что? Он нас уберет? Никто даже не догадывается, сколько человек на нас работают, кто подставной, а кто дело делает. Всех не уберешь. Скорее мы его уберем.

— Не ерепенься. Наша задача выяснить, с кем мы имеем дело. Противника нужно изучить, а потом искать метод борьбы с ним. Какой смысл вешать липучку от мух, если у тебя водятся тараканы.

— Вот здесь он находится в более выгодном положении, чем мы, примерно на полшага.

— Придется сократить расстояние, прибавим шагу и поиграем в активность. Самое время. Ты видел его сейф?

— Твоя затея пуста, потому что пуст сейф. Он ничего в нем не хранит.

Машина выехала на Новый Арбат.

12

Квартира в высотном доме на Котельнической набережной выглядела по-сталински старомодно. Громоздкая мебель, полки с книгами, а кабинет хозяина забит шкафами с выдвижными ящиками. Каждый такой ящик имел свой номер и индекс.

Журавлев бегло осмотрелся и заметил на одном из ящиков цифру «1148». Стало быть, их не меньше полутора тысяч.

Хозяин встретил гостя приветливо. Пожилой, подтянутый мужчина в бархатной куртке, подвязанной кушаком, шелковый стеганый воротник шалькой и атласное кашне на шее, скрывавшее морщины. На вид ему было более семидесяти, но держался он очень бодро. Поредевшая седая шевелюра прекрасно выглядела на фоне темно-синего бархата, удлиненный фасон прически под каре ассоциировал этого человека с каким-нибудь престарелым маэстро, но для музыкальных инструментов в доме не на-

шлось места. Да и личных телохранителей музыканты не имели. Дверь Журавлеву открыл человек-бык гигантских размеров и, перед тем как провести гостя в кабинет, скрупулезно ощупал его.

В кабинете пахло стариной и канцелярией, исключением был компьютер, выглядевший на фоне темной резной мебели как бельмо в глазу.

— Кажется, я обрел еще одного клиента в вашем лице, Вадим Сергеевич.

Генерал подошел к Вадиму и пожал ему руку. Это было крепкое рукопожатие, доказывавшее лишний раз, что Никанор Евдокимович Скворцов, несмотря на свой почтенный возраст, пребывает в отличной форме.

— Перед тем как звонить вам, уважаемый профессор, я прочел пару ваших книг по истории немецких войн и разведки. Впечатляет.

— Значит, вас интересует история? Очень хорошо. Обычно мои клиенты интересуются своими современниками. Впрочем, диапазон моих знаний намного шире, чем это представляется со стороны.

Скворцов указал на кушетку, обтянутую плюшем, и пригласил гостя сесть.

Когда они устроились напротив друг друга, хозяин сложил длинные ухоженные пальцы вместе и вопросительно посмотрел на молодого человека.

— Я весь внимание.

— Может быть, мои вопросы как-то коснутся вашей личной жизни, профессор, но только косвенно. Речь идет о молодой женщине, моем друге, которую вы знали.

Взгляд отставного генерала потускнел.

— Моя личная жизнь не является достоянием истории. И здесь я справок не даю.

— Речь идет о Наташе, в девичестве Куликовой, по мужу Шефнер. Когда я видел ее в последний раз, она была очень обеспокоена и опасалась за свою жизнь. По ее мнению, Ханс Шефнер что-то затевает на территории России, а Наташа в некоторой степени представляет собой помеху.

— Иностранцы ничего не могут затевать в России. Они находятся под пристальным наблюдением. Это не реально.

— Я того же мнения. Но тем не менее Наташа исчезла. Со слов ее мужа, она уехала в Германию по делам фирмы. В Дюссельдорфе живет ее подруга, и я созванивался с ней. Но та ничего о ней не слышала в течение последнего месяца. Я убежден, что Наташа перед поездкой в Германию сообщила бы об этом подруге или позвонила ей по прибытии в страну. Но этого не произошло. Я уверен, что с девушкой что-то случилось и ее опасения были не напрасны.

— Мне семьдесят четыре года, уважаемый Вадим Сергеевич, и я более пяти лет не выхожу из дому. Каким образом я могу вам помочь?

— Мне кажется, чтобы добраться до истины, надо начать издалека. Я хочу понять цель приезда Шефнера в Россию. Свой бизнес он ведет здесь из ряда вон плохо, однако тратит крупные средства на приобретение недвижимости. По утверждению Наташи, их брак — простая формальность. Возникает вопрос: какие цели преследует неофашист Шефнер, сын группенфюрера СС Груббера, взявший фамилию матери на территории нашей страны?

— Любопытно. О том, что Наташа вышла замуж за неофашиста, я слышу впервые. Что ж, давайте попробуем копнуть поглубже. Группенфюрер Груббер — личность неординарная. Он неоднократно появлялся в моих исследованиях, но вплотную я им не занимался. Посмотрим, что у меня на него есть.

Скворцов встал, подошел к одному из ящиков и выдвинул его. Покопавшись в сотне плотно прижатых друг к другу карточек, он достал одну из них и просмотрел ее.

— На Груббера у меня, к сожалению, очень мало материалов. Что можно сказать с уверенностью? Груббер руководил пересылкой военнопленных из Белоруссии в Германию и был ответственным за план поставок рабочей силы для рейха, начиная с 1941 по 1943 год, когда наступил перелом в войне. По некоторым данным, через руки Груббера прошло более полутора миллионов человек, из которых четыреста тридцать тысяч женщин, отобранных для работ в домах мирных немцев. Семьсот тысяч мужчин для черной работы на производствах и триста тысяч военнопленных отправлено в концлагеря. Когда немцев потеснили, а они убегали на полных парах, бросая пожитки, оружие и сжигая все на пути, Груббер был переведен на работу в Главное имперское управление безопасности. Гиммлер доверил ему надзор за концлагерями, сделав его главным инспектором восточных территорий. Когда наши вошли в Берлин, Груббер исчез. В пятидесятых его след обнаружился в Соединенных Штатах, где он жил под именем Вилли Солдера и работал консультантом в ЦРУ. Его выявила комиссия по поиску военных преступников, но Грубберу вновь удалось уйти. Спустя десять лет его след появился в Анголе, потом в Южной Корее, и в последний раз его имя упоминается среди инструкторов-сепаратистов в Лаосе в семьдесят первом году. Тут, правда, есть одна сноска. Когда Груббер бежал из Соединенных Штатов, его жена Магда Шефнер вернулась в ФРГ с сыном, родившимся в сорок седьмом году. Это, собственно говоря, все, что мы знаем. Но тут есть еще одно имя — Герман Хоффман. Что касается этого фрукта, то на него у меня есть досье с более подробными данными.

Профессор поместил карточку на место, задвинул ящик и перешел к застекленному шкафу, где рядами стояли папки. Он нашел нужную и достал ее.

— Так-так-так... Что же представлял собой штандартенфюрер Хоффман. В первую очередь он был правой рукой Груббера и, где бы ни работал Груббер, Хоффман всегда находился рядом. Полковник Хоффман считался прирожденным контрразведчиком и занимался тем, что отбирал из толпы пленных неблагонадежных лиц, критически настроенных к советскому строю, и перевербовывал их. Безграмотные головорезы, уголовники, бывшие кулаки шли в полицаи, более грамотные отправлялись в школы диверсантов Абвера и СД, после чего их вновь засылали обратно в Россию. Одаренными не рисковали, их готовили в спецшколах для важных заданий, но не возвращали в Россию, а держали при себе, что называется, на особый случай. Конечно, после войны Хоффман интересовал нашу разведку гораздо больше, чем Груббер. Но он также исчез. В то время когда Груббер курировал концлагеря, Хоффман и там подбирал себе будущих агентов. Некоторые свидетели, оставшиеся в живых, подтверждают это. Хоффман считался отличным психологом и дипломатом. Он не кричал, не требовал, не расстреливал. Но те, кто ему отказывал, отправлялись в газовую камеру,— пролистав несколько страниц, Скворцов продолжил: — После войны фигура Хоффмана всплывала несколько раз и в тех же местах, где находился Груббер. О его семье мало что известно, но его жена объявилась в Германии в пятьдесят седьмом году с двухлетней дочерью. Никаких обвинений против нее не выдвигалось, хотя известно, что она работала с мужем на оккупированных территориях в качестве переводчицы. Ее должность не подходит под статью военных преступлений, хотя она имела чин гауптштурмфюрера СС, что

соответствует капитану армейской службы. В пятидесятые годы след Хоффмана потерялся окончательно.

Пролистав еще несколько страниц, профессор увлекся чтением и даже вернулся к своему месту за столом. Журавлев сидел тихо, затаив дыхание. Наконец Скворцов ожил и посмотрел на гостя.

— Тут есть две любопытные справочки. Одна относится к допросу бывшего агента Хоффмана. В пятьдесят шестом году он добровольно пришел в НКВД и рассказал, как его перевербовывал Хоффман. Агент боялся за жизнь троих детей и подписал договор о сотрудничестве, но вспомнил о нем только в пятьдесят шестом. К нему пришел человек и начал его шантажировать, угрожать, что договор с его подписью может попасть в руки госбезопасности. Но он пришел сам и все рассказал. Шантажиста арестовали. Им оказался агент западногерманской разведки, но никакого договора у него не нашли. Тот признался, что при засылке ему никаких компрометирующих документов не давали, а назвали имя и фамилию человека, и все. Ему даже его адреса не дали, пришлось искать самому. Это один эпизод. А вот второй. На границе был задержан нарушитель. Пятьдесят четвертый год. Русский. Завербован Хоффманом в сорок втором году. Он работал в архиве под руководством Хоффмана. Штандартенфюрер оставил его при себе из-за того, что новичок неплохо знал немецкий язык. Арестованный утверждал, что архив агентуры Хоффмана занимал три подвальных помещения в селе Копытине в тридцати километрах от Смоленска. Когда Красная Армия начала теснить немцев, то архив был эвакуирован в спешном порядке. Его вывозили на четырнадцати грузовиках. Что с ним стало дальше, он не знает. Агента отправили поездом. По некоторым слухам, грузовики разбомбили. Натиск советских войск был слишком сильным, но арестованный в это не верил. Хоффман сам лично сопровождал архив, и еще с ним были восемь офицеров СС. Все они остались живы. По мнению агента, архив был перепрятан, когда стало ясно, что до Германии его не довезут. Помимо архива в грузовиках перевозилась документация СС, много ценностей, награбленных во время оккупации, и какие-то особые реликвии, связанные с Черным орденом крестоносцев нового времени. Пойманный агент также рассказывал, будто во время войны эсэсовцы устраивали какие-то странные обряды по ночам в заброшенном костеле. Партизаны знали об этом и не раз пытались взорвать костел во время сборищ. Там собиралась вся элита вместе с группенфюрером Груббером. Но костел был неприступен. Охрана выставлялась такая, что мышь не прошмыгнет, и костел можно было разбомбить только с самолета, и то, если очень повезет.

При засылке в пятьдесят четвертом задание агент получил очень странное. Он должен был обследовать дорогу от Смоленска до Орши в радиусе двадцати километров и составить подробную карту местности со всеми строениями и коммуникациями вплоть до линий электропередач, лесных тропинок и болот. Уже к тому времени ландшафт изменился до неузнаваемости. Шли полным ходом послевоенные стройки, и восстанавливались разрушенные территории. Ну а на сегодняшний момент этих мест вовсе не узнать.

— Вы немного отвлеклись от темы, Никанор Евдокимыч.

— Отнюдь. Давайте с вами пофантазируем, Вадим Сергеевич. Поймали одного нарушителя, но скольких не поймали. Кто-то прошел и составил такую карту. Теперь представим себе, что архив с ценностями и документами Хоффман не вывез в Германию и его не разбомбили. Не

вывезли, потому что у немецкой разведки нет компромата, и мы это видели в первом случае. Шантаж с подписанным договором не прошел — нет предмета шантажа. Бывшему предателю не предъявляли договор с подписью. Бомбежка тоже не очень похожа на реальность. Никто из сопровождавших архив не погиб. Теперь представим себе, что Хоффман нашел подходящее место для хранения архива. Надежный скрытый могильник — вполне реально. Но у него не было времени зафиксировать точку и привязать ее к карте. При паническом бегстве приходилось петлять, и вряд ли они имели подробную карту, а скорее, ориентировались по компасу. И засылка агентов с целью создания карты определенного участка местности, соответствующей отходу Хоффмана из района Смоленска, подтверждает это. Теперь могу добавить от себя лично: «Если бы на данном отрезке после освобождения территории от немцев нашими войсками либо кем-нибудь еще был обнаружен подобный архив, я бы об этом знал. Мне приходилось работать в этой области. Я знаю обо всех немецких архивах, найденных на территории СССР после освобождения от захватчиков. Ничего похожего найдено не было. Такую документацию не скроешь. Никто не мог найти клад тайком и перетащить к себе домой. Полная чепуха».

— Теперь до меня начинает доходить смысл всего вами сказанного...– задумчиво протянул Журавлев.– Ведь у Шефнера в Смоленске есть свой филиал, и он выстроил за городом особняк. Совпадение? Может быть. Но то, что Шефнер сын Груббера, тоже совпадение? Уже натяжка. А то, что его бизнес в России не приносит доходов, а жена ему безразлична, вообще ни в какие ворота не лезет.

— У вас аналитический склад ума, молодой человек,– улыбнулся Скворцов.

— Конечно, после того как вы все разжевали и положили мне в рот. Но скажите, генерал, какую ценность может сегодня представлять собой старый эсэсовский архив?

— Очень большую. Вот вам пример. Сегодняшние политики бьются за власть, не жалея копий. Выборы строятся на борьбе компроматов. Все обливают друг друга грязью. Кто остался чище других, тот и выиграл. Случай с выборами губернатора Тульской области. Одного кандидата завалили с треском — его отец служил у немцев плотником во время войны. Вы скажете, что дети за родителей не отвечают. Еще как отвечают! На выборы молодежь не загонишь. Основной электорат — это пенсионеры, а они знают, что такое война. У каждого из них погибли отец, муж, мать, брат. Они все еще ценят красное знамя и помнят День Победы. С ними не договоришься. Архив, если он существует, имеет не только историческую ценность, он все еще владеет силой шантажа. Скольких героев войны можно упрятать за решетку, а скольких псевдопреступников и предателей оправдать и реабилитировать! Тайник Хоффмана — это психологическое, идеологическое оружие, история, нравственность, правда, факты, для кого-то надежда, кому-то позор. И еще о реликвиях. Эсэсовские масонские ложи Черного орла, Черного креста, Рыцарей свастики и другие объединились под одним крылом арийской элиты СС. Каждая ложа имела свои капиталы, свои подразделения, филиалы во многих странах. Обладатели реликвий имели огромную власть, влияние... Впрочем, почему имели. Они и сейчас имеют и живут. Без помощи масонов не смогли бы уберечь свои головы ни Груббер ни Хоффман. Если среди архивов есть реликвии, то они могут указывать на тайные ритуалы, места сборищ, карты, секретные организации, вплоть до мест нахождения захоронений тайников. Символы, тай-

нопись и оккультизм Третьего рейха давно уже расшифрованы учеными. Сейчас все эти хитрости может прочитать ребенок, если он увлекается астрологией и тайнописью. Возможно, господина Шефнера интересует именно эта сторона потерянного архива. Тут можно только гадать. Вот вам общая картина. Выводы делайте сами. Одно понятно: архив Хоффмана бесценен для любой разведки мира, а реликвии бесценны для неонацистов. В любом случае параллель между мужем Наташи и тайной исчезновения архива существует.

— Но способен ли Шефнер вывезти этот архив, если найдет его?

— Тут ему помогут эксперты. А самое ценное переправят дипломатическим багажом, что-то контрабандой, а что-то уничтожат. Если он строит недвижимость, то ему есть где хранить архив, а переправлять он будет только самое необходимое. И потом: архив в своей основе составлялся на советских граждан. Зачем же вывозить компромат из страны, где ему и надлежит находиться?! Шефнер может стать таким же, как я, хранителем компроматов. Приезжает из Германии агент с особым заданием и ничего с собой не везет, а обращается к Шефнеру. Мол, нужен материал на такое-то лицо. Пожалуйста, получайте. Или: «Подберите мне пару помощников для грязной работы». Пожалуйста. Вот вам один. Он расстреливал односельчан в сорок первом. Правда, ему уже около восьмидесяти, но он попросит внуков помочь вам, чтобы у него не отняли ордена и славу, а внуков не вышибли из особых учреждений. Тут всякое может быть. Так что архив может оставаться здесь, но работать, как деньги в банке,— с оборотом, а не лежать мертвым грузом в недрах земли.

— И Наташа хотела остановить этот процесс. Какая наивность! Мне кажется, она была готова отомстить за деда, которого предал немцам завербованный агроном.

Старик усмехнулся.

— Историю про агронома я слышал. Начнем с того, что немцы не вербовали агрономов, да еще в довоенное время. Это наивно. Про агронома я все выяснил. Личность незаурядная. Белый офицер из карательной Капелевской дивизии. Стопроцентный монархист, белоэмигрант. Связан с немецкой разведкой со времен Веймарской республики. Григорий Амодестович Антонов. В Первую мировую войну бил немцев без пощады. С приходом советской власти бил большевиков с тем же азартом. В Союз его забросили в тридцать девятом. Навредил он здесь немало. Когда к нему подобрались наши чекисты на расстояние вытянутой руки, он ускользнул. Осел в глухой деревушке, там, где жили родичи Наталии. С приходом немцев расправил крылья. Получил кличку Агроном от деревенских. Перешел в освободительную армию Власова и стал его правой рукой. В конце войны перебрался в Соединенные Штаты. Кадровый разведчик. Жив ли он теперь — никто не знает. Так что об истории с завербованным агрономом забудьте. Это был идеологический противник, стойкий враг Советов. Ну а что касается Наташи, то тут я бессилен. Но при необходимости звоните мне. Попробую помочь. У меня сохранились еще кое-какие связи.

Журавлев встал.

— Спасибо за помощь. Мне говорили, что все ваши услуги платные. Сколько я вам должен?

— Ничего. Вы хотите помочь Наташе, это и есть ваша плата. Был бы я лет на сорок помоложе, с удовольствием подключился к вашей компании. Увы, стар! Эта девушка своей молодостью и энергией продлила мне жизнь и заставила работать и смотреть вперед, а не в могилу. Я ей очень обязан, и большой кусок моего сердца принадлежит ей. Держите меня в курсе дел. Если с ней действительно что-либо случилось, мне, старику, больно будет.

Сейчас Вадим вспомнил «Войну и мир» Толстого, сцену, как старик Болконский провожает Андрея на войну. Может быть, последняя фраза генерала натолкнула его на воспоминания. Возможно, но Скворцов выглядел искренне обеспокоенным человеком.

Они простились, и Журавлев ушел. После беседы с генералом ему требовалось время, чтобы переварить услышанное и расставить акценты. Если принять во внимание предположение профессора, то все выглядело куда сложнее, чем он полагал. Наташа лишь песчинка в огромной мясорубке событий. Вадим устроился на скамейке Яузского бульвара и задумался.

13

Без пятнадцати восемь Кира подошла к своему дому. Настроение было паршивым. Она только что побывала в кожно-венерологическом диспансере, где получила справку от врача о своем состоянии здоровья, и ей казалось, будто ее выпачкали в грязи,— такой ценой приходилось платить за свои женские слабости. Она не первый раз изменяла своему мужу и делала это с учетом опыта очень ловко. Саше и в голову не могло прийти, что его любимая Кирочка, с которой они прожили счастливо более пятнадцати лет, постоянно меняет любовников. Но как гласит пословица: «Сколько с кувшинчиком по воду ни ходи, а горлышко все равно отобьется». И оно отбилось. Она и предположить не могла, что за ее новым любовником кто-то наблюдает, какие-то частные детективы, а потом ее мужу принесут кучу фотографий, где она показывает высший пилотаж секса в чужой постели, о чем ее муж и помыслить не мог. Саша был неплохим мужчиной, но однообразным, без фантазии, и с ним, как она считала, приходилось выполнять супружеские обязанности, а не получать удовольствие. Не могла же Кира всю свою жизнь довольствоваться нудным треском кровати два раза в неделю со своим мужем и не видеть истинного блаженства, которое могут, не всегда, правда, доставлять ей настоящие мужики.

Когда муж получил фотографии и видеокассету, то собрал вещи и ушел. Через несколько дней она наконец поняла, что, получив полную свободу, с ней нечего делать. Любовники — любовниками, а семья — семьей. Нет, она ни в чем не раскаивалась. Кира всегда находила для себя оправдание и быть в чем-то виноватой не могла. Такова ее психология, и тут уж ничего не поделаешь. Если она изменяет мужу, значит, муж в этом виноват. Но это же не повод, чтобы бросать ее. Такое и в голове не укладывалось. Она еще могла уйти, но чтобы от нее уходили, такого быть не должно.

Сначала Кира требовала от мужа, чтобы тот немедленно вернулся, потом плакала, затем умоляла и просила прощения. Наконец он поставил перед ней условие, что она должна пойти в вендиспансер, сдать все анализы и принести справку о состоянии здоровья, только после этого он согласится с ней встретиться для переговоров. Пришлось ходить по врачам и унижаться.

Возле подъезда она встретила соседку по этажу, и они вместе поднимались в лифте на пятый этаж.

— Что-то Александра Владимировича давно не видно?– спросила соседка.– И машина его не будит нас по ночам.

— Уехал в подмосковный дом отдыха. Скоро вернется.

— А как же вы, Кирочка? Почему не поехали?

— По врачам хожу. Щитовидка замучила. Погода очень неустойчивая. Август на октябрь похож. Люди в плащах ходят.

— Да, с летом нам не повезло. То жара, то холод. Скучно ему там в такую погоду одному.

— Недолго осталось. Сегодня вечером приедет.

Они вышли из лифта. Кира направилась к своей квартире, а соседка — к своей.

— Всего хорошего, Кирочка.

— До свидания, Мария Степановна.

Женщина, стоявшая у окна выше на один лестничный пролет, тут же отодвинулась в сторону, чтобы ее не заметили.

Кира вошла в квартиру, сняла плащ и прошла в комнату. Включив свет, она вздрогнула, но крикнуть не смогла. Сильная рука в кожаной перчатке зажала ей рот. Он стоял сзади, и она его не видела, но отчетливо чувствовала дыхание и запах дезодоранта.

— Тихо, девочка! Не поднимай шума, иначе я прострелю тебе печень.

Что-то твердое уперлось ей в ребра. Кира попыталась вырваться, но противник был слишком силен, и ей показалось, что ее зажали стальные тиски.

— Не трепыхайся, детка. Ты выполнишь все мои указания и только в этом случае останешься живой. Иначе тебе больше не видеть белого света.

Тиски ослабли, и сильные руки развернули ее, как куклу, на сто восемьдесят градусов. Теперь она оказалась с ним лицом к лицу. Холодные глаза вызывали дрожь. Кожа, изрытая оспинами, сухие тонкие губы и дурацкая шляпа на голове. Думать о его внешности и оценивать ее Кира не могла, но в том, что этот тип выполнит свои угрозы, не задумываясь, она не сомневалась. В мужчинах она знала толк и, как ей казалось, видела их насквозь.

— Что вам надо?– прохрипела она, не узнавая собственного голоса.

Теперь твердый предмет упирался ей в живот. Она опустила глаза и увидела черный пистолет.

— Сейчас ты позвонишь своему последнему любовнику и позовешь его сюда.

— Зачем?

— Я поговорить с ним хочу от имени твоего мужа. Твое дело — молчать.

— Но я даже телефона его не знаю. И зачем это нужно?

— Это мне решать, а телефон я тебе продиктую. Скажешь ему, что у тебя проблемы с венерологическим заболеванием и если он не приедет сейчас же, то ты заявишь на него в милицию.

— Хорошо, я позвоню, только отпустите меня.

Мужчина взял ее за локоть и подвел к телефону. Он сам набрал номер и протянул ей трубку.

Вадим отсыпался после бурно проведенной ночи. Телефон трещал не смолкая. Кто-то очень настырный не давал ему покоя.

Не открывая глаз, он протянул руку к тумбочке и снял трубку.

— Какого черта?

— Дик, это Кира говорит.

— Какая еще Кира? Что за хохмы?

— Та, которую ты называл акробаткой в постели.

— Бог мой, я уж думал ты успела забыть обо мне.

— Рада бы, но не могу. Наследство мне от тебя осталось. Я только что вернулась от венеролога. Результат неутешительный.

— Чушь какая-то. И что у тебя нашли?

— Сейчас ты приедешь ко мне, и я тебе все расскажу. В противном случае я за последствия не отвечаю.

— Ладно-ладно, не ершись. Куда ехать-то?

— Лобачевского, тринадцать, корпус два, квартира шестьдесят четыре.

— Минут через сорок буду. Жди.

В полусонном состоянии Журавлев накинул на себя одежду, сполоснул лицо, забыв при этом причесаться, и отправился во двор, где стояла его машина.

Кира положила трубку.

— Он будет здесь через сорок минут.

— Очень хорошо.

Мужчина достал из кармана пиджака пакет с фотографиями.

— Ваш муж уже ознакомил вас с этой коллекцией?

Женщина увидела знакомую пачку фотографий.

— Не могу поверить, чтобы Саша кому-нибудь их мог показать.

— И вы правы. Однако он их не порвал, а держал в письменном столе у себя на работе. Это придавало ему духу, чтобы не звонить вам. Сейчас он живет у своего друга, и они сегодня отмечают день рождения его жены.

— Но он обещал приехать сегодня.

— Приедет, когда напьется. В трезвом виде он вас боится. Слабак. Крутить такими делами — а перед женой трепетать! Брать взятки, воровать, строить дачи ему не страшно, и все ради тебя, тварь продажная. А когда-то был порядочным человеком и мог стать крупным ученым. Твое бесконечное требование денег его сгубило, но теперь, надеюсь, он вернется к праведной жизни. О таких стервах, как ты, долго не сожалеют. Похоронит, поплачет, отрезвеет и возьмется за ум.

У Киры по телу пробежала дрожь. Она не в силах была пошевелиться, ноги налились свинцом. Этот тип будто гипнотизировал ее. А может, так и было.

Вместо пистолета в руке бандита появился нож.

— Что ты хочешь сделать?

— Проучить тебя.

Удар, как выпад шпаги, пришелся под левую грудь. Кира даже не успела почувствовать боли. Лезвие достало до сердца, и смерть наступила мгновенно. Ноги подкосились, и она упала на ковер, тихо, бесшумно, словно у марионетки оборвались ниточки.

Убийца достал из кармана целлофановый пакет, бросил в него окровавленный нож и убрал пакет в карман. Теперь его костюм не пострадает от пятен крови. Он взглянул на часы. Оставаться в квартире уже не имело смысла. Главный герой должен появиться здесь с минуты на минуту. Последнее, что он сделал, подошел к ночному столику и бросил в ящик стопку фотографий.

Выходя из квартиры, он снял с ботинок целлофановые пакеты, завязанные на щиколотках леской, сунул их в карман, оставил замок на «собачке», чтобы дверь не захлопнулась. Лифт вызывать он не стал. Усевшись в свою машину, он не уехал сразу, а дождался, когда во двор въедут «жигули» Журавлева. На этом его работа заканчивалась.

Журавлев вошел в подъезд и начал подниматься. Он не знал, на каком этаже находится квартира. Голова все еще гудела после обильного злоупотребления коньяка с шампанским и бессонной ночи. При такой бурной жизни долго не протянешь. Одышка, сердцебиение, тошнота и красные плавающие круги в глазах. А что с ним будет в сорок? Тряпка. Если он доживет и не сдохнет от спида или еще какой-нибудь заразы. Конечно, замужние женщины не так опасны, как шлюхи, но ведь и они не застрахованы от нежданчиков. Если они ложатся с ним в постель, то, значит, и с другими тоже. Если баба ходит на сторону, то это у нее в крови, и бороться с этим — пустое занятие.

Квартира шестьдесят четыре находилась на пятом этаже. Вадим позвонил, но ему не ответили. Он постучал, и дверь качнулась. Приоткрыв ее, он заглянул. Никого. Тогда он вошел.

Как только его фигура исчезла с лестничной клетки, женщина, наблюдавшая за ним с верхнего этажа перегнувшись через перила, тут же спустилась вниз и позвонила в соседнюю квартиру.

Ей открыли почти сразу.

— Добрый вечер. Я из собеса. Вы Мария Степановна?

— Совершенно верно.

Женщина достала блокнот из кармана.

— У меня к вам несколько вопросов о вашем семейном положении. Мы готовим субсидии для малоимущих.

— Да вы заходите в квартиру. Сами все увидите.

— Нет-нет, лучше вы выйдете на площадку, у меня очень мало времени, а обойти надо еще сорок квартир.

Мария Степановна вышла и начала отвечать на вопросы.

Журавлев стоял посреди комнаты и не мог оторвать глаз от лежавшего на полу трупа. Лицо женщины исказилось страхом и застыло в гримасе ужаса. Светлая блузка под левой грудью превратилась в бурую. Рваная ткань говорила о том, что ее убили острым режущим предметом, проще говоря — ножом. И, кроме мужа, этого сделать никто не мог. Тут любой сорвется, если узнает, что его жена принесла в дом сифилис, а то и того хуже.

Помочь ей он уже ничем не мог. Тут только можно выразить сочувствие. Неожиданная мысль ударила ему в голову, и он вздрогнул. Эта женщина обвинила его в том, что он ее заразил. Значит, и он болен. И видимо, серьезно, а не какой-нибудь гонореей. И что он здесь делает? Ждет последствий? Так они не заставят себя ждать.

Кровь хлынула ему в голову. Журавлев ринулся к выходу. Он чуть ли не выбил ногой дверь и вылетел на площадку, едва не сбив с ног двух разговаривавших женщин.

— Извините.

Это все, что он мог сказать, и помчался сломя голову вниз по лестнице.

— Наверняка поругались,– улыбнулась женщина из собеса.

— Но я этого молодого человека не знаю,– удивилась Мария Степановна.– Тут живут Кира и Саша. Муж и жена. Саша в отпуске, а Кира дома.

— Ну вот вы сами все и объяснили. Чего же удивляться.

— Кира? Вы думаете?

— А почему нет? Парень-то красивый, голубоглазый блондин, да еще с ямочками на щеках. Высокий.

— Глаз и ямочек я не заметила, но парень видный.

— Вам семьдесят, Мария Степановна, а мне сорок, и я не замужем. Вот поэтому я и замечаю больше мелочей, чем вы. Только мужу говорить ничего не надо. Женщины натуры слабые, стоит ли из-за этого семью рушить. Годам к шестидесяти угомонится, и они прекрасно проведут вместе старость. Зато ей будет что вспомнить. Мужчины ведь тоже не святые.

— Понимаю-понимаю, но Кира мне всегда казалась...

— Извините, Мария Степановна, мне пора. Работы еще невпроворот.

Женщина вызвала лифт и поехала вниз.

14

Милицию вызвал муж убитой. Следственная бригада во главе с майором Марецким прибыла на место происшествия в двадцать три часа десять минут. Марецкий ознакомился с обстановкой и уступил место экспертам.

Муж убитой Александр Каверин сидел в кухне и лил слезы. Майор и дознаватель лейтенант Котова присоединились к убитому горем мужу, но заливаться слезами не стали.

— Возьмите себя в руки, Александр Ильич. Соберитесь и расскажите, что произошло.

— Откуда же я знаю,– раздраженно ответил Каверин.– Возвращаюсь домой, а жена окровавленная лежит на полу.

— А где вы находились в течение всего вечера?

— На дне рождения у Гали, жены моего друга.

— А ваша жена не поехала с вами?

— Нет, она мне сказала, что у нее талон к врачу на семь вечера. Я обещал вернуться к одиннадцати. Приехал чуть раньше.

— А к какому врачу?

— Не вдавался в подробности.

— Кто, по-вашему, мог убить Киру Васильевну?

— Ума не приложу. У нас не было врагов.

— Чем она занималась?

— Хозяйством. Я достаточно зарабатываю, чтобы позволить своей жене не работать.

— И чем же вы зарабатываете?

— Работаю экспертом в крупной фирме по закупкам оргтехники за рубежом.

— Хорошо. Продолжай, Нина, — обратился майор к дознавателю.– И заноси все ответы господина Каверина в протокол.

Марецкий вернулся в комнату, где трудились его коллеги.

— Ну что, Варвара Алексеевна?– обратился он к женщине в белом халате.

— Можно безошибочно сказать, что убита она от восьми сорока до девяти часов вечера. Рана очень аккуратная. Значит, нож был обоюдоострый, широкий, и удар нанесли точно и быстро. Жертва не успела увернуться или просто шелохнуться. Смерть наступила мгновенно. Крови очень мало, поражено сердце, и произошло внутреннее кровоизлияние. Ну а остальные подробности потом. Труп можно убирать, фотограф свою работу закончил.

— Лады. Вызывайте перевозку.

— Уже вызвала, скоро должны приехать.

Марецкий подошел к капитану, который разглядывал книжные полки.

— Надо бы соседей опросить, пока спать не легли.

— Коршунов уже пошел.

— А у тебя что, Иван?

Майор, работавший кисточкой у дверной ручки, поднял голову и ответил:

— Следы на ковре есть. Сорок третий размер. Свежие. Еще не высохли, ботинки на рифленой подошве. Пробы взяли. Дождь на улице, следы пропечатались хорошо. Мужчина вошел в комнату прямо от входной двери. Стоял долго на одном месте. Примерно в полуметре от трупа, а потом ушел. По комнате не ходил. Но хозяйка двигалась. Она также пришла с улицы и туфли не снимала. Только как-то странно отпечатались ее следы, словно она танцевала на одном месте, а потом упала замертво.

— А вот Варвара Алексеевна утверждает, будто она не ожидала удара и даже не шелохнулась.

— Это ничего не значит,– вмешался капитан, отходя от книжного шкафа.– Ты на ее лицо глянь. Она умерла в страхе, маска ужаса так и отпечаталась на ее лице. Удара, может, жертва и не ждала, но выхода у нее не было. А этот тип стоял на месте и перегораживал проход к двери.

— Обычно в таких случаях бегут к окну и зовут на помощь,– заявил майор.– Но на подоконнике и на ковре возле окон следов нет. На дверных ручках только женские пальчики, а на входной двери целая коллекция отпечатков. С ними будем разбираться.

— Разбирайся, Ваня. Тебе за это деньги платят. Но как ты мне объяснишь такой факт, что на дверных ручках дру-

гих комнат и, как я понимаю, ванной, туалета только женские пальчики? Покойница не одна в квартире жила, а с мужем, и у него руки есть, сам видел.

— Жена, значит, очень услужливая, все двери перед мужем открывала: «Милости просим, дорогой, постелька постелена, извольте прилечь»,— язвил капитан.

— Брось, Славик. В туалет она тоже его сопровождала? А потом стояла за дверью и ждала, пока он подаст ей сигнал.

— А не проще ли спросить у мужа?— предложила Варвара Алексеевна.

— Мне кажется, тут есть еще один человек, которого можно опросить,— сказал капитан, разглядывая фотографии, найденные в тумбочке.— Если мы его найдем, конечно.

— А ну-ка, Славик, что у тебя там?— Марецкий протянул руку.

Капитан передал ему пачку фотографий.

— Вот, Степа, но ты особенно не перевозбуждайся.

Марецкий внимательно рассмотрел снимки. Убитую он узнал тут же, но и ее партнера по сексу он тоже знал. Хорошо знал. Они с Журавлевым учились в одном классе, вместе поступили в юридический. Вадим, что называется, тащил его за уши. По окончании института Журавлева пригласили в прокуратуру, а Марецкий ушел в обычное отделение опером. Блестящая карьера ожидала Вадима, а он в дурь попер. Бросил следственную работу и переквалифицировался в афериста. Вор-универсал, работающий в одиночку. Пять лет практики, и ни разу не попался. Опытный следователь, сменивший профиль и ставший преступником, во сто раз опасней любого авторитета. Однажды Марецкому удалось прижать Вадима к стене, но он не стал заводить на него дело. У Журавлева тогда погиб отец. Да и Вадим вроде как осознал и пересмотрел ценности. Решил начать все заново, чуть было не женился на хорошей девчонке, но что-то там произошло, и Вадим исчез из поля зрения. Не думал Степан Марецкий, что их следующая встреча начнется с такой артподготовки. А встреча состоится, майор в этом не сомневался. Но и в другом он не сомневался: каким бы проходимцем Вадим ни был, но на убийство он не пойдет. Он и воровство свое робингудством называл. Крал только у воров, кидал только таких же кидал. Себя преступником не считал, а настоящих ненавидел. А вот порнофото — это что-то новенькое, из ряда вон выходящее.

— Ты хочешь сказать, Славик, что эти карточки валялись в ящике тумбочки?

— Я даже утверждаю это.

— В таком случае муж не мог не видеть этих снимков. Только зачем они хранили их? Для семейного альбома?

— И почему это, Степа, ты все вопросы задаешь мне?– удивился капитан.– Пойди в кухню, там муж сидит, с Ниночкой кокетничает, у него и спроси.

— Еще недостаточно вопросов накопилось. В него всю обойму надо выпустить, чтобы, как вратарь, свои ворота защищал. Серия пенальти. Хоть один мяч, но пропустит.

Эксперт, обрабатывавший сумочку потерпевшей и ее содержимое, сделал новое открытие.

— Варвара Алексеевна, при вскрытии проверьте труп по линии гинекологии. Любопытную справочку наша дамочка получила сегодня от венеролога. Здесь говорится, что, согласно анализам и проведенным исследованиям, Кира Васильевна Каверина венерическими заболеваниями не страдает.

— Вот у какого врача она сегодня была,– усмехнулся Марецкий.– Кто может потребовать подобную справку? Как вы думаете, Варвара Алексеевна?

— Уникальный случай. Ну, скажем, если бы она устраивалась в пищеторг, на мясокомбинат, но у них свои медкомиссии существуют. Если бы она кого-нибудь заразила и на нее заявили, то тогда делают официальный запрос или подвергают проверке принудительно. Не знаю.

— Сходи-ка ты завтра, Славик, в диспансер и поговори с врачом, выдавшим справочку, чем покойная мотивировала свою просьбу о выдаче ей на руки подобного документа.

Капитан подошел к Ивану и забрал у него справку. В комнату заглянул лейтенант Коршунов.

— Степан Яковлевич, тут интересные вещи соседка рассказывает. Зайдите в соседнюю квартиру.

Пожилая женщина выглядела очень печальной и расстроенной.

— Но как же так?! Я же с ней сегодня вечером разговаривала. Вот совсем недавно. И вдруг...

— Когда «недавно»?– переспросил Марецкий, садясь на скрипучий стул.

— В половине восьмого я забрала внучку из школы и отвела ее к дочери. Они живут в соседнем доме. Ну, иду домой, темнеть уже стало, значит, около восьми было, и у подъезда встречаю Киру. Вижу, женщина чем-то расстроена. Мы вместе в лифте поднимались. То да се, мол, муж в доме отдыха, сегодня возвращается, а его и впрямь больше двух недель не видно было. Обычно его машина каждую ночь ревет. Он ее аккурат под нашими окнами ставит. А тут хоть продохнули малость. Ну, она к себе домой, я к себе. А где-то через час, может, чуть меньше, ко мне из собеса пришли материальное состояние проверять, из комиссии по субсидиям. Стою я на площадке, разговариваю, как вдруг из квартиры Киры выскакивает парень словно ошпаренный, и бегом вниз. Я до смерти напугалась. Чужой. Я же знаю, что Кира живет с мужем вдвоем. Детей им Бог не дал, а может, не хотят. Кто их знает...

— А вы запомнили этого парня?

— Запомнила. Высокий блондин с голубыми глазами и ямочками на щеках.

Майор почесал затылок. Внешность соответствовала Вадиму Журавлеву, но Марецкий прекрасно знал, что ямочки на щеках появляются у его дружка, когда он улыбается, а не когда вылетает из квартиры как ошпаренный.

— Вы сказали, что очень напугались, и вместе с тем запомнили цвет глаз промелькнувшего в долю секунды на темной площадке мужчины. Вы ничего не путаете?

— Ну я-то, конечно, не такая глазастая, а вот дамочка из собеса его успела разглядеть. Незамужняя.

— А ее вы запомнили?

— Очень видная женщина, даже красивая, лет сорока, одета хорошо, мягкая, интеллигентная. Говорит только не очень чисто. Слова правильные, но не по-московски. У нас жилец жил из Прибалтики, он так же говорил. Обходительная. Глаза огромные, карие. На какую-то артистку похожа.

— И что потом?

— Потом она ушла. Ей же не одну квартиру обойти надо. Пенсионеров у нас много живет.

Марецкий взглянул на стоявшего в дверях Коршунова.

— Все понял, Витя? С утра займись этим вопросом.

Майор вернулся в квартиру Кавериных и сразу направился в кухню, где Нина корпела над протоколом.

— Извините за вторжение, но у меня тут вопросики назрели, а ты, Ниночка, их протоколируй вместе с ответами. Вопрос первый, Александр Ильич. Сколько времени вы отсутствовали в этой квартире?

Хозяин даже растерялся, будто не понял, о чем спрашивают.

— Только не лгите, вам же придется подписывать свои показания. Не наводите тень на плетень, а то мы о вас плохо подумаем.

— Десять дней.

— И вот что удивительно, — продолжал майор,— ушли вы ненадолго, а в квартире ни одной мужской вещи не осталось. Зубная щетка в ванной, и та в единственном числе. Неужели настойчивая реклама о кариесе вас так и не убедила, что зубы надо чистить? Что скажете?

— Мы с Кирой крупно поругались. Я хотел с ней развестись.

— Но передумали?

— Еще не решил.

— Она вам изменила?

— Это наше личное дело.

— Личные дела остались только у вас, а у Киры нет никаких дел. Как вы узнали, что она вам изменяет?

— Поступил сигнал. Я решил проверить, нанял детектива, и тот подтвердил, что Кира мне не верна.

— На словах? И вы поверили?

— Доказательства были убедительны.

— Эти?

Марецкий вынул стопку фотографий из кармана и бросил ее на стол. Увидев пестрые картинки, Нина залилась краской.

Каверин вскочил на ноги.

— Откуда вы их взяли? Они хранились в моем рабочем кабинете под замком в столе.

— Вот оно как! И это мы выясним, не все сразу. Кто вам дал эти снимки?

— Детектив из агентства «Сириус». Я не помню его имени. Визитная карточка осталась на работе.

— Откуда вы получили сигнал?

— От этого детектива. Он пришел ко мне на работу и сказал, что они проводили расследование одного дела и там промелькнуло имя моей жены. Она ни в чем не замешана, но у нее есть любовник. Если меня этот факт интересует, то они готовы представить доказательства за отдельное вознаграждение.

— И как оно исчислялось?

— Пять тысяч долларов.

— Круто. И вы согласились?

— А что, по-вашему, я сам должен за ней следить? Киру не выследишь. У меня давно были подозрения, что она водит меня за нос, но только она хитрее и умнее меня. Не могу же я привязать ее к себе веревочкой. У меня работа, дела.

— С этим все ясно. Детектив принес вам фотографии. А имени любовника он вам не называл?

— Нет, конечно. Какое это имеет значение! Он-то в чем виноват? Мужик, он и есть мужик.

— Это вы заставили жену идти за справкой к венерологу?

— Но как-то я должен был ей отомстить?! Я уже понял, что не смогу без нее жить, но должна быть у меня собственная гордость. Она меня унизила, я отплатил ей тем же.

— Вы уверены, что не приносили в дом фотографий и не показывали их Кире?

— Нет, и не собирался. Там еще видеокассета осталась и записи их разговоров.

— С восьми до девяти вечера сегодняшнего дня где вы находились?

— Водку пил за столом. Я же говорил, что был на дне рождения. Уехал домой ровно в десять, как только новости по НТВ начались.

— Хорошо, на сегодня хватит.

Марецкий ушел из кухни. Санитары выносили труп на носилках.

Майора передернуло. Он не верил в виновность мужа. Этот человек не годился на роль убийцы. Журавлева он знал с детства и не мог себе представить Вадима с ножом в руках. Кому же понадобилась жизнь обычной женщины, домохозяйки, убийство которой очень хорошо спланировали и профессионально выполнили? Версия с ограблением исключалась. Из квартиры ничего не пропало. Зато каким-то чудом появились фотографии из кабинета мужа и попали в ящик столика в квартире. Даже если предположить, что Кира ухитрилась невероятным способом отнять у мужа улики, о которых она даже не знала, то почему не забрала пленки и зачем хранила их в доме, когда знала, что муж в этот вечер явится на мирные переговоры? Справочкой запаслась. Может быть, существовал второй комплект снимков? Так она бы их уничтожила, как только они попали бы к ней в руки.

Как все просто выглядело с первого взгляда! Дверь квартиры не заперта, труп на полу, отпечатки пальцев. Ну что еще нужно? Раздолье. Делаешь глубокомысленный вид — и вперед. Нет, обязательно найдется какой-нибудь пакостник, который смешает тебе все карты. Без лишних дурацких наворотов никогда не обходится.

Марецкий сел на табуретку в передней и закурил. Вот попробуй тут брось курить!

15

Шел десятый час. В черных лужах отражались уличные фонари. Моросил мелкий дождь, похожий на водяную пыль, с невероятной быстротой пропитывающий насквозь любую одежду. Те, кто забыл дома зонтик или дождевик, мокли на автобусных остановках и проклинали графики движения наземного транспорта.

Полина всегда носила с собой зонт. От работы до остановки пятнадцать минут ходу, и капризное лето не раз застигало ее врасплох своим плаксивым характером, так что она с зонтом уже не расставалась, даже если с утра стояла хорошая погода.

В тот момент, когда до остановки оставалось не более сотни метров, возле нее остановилась иномарка. Дверца приоткрылась, и из машины выглянул мужчина в шляпе.

— Садитесь, Полина Сергеевна, я вас подвезу.

Женщина немного растерялась. Этого мужчину она не помнила. Правда, на улице темно, и к тому же эта странная шляпа. И потом: разве упомнишь всех клиентов турагентства, которые проходят через ее кабинет. Во всяком случае, в машине комфортней, чем шлепать по лужам в изящных туфельках.

Полина приняла приглашение и села в машину. Когда автомобиль тронулся с места, она спросила:

— Честно говоря, я вас не помню. Когда вы у нас были?

— Я у вас не был, и вы меня не знаете. А я вас знаю по долгу своей службы.

— Что у вас за служба?

— Следователь из милиции. Мы занимаемся бандой шантажистов, от которой пострадали несколько женщин. И вы в том числе.

— Я? Каким образом?

— У вас все нормально в семье?

— Что вы имеете в виду?

— Ваши отношения с мужем. Он же бросил вас.

— Допустим, мы разошлись по обоюдному согласию. Никто никого не бросал. Ну и в чем тут криминал?

— Понимаю. Вы независимая женщина, возглавляете солидное туристическое бюро, сама себе хозяйка, но супружеские отношения требуют определенных обязанностей и ответственности. Скажем так: вы не совсем порядочно повели себя по отношению к мужу и завели любовника. Мужу об этом сообщили и даже предъявили фотографии. Он тоже человек гордый и более чем самостоятельный. Он не захотел мириться с изменой и ушел от вас. Теперь вас ждет судебный процесс и раздел имущества. Думаю, суд будет на стороне мужа, если он предъявит все доказательства вашей неверности в полном объеме. А он может. Слишком зол. Да и дарить вам купленные им машины, дачи, квартиры он не намерен.

— Ну хватит! Что вы от меня хотите?

— Доказать вам, вашему мужу и суду, что вас умышленно скомпрометировали. Вашего любовника зовут Дик, не так ли?

— Какое это имеет значение?

— Он пригласил вас на квартиру в районе Калужской площади. В тот момент, когда вы занимались любовью, сообщник Дика делал фотографии через специально оборудованные глазки в стене. Потом за определенное вознаграждение эти снимки были предложены вашему мужу. Так они зарабатывают деньги, используя слабости женщин и природную ревность мужчин с их честолюбием и непоколебимой верой в собственность. Мое должно принадлежать мне, и жена в первую очередь.

— Я что-то не пойму нашего беспредметного разговора. В лекциях я не нуждаюсь. Вы правильно заметили, я самостоятельная женщина и живу так, как считаю нужным. Постарайтесь быть конкретней. Что вы предлагаете?

— Допросить Дика в вашем присутствии. У нас уже есть несколько заявлений от женщин, но они не имеют вашей твердости характера и достаточной силы воли. А вы способны сказать подлецу в лицо, что он подлец.

— Допустим, вы правы. Я могла бы высказать этому подонку все, что я о нем думаю.

— Так мы и сделаем. Сейчас мы подъедем к той самой квартире на Калужской и подождем нашего альфонса в его машине. Сегодня у него дежурство с очередной дамочкой. Но той нужно быть дома в одиннадцать вечера, и Дик сегодня не останется на ночь в своем притоне. Придется немного подождать. У меня в кармане диктофон, и мы запишем все его ответы на поставленные вопросы. Потом я отдам эту пленку вам и у вас будет свое оружие на суде. Пора разорить это грязное осиное гнездо.

— Хорошо, я согласна. Даже оплеуху с удовольствием ему отвешу.

— Не сомневался, что вы настоящая женщина.

Машина въехала в темный двор и остановилась возле заборчика детской площадки.

— Вон стоит его авто. Темная «четверка».

— Да, это она.

— Как говорится, с Богом. Пересядем в его машину и подождем. Фактор неожиданности должен сыграть важную роль. Стоит вызвать его в управление — как он тут же взъерошится и придет с десятком адвокатов. А тут другое дело. Ваше присутствие его вовсе выбьет из колеи.

Они вышли из машины и направились к стоящим в сотне метров «жигулям». Откуда у следователя оказались ключи от чужой машины, Полину не интересовало. Она об этом даже не подумала. Они устроились на заднем сиденье, и следователь глянул на часы.

— Минут через двадцать, максимум через полчаса он выйдет. Давайте пока обсудим вопросы, которые будем ему задавать. У меня тут есть черновик с заготовками,

я вам его зачитаю. Может быть, у вас возникнут какие-нибудь идеи. Вы женщина умная, проницательная.

Мужчина полез в пиджак, и перед глазами Полины мелькнуло сверкавшее лезвие ножа. Она ничего не успела понять, все произошло слишком быстро. Взмах руки, и острая боль в сердце. Короткое мгновение, будто зуб удалили, а потом ничего — пустота и никаких ощущений. Так наступает смерть. Ничего страшного. И чего ее люди боятся? Нет, они не смерти боятся, а вздрагивают от ужаса, когда теряют жизнь. Как же теперь мир обойдется без них?

Голова Полины откинулась назад, и она осталась сидеть как сидела. Взгляд застыл, а из уголка рта потекла узкая струйка крови. Убийца достал из кармана целлофановый пакет, положил в него нож и убрал его под пиджак. Во дворе стояла тишина, и только макушки деревьев шелестели от ветра да продолжал моросить мелкий дождик.

Убийца вышел из машины, захлопнул дверь и, дойдя до своего «опеля», снял с ног пластиковые пакеты, перетянутые на щиколотках леской. Происходи все это днем — Полина наверняка бы заметила странные боты на ногах у следователя. Но он шел чуть отставая и подвел ее к одной стороне машины, а сам садился с другой. Но что теперь говорить о том, чего не произошло? «Опель» выехал со двора, будто его здесь и не было.

* * *

Журавлев находился в одиночестве и вовсе не занимался женщинами. Он и Метелкин собрали своих помощников и решали внутренние проблемы. Сегодня пришел даже бывший подполковник Кузнецов, герой войны в Чечне и официальный директор сыскного агентства.

Обычно он приезжал в официальную контору раз в месяц, чтобы получать свои проценты от сделок, но на этот раз к нему обратились с просьбой, и он не мог отказать. Он и без того считал, что ему незаслуженно платят большие деньги за одну только фамилию. Пришло время и поработать.

— Ну так вот, мальчики. С ребятами из «Шереметьева» я договорился. Старые кореша меня еще не забыли. Они нашли видеозапись прохождения пассажиров через таможенный турникет на рейс «Москва—Берлин» за двадцатое число. Именно на этом рейсе по корешкам билетов улетела Наталья Шефнер в Германию. Девяносто шесть пассажиров. Все девяносто шесть прошли контроль, и все зафиксированы камерой. Но я очень внимательно просмотрел пленку несколько раз. Наташа через турникет не проходила, а по билетам и занятым местам все пассажиры улетели, в том числе и она. Мне, конечно, трудно было ориентироваться по фотографии. Но у меня глаз наметанный. Теперь смотрите сами. Да и среди провожавших, попавших в кадр, Шефнера не было. Уж такую личность не узнать невозможно. Колоритная фигура.

Кузнецов положил на стол видеокассету.

— Спасибо, Валера. Извини, что потревожили. Большое дело сделал.

— Пустяки. Вы бы меня почаще дергали, а то от безделья меня все время в магазин тянет. Так и цирроз заработать недолго. Ладно, я пойду, а то моя благоверная небось уже все сточные канавы обошла в поисках своего непутевого инвалида.

Бывший подполковник встал, пожал всем руки, взял свою клюку и похромал к выходу.

— Что у тебя, Леня?— спросил Метелкин у молодого человека, сидевшего на валике дивана.— Какие новости?

— Мы с Гришкой и Вовкой взяли под наблюдение троих — тех, кто ежедневно бывает в офисе фирмы. Володька приглядывает за Шефнером. Тот самый неподвижный. Другого ему не доверишь, спешка не его профиль. Вот затаится в кустах со снайперской винтовкой, тут ему равных нет. Шефнер статичен. В девять в офисе, в шесть уходит домой. С немецкой пунктуальностью. Но народу к нему ходит много. Приемная всегда забита посетителями. Я так думаю, что слежка за ним ничего не даст. Он все вопросы решает в кабинете. Лучше всего охомутать его секретаршу. Зовут Катя, двадцать три года. Рыжая, хорошенькая, с длиннющими ногами и ужасно глупая. Наверное, ему такая и нужна. Но если ее обработать и кое-чему научить, то она может сослужить неплохую службу. Приходит на работу за полчаса до Шефнера, уходит на полчаса позже.

— Ты думаешь, она в курсе его дел?– спросил Журавлев.– Так, витрина.

— И я, и Вовка, и Гришка — мы все об одном и том же подумали. Идея проста. Поставить жучки на липучках в кабинете Шефнера и быть в курсе его дел. Но хрен сработаешь. Поставить поставим, но они исчезнут. У Шефнера в фирме есть отдел безопасности. Командует им некий Юра Крылов, лет сорока пяти, темная лошадка. Ничего о нем выяснить не удалось. Вообще, в Москве такой не проживает. Нет, Крыловых полно, но этого нет. Проследить его не удается. Я уже на этом деле собаку съел. Всех Настиных клиентов веду без проблем, а этого не могу. Исчезает, как мираж в пустыне. Бамс — и нету! Но дело не в этом. У Крылова в отделе шесть человек, все из бывших чекистов. И где он их только навербовал! Короче говоря, ежедневно за пятнадцать минут до появления Шефнера бригада из четырех подопечных Крылова обследует кабинет шефа. Каждую щель проверяют. Любой жучок будет обнаружен тут же. Сделав проверку, они уходят. У секретарши остается минут пять. Вполне хватит, чтобы налепить жучков. А главное, она же их и снимет после ухода Шефнера из офиса.

— Идея принимается. Только сначала проверьте девчонку, стоит ли ее клеить, если у нее есть свой дружок,— сказал Метелкин деловым тоном.

— Завербуем дружка. Ведь нам не Катя нужна, а дело. Через дружка даже спокойней будет.

— Вот что, Леня, — заговорил Журавлев,— секретарша секретаршей, но сделайте упор на этом Крылове. Для начала нам нужны его фотографии. Этим Женя займется. И если он уходит от слежки, значит, не хочет, чтобы о нем знали больше положенного, или ты работаешь грязно. Одно дело за Настиными лохами следить, другое дело за профессионалами. Налегайте втроем на работу, может, что-нибудь получится.

— Завтра же приступим.

— Свободен.

Леня ушел.

— Ну что, Женя, как мне быть?

— Никак. Продолжаем работать. Ты что, думаешь тебя заложили те бабы на площадке? Общий план. Под него тысячи подойдут. Завтра мне Титов обещал позвонить. Он дежурит на Петровке. Я просил его узнать об этом деле.

— Зачем волну поднимаешь?

— Титову доверять можно. Сколько он с нас бабок поимел за информацию! Обычный мент на скромной зарплате. Занимается статистикой и учетом. Взяток ему не дают, ведь не с жезлом на дороге стоит, а в кабинете сохнет. Мы для него единственный источник дохода.

— Ты его вербовал, ты за него в ответе. Но мы должны быть в курсе следствия. Иначе мне крышка.

— Завтра утром мы получим подробную информацию о филиалах Шефнера. Потом обсудим.

— Ладно, поеду спать. Ты остаешься?

— Я ведь каждый день работаю. В отличие от вас,– возмутился Метелкин.– Жду нашу принцессу с клиентом. А она небось в ресторане гуляет. Напоит мужика, а потом — что с него толку? Ни одного стоящего кадра не получится. Ох уж мне эта Настя!

— Ладно, трудись, а я поеду домой. Выпью соточку на ночь — и на боковую.

— Так ты быстрее нашего подполковника цирроз заработаешь.

— Жизнь такая. Без водки не обойтись. Целыми днями только и думаю, как из очередной передряги выкрутиться. Скоро в змею превращусь.

Журавлев вышел на улицу. Мерзкая погода только еще больше испортила ему настроение.

Он добежал до машины и быстро запрыгнул на переднее сиденье. Выезжая за ворота, он судорожно вспоминал, где есть рядом ночной магазин, чтобы купить себе коньяку и немного согреться дома перед телевизором. Разбитость и усталость не лучшие спутники хорошего настроения. Проехав пару кварталов, он свернул на Кутузовский проспект и промахнув его, выскочил на Новый Арбат. В «Новоарбатском» есть хороший выбор и не торгуют подделкой. Там и закуски на любой вкус хватает.

Он остановился у магазина и в течение двадцати минут отоваривался.

Когда он вернулся к машине, то его поджидал гаишник с видом цербера. Звон бутылок в сумке наводил на определенные выводы.

— И даже не думай, капитан. Грамма во рту не было, только собираюсь.

Журавлев подошел вплотную к офицеру и дыхнул на него.

— Сам не пьешь, так баб опаиваешь? Пока тебя ждала, окончательно вырубилась. Стучу в окно, не слышит.

Вадим ничего не понимал из того, что говорил гаишник и решил, что тот сам хватил лишку.

— Ты что, не знаешь, что на Арбате не разрешена стоянка?

— Ладно, командир, договоримся.

Журавлев открыл дверцу, бросил сумки на соседнее сиденье и достал полсотни из кармана.

— Держи, все, что осталось.

Капитан взял деньги и сунул в карман.

— Давай отчаливай.

— Исчезаю.

Он сел в машину и краем зрения заметил что-то белое на заднем сиденье. Повернув голову, он увидел женщину, а белым было ее лицо. Глаза открыты, а на губах запеклась кровь. За свою жизнь он повидал немало трупов, и ему не требовалось для выводов щупать пульс. Женщина была мертва.

По ветровому стеклу постучали жезлом.

— Не задерживай.

Трясущимися руками он едва вставил ключи в замок зажигания, запустил двигатель и тронулся с места.

Вадим не знал, куда ехал, он мчался по полупустынным улицам и поглядывал в зеркало заднего обзора на лежавший за спиной труп. Покойница словно подгоняла его кнутом, как извозчик кобылу.

Он не мог разглядеть ее как следует, но то, что эта женщина была ему знакома, он не сомневался. Каким-то образом он очутился на Волоколамском шоссе. Руки сами крутили руль. Не доезжая поста ГИБДД, он свернул на Пехотную улицу, крутился по переулкам, делая один ви-

раж за другим и выскочил к зеленой зоне, где неподалеку от дороги, под склоном, скрываясь за кустарником, протекала Москва-река.

Что его привело сюда, никто бы не ответил. Инстинкт или страх. Он даже никогда не бывал в этом районе, а сейчас попал сюда и остановился в тихом безлюдном месте. Дорога не освещалась. Журавлев включил в салоне свет и обернулся.

Да, он ее вспомнил. Красотка из турагентства, жена какого-то крупного чиновника и бизнесмена. Вот только как ее зовут, он вспомнить не мог. И какое это теперь имело значение. Ее уже никак не зовут. Она труп.

Он огляделся по сторонам. Ни души. Журавлев выключил свет в салоне и фары. Выйдя из машины, он открыл заднюю дверцу и вытащил мертвое тело наружу. Взвалив ее на плечо, он направился к обочине. Склон был слишком крутым, и, не сделав трех шагов, он уронил труп и сам покатился кубарем вниз. Покойница не догнала его, а застряла метров на десять выше в кустарнике. Другой бы оставил ее там, где она лежала, но для этого надо было думать, а он выполнял волю своей бредовой идеи, что труп надо утопить в реке. Зачем? Да кто его знает, что может втемяшиться в голову человеку — запуганному, усталому и растерянному. Он карабкался вверх, скользил, скатывался и вновь взбирался, пока не ухватил мертвую женщину за ногу. Платье на ней превратилось в лохмотья, а волосы смешались с травой. Он потянул ее на себя, ветки захрустели, карябая кожу и раздирая чулки, неохотно выпуская труп из своих объятий.

К «жигулям», остановившимся на обочине, с потушенными фарами тихо подкралась другая машина. Из нее вышла женщина. Она осталась возле дверцы и всматривалась в темноту. Минуты через три-четыре сверкнули фары на дороге. Женщина выскочила на середину улицы и замахала руками.

«УАЗик» затормозил в метре от нее. Шофер выскочил из машины и обложил ее смачным трехэтажным матом. Она смиренно выслушала его и быстро заговорила.

— Там, внизу, женщину убивают. Вон стоит «четверка», мужчина выволок из нее женщину и понес к реке. Боюсь, она уже мертва.

Мужик в спецовке обернулся к своей машине и крикнул:

— Федька, выходь. И монтировку прихвати.

Из машины вышел еще один работяга.

— Чего там еще?

— Идем глянем. Какой-то козел бабу в речке искупать решил.

Женщина подошла к главному горлопану и подала ему бумажку.

— Это номер машины того блондина, что женщину унес.

— Зачем он мне?

— А вдруг убежит.

— А ты на что?!

— Я же женщина, боюсь до смерти. Вы уж сами.

Он сунул бумажку в спецовку, и они направились к откосу. Простые работяги не имели опыта группы захвата и действовали шумно, нахрапом, стенка на стенку. Пока вниз спускались, всю рыбу распугали.

Женщина тем временем открыла заднюю дверцу «жигулей» и заглянула внутрь. На полу остались туфли убитой. Этого ей показалось мало. Она достала из сумочки целлофановый пакет и вытряхнула из него окровавленный нож. Тот упал рядом с обувью.

Она захлопнула дверцу, вонзила в заднее колесо гвоздь, но не проткнула его, а оставила торчать. Стоило колесу надавить на острие — и оно лопнуло бы. Закончив

работу, она вернулась к своей машине и уехала, оставив мужчин самим во всем разбираться.

Особой разборки не получилось. Журавлев услышал приближение бульдозеров, с шумом летевших вниз, бросил труп у самой воды и, вооружившись приличной железкой, которыми был усеян весь песчаный берег, затаился в кустах.

Первый клиент приехал на место предполагаемого преступления на заднице с ревущим воплем. Он получил достойный удар по холке, после чего тут же затих. Второй акробат едва успевал передвигать конечности и выполнил норматив чемпиона мира по бегу. Вадим даже не трогал его, а бросил на его пути гнилое бревно. Бег закончился полетом через препятствие, ударом головы о бочонок с мутной тиной и затишьем на ближайшие полчаса. Спасатели остались скучать на песочке и видеть сладкие сны, а Журавлев ринулся наверх к своей машине. Пришлось затратить немало времени и сил, пока наконец он не выбрался на дорогу.

Рядом с его машиной стоял «УАЗ», брошенный прямо посреди дороги с открытыми дверцами. За ним уже выстроилась вереница машин, и их владельцы давили на клаксоны.

Пришлось прийти беспомощным ротозеям на помощь, сесть в «УАЗ» и проехать пять метров до обочины. Пробка рассосалась.

Вадим вернулся к своей машине и погнал с места в карьер. Его едва не выбросило в кювет. Лопнуло заднее колесо, и машину повело в сторону. Пришлось снизить скорость. Заниматься ремонтом он и не думал. С трудом добравшись до широкой освещенной улицы, он загнал машину в какой-то двор, запер дверь и отправился искать такси. Главное, что он не забыл, так это сумку с коньяком.

В этот вечер он напился вдребезги и уснул в коридоре, рухнув на пол. До постели оставалось шагов семь, но он их так и не смог преодолеть.

16

По новым правилам в кабинетах запрещалось курить. Новый начальник райотдела был человеком некурящим, и это отразилось на всех сотрудниках милиции.

В кабинете майора Марецкого подводили итоги. Докладывал лейтенант Коршунов:

— Собес не делал никаких опросов населения и субсидиями не занимается. Сотрудницы с прибалтийским акцентом у них нет. Медэксперт подтвердила, что рост преступника составляет примерно метр семьдесят пять или семьдесят восемь сантиметров. Нож вошел в тело по прямой. Это говорит о том, что они были одного роста. Кира была в туфлях на каблуках, что в совокупности составило метр семьдесят шесть сантиметров. Убийца действовал ножом очень необычно. Удар наносился не сверху, не снизу, не с боку, а по прямой, методом нанесения укола, как это делают фехтовальщики. Нож обоюдоострый, и, чтобы такой носить при себе, нужны ножны. Фактически это кинжал с широким лезвием.

Теперь о ее посещении венеролога. Я разговаривал с врачом. Кира пришла на обследование и уговорила его выдать ей на руки справку о состоянии здоровья. Она заявила, что ее муж не в меру ревнив, а она не хочет терять семью. Ей пошли навстречу и дали справку. Анализы никаких заболеваний не показали.

Эксперт майор Лапин доложил, что установить отпечатки пальцев на входной ручке не удалось. Они смазаны. На остальных предметах зафиксированы только отпечатки хозяйки. Что касается следов на ковре, то он предста-

вил фотографии рифленой подошвы от ботинок сорок третьего размера. Никаких примесей на следе нет, кроме дворовой грязи. Ботинки хорошо вымылись в лужах. На левом ботинке есть дефект. От одного из рифленых выступов отбит небольшой кусочек,— возможно, владелец обуви наступил на какую-то острую железку. При нынешнем изобилии обуви на рынке невозможно определить фирму-изготовителя.

Марецкий выслушивал доклады и молчал. Он умышленно ничего не говорил о найденных фотографиях. Не далее как сегодня утром он побывал у мужа Киры на работе и забрал пленки и визитную карточку детектива, предоставившего компромат. Кто такой Евгений Метлицкий, он прекрасно знал и то, что они с Журавлевым сошлись благодаря общим интересам и любви к авантюрам, он тоже знал. Ребята с отчаянными головами, но всю свою энергию затрачивают на идиотские замыслы. Каждый из них был человеком незаурядным и талантливым, но если бы они употребляли свое превосходство в мирных целях, цены бы им не было. Однако жажда приключений и безумный азарт вечно приводят их к краю пропасти, где жизнь и смерть разделены узкой полосочкой между твердой почвой и обрывом. Можно делать сотни всевозможных предположений, но заподозрить ребят в убийстве Степан не мог. Однако нашелся какой-то умник или умники, которые сумели раскусить горе-авантюристов и очень грамотно их подставить.

Дверь кабинета распахнулась, и вошел начальник райотдела полковник Кухаренко. К нему относились очень уважительно, но никто характеристик ему не давал. Полковник никогда не повышал голоса, всегда внимательно выслушивал своих сотрудников и очень редко высказывал собственное мнение по тому или иному вопросу.

— Извините, что побеспокоил,– вежливо сказал Кухаренко, входя в кабинет и забыв закрыть за собой дверь.– Тут вот какая штука получается, Степан Яковлевич. Мне звонили с Петровки из координационного отдела, где разбирают и анализируют сводки происшествий. В Северном округе произошло убийство. Женщина с ножевым проникающим ранением в сердце. Похоже на наш случай. Думаю, вам есть смысл проехать к ним и ознакомиться с делом.

— Хорошо, Петр Никитич, сейчас же выезжаю.

У Марецкого появилось предчувствие, что цепочка убийств вытянется очень далеко и первые два только начало. Он еще ничего не знал о происшествии в Северном округе, но уже предвидел ход событий.

Встретили его в окружном Управлении как своего. Тамошний начальник УГРО подполковник Самохин обрисовал обстановку достаточно детально.

— Поначалу мы думали, что женщину убили на берегу. Но вскрытие показало, что она умерла в девять тридцать, а события у реки происходили в одиннадцать. То есть жертва к тому моменту уже полтора часа как числилась среди трупов. Ограбление исключается. На женщине остались дорогие золотые украшения. Сумочки при ней не было, но в кармане жакета нашли кошелек с деньгами, удостоверение и ключи. Правда, все это пришлось собирать по склону. Убийца вытащил труп из своей машины и понес к реке. Только склон там слишком крутой, и, возможно, он не удержал жертву — вот все содержание карманов и рассыпалось. Вся одежда на ней порвана. Мы предположили, что ее изнасиловали. Но и это не подтвердилось. Мотив убийства непонятен. Мы связались с ее работой. Она возглавляла туристическое агентство. Там нам сказали, что она недавно развелась с мужем, точнее, они подали на развод. Сейчас я направил своего парня к мужу

на работу. Боюсь, он единственный подозреваемый. Им предстоит раздел имущества — дачи, машины и прочее. Конечно, у мужа найдется алиби, но он же мог заказать свою супругу. Человек он состоятельный и вполне может нанять киллера.

— А как был обнаружен труп?

— Двое рабочих-электриков возвращались после аварии на фабрике в свою контору. Их машину остановила женщина и рассказала, как видела, будто владелец стоявших у обочины «жигулей» выволок из машины женщину и потащил к реке. Ну, мужики и решили вмешаться. Спустились вниз и получили по зубам. Преступника они не видели, но запомнили только, что он блондин. И номер машины записали.

Подполковник открыл папку с делом и достал листок, вырванный из блокнота, на котором был записан номер. К удивлению подполковника, майор взял листок и понюхал его.

— Никогда не думал, что электрики пользуются дорогими французскими духами.

— А при чем тут духи?

— Мужчины не носят при себе миниатюрных записных книжек и не пишут женским почерком. Отдайте этот листок на экспертизу. Тут есть следы от ручки, вдавленные места. Возможно, мы узнаем, что было написано на предыдущей странице.

— Это имеет значение?

— Сейчас все имеет значение. Установили владельца машины?

— Журавлев Вадим Сергеевич. Дома его не застали. Но он написал заявление сегодня утром в милицию, уверяет, что вчера целый вечер пьянствовал дома, а когда утром вышел во двор, то машины на месте не оказалось. Последний раз он ее видел в шесть вечера, когда вернулся домой. Вполне возможно, но требует проверки. Обычно преступления, если они запланированы заранее, совершают, используя угнанный транспорт. Но тут есть некоторое противоречие. Если убийство планировали, то почему решили избавиться от трупа таким глупым способом?

— Какие-нибудь следы нашли?

Подполковник достал из папки фотографии.

— Отпечатки обуви на мокром песке очень четко нарисовались. Рифленая подошва, сорок третий размер.

— Свидетельские показания женщины есть?

— Нет, она с места происшествия скрылась.

— Странная дамочка. От нее только листочек остался. А что о ней говорят рабочие?

— О ней вообще речи не шло.

— Надо узнать все об этой даме и еще раз опросить рабочих. Пошлите кого-нибудь из толковых ребят. Может быть, они помнят ее машину или внешность, манеру говорить, рост, возраст.

— Скажи мне, майор, почему ты так заостряешь внимание на этой бабе?

— Скажу тебе, подполковник. Эта баба — единственный свидетель происшествия. Рабочие, скатившиеся под откос, по твоим словам, получили по зубам. Причем дело происходило ночью. Откуда они могли разглядеть, что убийца был блондин? Ребята поют с чужих слов. Они же работяги, бесхитростные, и их могли просто использовать. А если убийца был сообщником этой особы и она решила его завалить и повесить все на одного, а сама смылась? А почему нет?

Подполковник долго молчал, потом протянул руку и представился:

— Николай.

Марецкий пожал руку.

— Степан.

В кабинет постучали. Дверь приоткрылась, и просунулась голова мужчины лет сорока пяти с приятными чертами лица и короткой стрижкой, похожей на щетку.

— Разрешите? Меня к вам дежурный послал. Я по делу Полины Тучиной.

— Заходите.

Мужчина вошел и сел на предложенный ему стул.

— Я работаю с Полиной в турагентстве. Весть о ее гибели нас всех поразила. Дело в том, что я пытался ухаживать за Полиной, а особенно после того, как узнал, что она разводится. Вчера вечером я специально ждал, когда она закончит работу, и хотел ее проводить до дома. Она освободилась в восемь вечера. Мы вышли вместе на улицу, и она меня тут же отбрила: «Извини, Миша, но я хочу побыть одна. Не стоит меня провожать». Она пошла вперед, а я следом, шагов на двадцать отставал. Все думал, догнать или нет. Она женщина крутая, может такое сказать, что уши завянут. И вот недалеко от остановки автобуса возле нее остановилась иномарка. Темная. Вечером не разберешь, а нас, как я уже говорил, разделяло метров двадцать. Из машины с водительского места выглянул мужчина. Полина остановилась. Они перебросились парой фраз, и Полина села к нему в машину. Мужчина был в светлом твидовом пиджаке и шляпе, очевидно, фетровой, с короткими полями. Тень закрывала его лицо, но если бы я видел его раньше, то узнал бы. Этого человека, по крайней мере, в нашей конторе никогда не было.

— Может, это был ее муж? – спросил подполковник.

— Нет, мужа ее я знаю.

— Какого он был роста? – поинтересовался Марецкий.

— Примерно того же, что и Полина, а она на каблуках ходит, значит, метр семьдесят вместе с каблуками.

— Вы номер машины не видели?

— Нет, конечно, но могу точно сказать, что он был желтого цвета. Значит, владелец машины имеет двойное гражданство. У меня друг имеет гражданство Израиля и России. У него тоже желтый номер.

— Что-нибудь еще вы можете добавить?

— Собственно говоря, это все.

— Запишите, пожалуйста, свои показания. Пройдите в четырнадцатый кабинет. Там сидит наш дознаватель Батурин. Он вам поможет. Спасибо, что пришли.

Посетитель скромно откланялся и ушел.

— И что получается,— начал рассуждать Марецкий.— В восемь вечера, чуть позже, ее подбирает незнакомец на иномарке в районе ее работы. Приблизительно через полтора часа наступает смерть. Проходит еще час с лишним, и какой-то блондин привозит труп на север Москвы на «жигулях» и, если верить свидетелям, пытается сбросить труп в реку. Ему мешают рыцари из рабочего класса, но он их встречает и обезвреживает, после чего исчезает. Полная карусель, а единственная свидетельница, таинственная незнакомка, испаряется.

— Орудие убийства необычное. В морге судебной медицины мне сказали, что в твоем случае орудовали тем же ножом. Они и провели параллели между двумя убийствами.

— Ты прав, Николай. И в моем случае мелькает неизвестная свидетельница. Она появляется и исчезает, словно мираж, и всегда сообщает другим свидетелям приметы убийцы.

Марецкий рассказал подполковнику о своем расследовании, но умолчал о фотографиях и детективном агентстве.

— Случаи сходны, тут нет сомнений, — согласился Самохин.– Надо попытаться провести параллель между обеими жертвами. Их должно что-то связывать, в противном случае мы имеем дело с маньяком.

— Займись, Коля, этой дамочкой – свидетельницей, листком ее телефонной книжки и повторным опросом рабочих. А я попытаюсь встретиться с мужем убитой. Дай-ка мне его адресок.

* * *

Муж Полины был очень недоволен тем, что его второй раз за день отвлекают от работы, но майор настоял на встрече, и пришлось его принять.

— Я очень сожалею о случившемся, может быть, даже еще не осознаю в полной мере сам факт гибели Полины, но у меня сейчас тяжелые дни на работе, конец месяца.

Интересный мужчина, лет пятидесяти, энергичный, с умными глазами, он вел себя совершенно неадекватно обстановке.

— Наш разговор и его время полностью зависят от вас, Роман Петрович. Вы постарайтесь сосредоточиться и понять, что произошло зверское убийство. Погибла ваша все еще жена. И вы один из кандидатов на роль преступника.

— Я?! Вы с ума сошли!

— А у вас на лбу не написано, что вы невинная овечка. Речь идет о судебном процессе и дележе имущества на очень солидную сумму. Киллеров нанимают и за более мелкие разбирательства.

— Но это же не основание! У вас есть доказательства? Вы не способны найти преступника и хотите притянуть меня за уши к этой трагедии.

— Есть и вторая причина. На развод подали вы. Ваша жена не верна вам, а вы не желаете мириться с ее изменой и гордо ходить с ветвистыми рогами на голове. Вы очень облегчите свою участь, если отдадите мне все материалы, которые вам предоставило агентство «Сириус», — фотографии, пленки, негативы.

— О чем вы говорите?

— Не стройте из себя идиота. Если вы не сдадите материал, то я использую копии и подошью их к делу. Если сдадите добровольно, о них никто не узнает и вы целее будете. Мы подозреваем в убийстве банду шантажистов. Хотите их оградить от наказания, держите материалы у себя и останетесь главным подозреваемым. Хотите облегчить свое положение, сдайте компромат на жену добровольно. Уверен, вы его держите здесь, на работе. Даю вам минуту на размышления.

Муж Полины парировал тут же:

— Мне непонятно, господин следователь, кто из кого делает идиота. Зачем вам нужен этот компромат, если вы не собираетесь подшивать его к делу?

— Нужен для того, чтобы прижать к стенке шантажистов. Вы – не единственный, кого они использовали в своих целях.

— Меня никто не шантажировал, и я претензий к детективам не имею. Я с ними договор заключал по своей воле, и мне никто ничего не навязывал.

— И об этом мне известно. Одна деталь: любовник вашей жены, симпатичный блондин, работает на это самое агентство и спит со всеми женами, подставляя их обнаженные тела под объективы господина Метлицкого, который заключал с вами договор. Или я не прав?

Растерянный муж замолк. Немного подумав, он встал, достал из сейфа плотный черный пакет и положил его на стол.

— Забирайте и оставьте меня в покое. И без вас тошно.

— На некоторое время оставим.

Марецкий забрал пакет и ушел.

* * *

К возвращению майора подполковник Самохин подготовил несколько сюрпризов.

— Вижу по твоему лицу, Николай, что ты зря времени не терял.

— Ты прав. Рабочие подтвердили главное: женщина говорила с каким-то акцентом, и записку передала им она. Сейчас над ее писулькой эксперты колдуют. К вечеру получим результаты. Но тут вот какая интересная штука получается. Когда в ГИБДД поступила заявка на угон, нашелся один инспектор, который видел «четверку» в вечер убийства. Он дежурил на Новом Арбате. Машина с указанным номером стояла возле «Новоарбатского» гастронома. В ней находилась женщина. По его мнению, она спала. Потом появился хозяин. Высокий парень, метр восемьдесят пять, блондин. Сейчас на него готовят фоторобот. Но вот незадача. Этот капитан не помнит его имени. Документы проверил формально и отпустил. Так что история с угоном машины не более чем миф. Если мы сегодня не найдем Журавлева, то придется объявлять его в федеральный розыск.

Спорить не приходилось. Чтобы ни сказал Марецкий, выглядело бы неубедительно.

— Эксперты утверждают, что рост убийцы не выше метра семидесяти. А тот, кто сидел за рулем «четверки», метр восемьдесят пять. Неувязочка. И что это за гаишник, который номер записывает, а имени нарушителя не помнит. Мы не можем быть уверены, что владелец машины сам сидел за рулем.

В кабинет заглянул дежурный.

— Николай Гаврилович, патрульная машина обнаружила угнанную «четверку» во дворе у перекрестка улицы Толмачева с Галерной. Машину бросили. Переднее колесо разжевано в тряпки. Однако она заперта.

— Ну что, Степан, поехали? Дело-то, кажется, продвигается. А?

— Поживем — увидим.

Точка, где нашли машину Журавлева, находилась в трех километрах от места событий, происходивших вчерашней ночью. С оперативниками приехали эксперты и в первую очередь занялись машиной, а майор и подполковник стояли в стороне и наблюдали за работой специалистов. Результаты были ошеломляющими, когда их допустили к осмотру «жигулей». Один из экспертов по ходу работы пояснял:

— Тут полный комплект улик, Николай Гаврилыч. Нет сомнений, что эта машина участвовала во вчерашнем деле. Туфельки наверняка принадлежат убитой. Ее размерчик, и под платье подобраны. Соскочили они, когда труп вытаскивали с заднего сиденья. На спинке обнаружены волоски, длинные, темные. Тоже соответствуют волосам покойницы. А главное – нож. Правда, тут есть одна странная деталь — на ручке нет никаких отпечатков. Если убийца его выронил в то время, пока возился с телом, то он не стал бы вытирать рукоятку. А если хотел бы его выбросить, то нашел бы более подходящее место. Ну хотя бы в реку его бросил или в кусты. Находка, прямо скажем, очень необычная. И обратите внимание — это не простой нож. Лезвие острое как бритва с обеих сторон, кончик — как иголка. Такой в кармане не носят. Должны быть ножны, а из ножен нож не выскочит. И еще: с набалдашника и эфеса, а также с защитной перекладины спилена какая-то символика. Сталь уникальная. У нас такие

не делали. Мало того: таких ножей даже в музее МВД нет. Это я гарантирую. Тут придется обратиться к оружейникам и коллекционерам холодного оружия.

— Похоже, ножичек подбросили,– задумчиво произнес майор Марецкий.

— И кто же это сделал?– с удивлением спросил Самохин.

— Водитель вытащил труп и спустился к реке. Женщина-свидетель остановила машину с рабочими, и они пошли следом за страшным маньяком. Вопрос: «А кто остался в лодке?» Ответ: «Женщина, которая впоследствии скрылась».

— Это все домыслы, Степан, но спорить я не буду.

— Странная красавица с акцентом появлялась дважды в тех местах, где находили трупы женщин. Загадочно появлялась, загадочно исчезала, оставляя вместо себя заместителей — новоиспеченных, призванных со стороны свидетелей.

Подполковник недоверчиво покачал головой.

— Пусть так, но блондин в обоих случаях присутствовал. Убивал или не убивал — вопрос скорее риторический. Факт в том, что он, а не она занимался трупами. Ты клонишь к тому, что парня хотят подставить, а какая-то мстительница желает его потопить. Но если тебе в машину подбросят труп, что ты сделаешь? Поедешь в ментуру, а он от них избавляется. Значит, рыльце в пушку. Хочешь того или нет, но блондина придется объявить в розыск.

К следственной группе присоединился капитан, приехавший на своей машине.

— Ну, что скажешь?

Капитан достал из кармана фотографию.

— Журавлев дома не появляется. Я заехал в паспортный стол и сканировал его фотографию с учетной карточки. Блондин с эффектной внешностью.

— Ну что скажешь, Степа?– обернувшись, спросил подполковник.

А что он мог сказать? То, что он не верит, будто однокашник и старый друг — убийца? То, что Журавлев знал жертвы раньше и спал с ними под объективами еще одного психа? То, что Журавлев — бывший вор, переквалифицировавшийся в проститутку? Нет, ответа у него не было.

17

В офис Журавлев так и не явился, на телефонные звонки не отвечал. Где его носило, одному Богу известно. Метелкин психовал. Он не знал, что и думать.

В конце концов пришел, но не тот, кого он ждал. В кабинет ввалился майор Марецкий.

— Ба! Какие люди! Давненько не виделись. А я думал, ты уже в генералы вышел. Каким ветром, месье майор, вас занесло в конкурирующую фирму?

— Конкурирующую? Брось, Метелкин, мы сводничеством, сутенерством и шантажом не занимаемся. Мы таких конкурентов за решетку сажаем.

Марецкий прошел к столу и сел, не ожидая приглашения.

— Грубый ты мужик, Степа. Пришел и все опошлил. У нас лицензия. Мы — официальное учреждение. Имеем солидных клиентов и исправно платим налоги в государственную казну.

Майор вынул из кармана несколько фотографий и бросил на стол.

— Твоя работа, сыщик?

Метелкин бросил небрежный взгляд на снимки.

— И такая работа тоже встречается. Мы любое задание выполняем. И заметь: только в соответствии с договорами, а не по собственной инициативе. Мужья этих

похотливых телок нас нанимают, а мы вынуждены предоставлять им доказательства.

— При помощи своих сотрудников?

— Вадим в нашем агентстве не работает.

— Зато телок, как ты выражаешься, с которыми он работает, режут как кур. Журавлев объявлен в федеральный розыск. И если он сам ко мне не явится, то его все равно найдут, и тогда уже ему не отмазаться. Все улики против него.

Метелкин стал серьезным и задумчивым.

— Ты же его знаешь, Степан. Он к тебе не придет, пока сам во всем не разберется.

— Слишком самонадеянный. Пока он будет дурака валять, еще десяток женщин уложат. Если его решили подставить, то не успокоятся, пока он не сядет за решетку. Лишь так можно остановить серию убийств, а она только началась. Работают не простачки, а люди грамотные, скорее всего, кто-то из обиженных мужей.

— Вряд ли. Мы их проверяем и отбираем тщательным образом. С авторитетами и мафиози мы не связывались. Только с чиновниками и хапугами, не имеющими «крыши», шакалами-одиночками.

— Где-то промахнулись. Сам мог бы уже догадаться. Пораскинь мозгами. Как к убийце мог попасть список женщин, с которыми Журавлев спал? Я, например, вместе со всеми операми Москвы не вычислю, кого Дик затащил к себе в постель два месяца назад. Вчера убили Полину Тучину, а ты подписывал договор с ее мужем полтора месяца назад.

— Да, задачка. Но мы не держим никакой документации на прошлые дела. Оригиналы отдаются клиентам.

— Придется тебе напрячь мозги и вспомнить всех женщин, прошедших через вашу мясорубку. Только если я установлю за ними наблюдение, то хоть как-то смогу помешать убийце. Но лучше будет, если Дик сам ко мне придет.

— Дик не придет, и ты это знаешь, а установить слежку за бывшими клиентами — у тебя столько сыскарей не найдется. А потом: опытный убийца всегда улучит момент.

— В этом все и дело. Но чтобы вычислить убийцу, для начала надо знать, кому Дик наступил на хвост, кому он может мешать. И еще один аспект из этой мешанины мне непонятен: убийца очень не хочет светиться. Ему нужен подставной, иначе все выглядело бы намного проще. Зачем убивать женщин? Гораздо проще уничтожить Журавлева, если он мешает. Но в этом случае будут искать другого человека, а зачем подвергать себя риску. Пусть ищут Журавлева.

— Погоди минутку!

Метелкина осенило. Он встал и вышел в приемную. Молоденькая секретарша трепалась по телефону. Заметив своего строгого начальника, она тут же бросила трубку.

— Вот что, Верунчик, скажи-ка мне, когда у нас проходил Прохоров? Его жену звали Ангелина.

— Одну минуточку, Евгений Виталич.

Она открыла стол и достала из него блокнот.

— Стоп! – рявкнул Метелкин.– Положи его на стол. А теперь очень внимательно осмотри ящик. Мог кто-нибудь лазить в твой стол?

— Лазили, я это давно заметила.

— Как ты это узнала?

— У меня все блокноты и тетрадки лежат лицевой стороной кверху. Так удобнее, чтобы не искать и не копаться. А дней десять назад я пришла и увидела, что они лежат как попало. Я подумала, что вы искали ключи.

Метелкин взял блокнот и пролистал его.

— И скажи мне, милая дурочка, кто тебе позволил вести отчетность по нашей клиентуре?

Девушка хлопала огромными ресницами и не могла понять, чего от нее хотят.

— Но как же! Вы мне платите проценты с каждой сделки. Я же должна знать, сколько получу в конце месяца.

— Дура! Я даже в сейфе не держу никаких бумаг, а ты в открытом столе всю нашу подноготную копишь! Ладно, потом с тобой разберемся.

Девушка заплакала, а Метелкин вернулся в своей кабинет.

— Теперь я знаю, как убийца находит свои жертвы. Моя секретарша у себя в столе блокнот с клиентами держит. Одно утешение: записи сохранились только за последние три месяца, а это двадцать восемь женщин.

— Двадцать шесть. Двух уже нет. Все равно немало. Всех под надзор не поставишь.

— Послушай, Степа, каша заварилась после последней клиентки. Зовут ее Наташа Шефнер, жена немецкого фирмача. Насчет его «крыши» мне ничего не известно, но у него есть своя служба безопасности, и ее возглавляет некий Юрий Крылов. Очень странный тип. В Москве не прописан. В базах данных его нет. Мои ребята пытались его вычислить, но он слишком ловок для таких оболтусов. Что касается Наташи, то она хотела своего муженька пришить. Вербовала Дика. Причина мифическая: якобы Ханс Шефнер — фашист и приехал в Россию с особой миссией, а она слишком много знает и скоро ее уберут. Я склонялся к мысли о том, что бабенка решила чужими руками убрать мужа и получить солидное состояние в свои руки. И вдруг Наташа исчезает. Шефнер уверяет, что она уехала в Германию по делам. Мы проверили. Билет куплен на ее имя, регистрацию прошла, но ее в аэропорту никто не видел. Мы просматривали видеопленку с турникета таможни. Кто-то улетел под ее именем с ее паспортом. Дик начал ее искать, рыцарь хренов. Дал ей слово, что защитит ее от посягательств мужа, а оно и впрямь так получилось. После этого и произошло первое убийство. Но ты же понимаешь, что никто всерьез не поверит этим сказкам. Нет смысла идти к вам с заявлением. Дик решил сам разобраться. А они поняли, в чем дело, и прищемили ему нос. Других версий у меня нет. Дик ушел вчера вечером и пропал. Как в воду канул.

— В котором часу?

— В начале десятого. Уже темно было.

— Машина его здесь стояла?

— Как обычно, во дворе.

— Где он может быть?

— Сам знаешь, у него квартир в Москве штук пять. Когда-то он снимал их для складов у людей, уезжавших за границу на длительные сроки. С воровством он завязал, склады не нужны, но он же оплатил жилье вперед за несколько лет. Жил дома, но ключи-то никуда не делись. А адресов я не знаю.

— Если объявится, поговори с ним. Пока он разгуливает по городу, убийства не прекратятся. Не сомневаюсь в этом. Из него хотят сделать маньяка, и они близки к цели. Я знаю наших ребят. Клеймо ему быстро навесят и штамп на лоб поставят, потом не отмоется. — Марецкий встал. — А блокнотик я возьму с собой.

— Бери. Мы тоже подключимся к поискам.

— К тебе он сам придет, а я его не дождусь. Упрямый мужик. Если что втемяшит себе в голову, уже не вытравишь.

Марецкий ушел.

* * *

Телефон зазвонил в десять утра. Майор снял трубку.

— Марецкий слушает.

— Привет, Степа. Метелкин на проводе. Дик объявился.

— Где он?

— Неохота мне быть стукачом, но, зная ситуацию, я тебе скажу. Все же сначала ответь мне на один вопрос: его объявили в федеральный розыск?

— Если в течение трех суток не найдут, то объявят.

— А теперь дай мне слово, что ты его отпустишь через три дня, если возьмешь сегодня. Твое дело, как ты будешь доказывать его невиновность, но я тебе его сдам, только если ты дашь мне слово, что выпустишь его. Думаю, за это время они устроят еще одно покушение на жизнь очередной женщины. Если Дик будет сидеть у тебя, то это и станет доказательством его невиновности.

— Идея мне твоя понятна. Ты печешься о приятеле, а как быть с жертвой? Пусть подыхает?

— Вот что, майор. Из нас двоих мент ты, а не я. Тебе в руки список всех баб дали. Вот ты и думай, как их уберечь, а я думаю о том, как грязь смыть с невиновного. Вы небось уже пять томов на него настрочили.

— Ладно, я что-нибудь придумаю.

— Могу продать тебе еще одну идейку: убийца должен быть уверен, что Журавлев на свободе и все его старания ни к чему не приводят. Тогда он пойдет на следующее убийство.

— Ты в этом уверен?

— У меня детективное агентство, а не магазин игрушек. Мы тут тоже времени зря не теряли. Короче говоря, я с Диком встречаюсь в ресторане «Пекин» в два часа дня. Возьмите его после того, как мы расстанемся. Только по-умному и без фейерверков.

В трубке раздались короткие гудки.

Марецкий нажал на рычаг и тут же набрал нужный номер. Зычный бас рявкнул:

— Подполковник Самохин у аппарата.

— Привет, Коля. Степан беспокоит. Какие новости?

— Эксперты подтвердили, что волосы с сиденья машины принадлежат Полине Тучиной. Туфельки тоже. На руле остались отпечатки пальцев. Все принадлежат одному человеку. По картотеке не проходит. С запиской все еще работают. Определили духи, «Афродита», производство Франции. Но самое интересное, что удалось выяснить, так это происхождение кинжала. Нашелся в Москве коллекционер, у которого такой есть, но только без спилов, а в первозданном состоянии. И что ты думаешь убийца спилил с рукоятки? Свастику и эмблему СС. Такими кинжалами награждались только эсэсовцы за особые заслуги лично Гиммлером. Своего рода кортик черной элиты. Ценился больше, чем железный крест первой степени. В России таких кинжалов единицы. Эсэсовцы надевали их только на парады и просто так с собой не таскали. Кинжал представлял собой реликвию, талисман. А еще высшим чинам, входившим в рыцарский орден СС, так называемым магистрам, вручался перстень. В случае смерти героя перстень и кинжал хоронили в замке, где ставили плиту с именем владельца, погибшего в бою. Вот почему они не попадаются на каждом шагу. А перстней и вовсе ни у кого из собирателей и фанатов нет. Такой перстенек можно обменять на трехкомнатную квартиру.

— Ты сам скоро экспертом станешь. Вот что, Коля, у меня есть одна задумка. Встретимся, поделюсь с тобой. А для начала мне нужна машина Журавлева. Ее надо помыть, почистить, поставить колесо и отогнать к его дому.

Пусть стоит во дворе у всех на виду. Вроде как ему ее вернули, и никто ни в чем его не подозревает.

— Можно, конечно. Она нам не нужна. Все, что могла, машина уже рассказала. Тебе это срочно?

— Чем быстрее, тем лучше. И второй вопрос: у тебя есть толковые ребята, которых можно освободить дня на три от основной работы и посадить на хвост нескольким женщинам?

— А это что за идея?

— У меня есть список возможных будущих жертв. Их двадцать шесть. Это женщины, на которых могут совершить нападения. Но у меня только шесть человек. Сам понимаешь, я их не прикрою.

— Могу выделить четверых. Остальные заняты под гребенку.

— А шестнадцать останутся без контроля?

— Можно отправить их в отпуск или выдать им бюллетень, запереть дома, и пусть носа на улицу не высовывают, дверь никому не открывают и к телефону не подходят.

— Интересная мысль. Успеть бы их обработать. Придется подключить участковых по их месту жительства. Бери своих ребят, и часов в шесть вечера приезжайте ко мне. Устроим совещание и распределение ролей. И не забудь машину поставить на место. Тот капитан, что ездил к Журавлеву, знает его адрес, ему и доверь перегон тачки.

— Добро. Договорились.

Марецкий положил трубку и вышел из кабинета. Перед тем как с опергруппой отправиться в «Пекин», он дал задание лейтенанту Коршунову попасть в квартиру Журавлева и сидеть там безвылазно. Отвечать на все телефонные звонки и разыгрывать из себя простуженного Журавлева, разговаривая со всеми, зажав нос прищепкой.

К двум часам на трех машинах оперативники выехали к месту встречи Метелкина с Журавлевым.

* * *

Выпив рюмку коньяка, Вадим закусил лимоном и глянул на приятеля.

— Конечно, Степан прав. Пока я разгуливаю на свободе, Шефнер не успокоится. Они и так не могут понять, почему меня до сих пор не арестовали.

— Ленька с Гришкой провели классную операцию. Гриша подцепил на крючок секретаршу Шефнера. Девочка очень любит деньги и дорогие подарки, как и моя дура, которую пора гнать в три шеи. Ну ладно, это так, к слову. Главное в другом: длинноногая бестия согласилась на нас работать. Вчера поставила жучки. Гриша сидел в машине под окнами и записывал разговоры. Ничего толкового. Был у Шефнера в кабинете и Крылов. Для посторонних ушей разговор ничего не значил, а для нас он многое дал. Крылов доложил: «Объект пропал из поля зрения. Но если учесть, что люди в форме его ищут, то вывод простой: его не взяли». Проделайте еще одну вертушку. Но сначала убедитесь, что он в Москве. Глупо работать впустую, если он уехал и имеет железное алиби. Поезжай в Красково и согласуй действия с куклой. У нее хорошо работает голова».

Метелкин выпил свою рюмку.

— Это все, что нам удалось услышать. Не густо. Но ясно главное: останавливаться они не намерены. Следить за Крыловым — дело пустое. Хитер, как мешок гадюк. Но мы решили сделать по-другому — подловить его в Краскове. Поселок небольшой, из Москвы к нему можно подобраться только с двух сторон. Ленька, Вовчик и Гриша отправились туда. Надо уточнить, где расположено их гнездышко и о какой кукле идет речь.

— Как бы наоборот не получилось. Ребята не имеют опыта, а Крылов — профессионал. В Красково надо ехать мне. Может быть, они там и Наташу держат.

— О себе подумай, а не о Наташе. С их жестокостью они ее давно уже похоронили. Человеческая жизнь для этих отщепенцев ничего не значит. Если Наташа мешала Шефнеру, то ее убрали. Тут и думать нечего.

Вадим покачал головой.

— Нет, глупо Шефнеру рано сливать воду. Он осел здесь крепко и надолго. Знать бы зачем. Исчезнувшая жена ему может сослужить плохую службу, а он не хочет привлекать к себе внимание. Рубить головы хорошо, когда за это кто-то другой отвечать будет. Иначе они меня давно уже закопали бы вместе с Наташкой. Но меня не трогают, а значит, и ее держат где-то в клетке.

Метелкин вздохнул.

— Мне все понятно, Дик. Но пока ты будешь заниматься розыском и выяснением, будут гибнуть наши бывшие клиентки. Хочешь ты того или нет, но в их судьбах и мы замешаны. Я чувствую себя, по меньшей мере, преступником или соучастником.

Вадим усмехнулся.

— Предлагаешь мне сдаться Степану? Лет тридцать впаяют, а то и пожизненное. Он же ничего не сможет сделать. Слишком узкий обзор и ограничены возможности. С Шефнером ему не сладить, и у него на немца ничего нет, как и у нас, кроме собственной убежденности. Закон к нему не применить так же как, и к Крылову. Они обвешаны алиби, как ветераны медалями. А против меня у ментов целый портфель доказательств. И что Марецкий сможет сделать? Ничего. У него начальство есть, и он подчиняется приказам.

— Какой же выход ты предлагаешь?

— Похоронить меня, всенародно, с помпой. Умер Журавлев. На машине разбился. И труп в гроб положить можно. Помнишь, мы с тобой ездили на «Мосфильм», обрабатывали одного режиссера? Пока мы его искали, то зашли к гримерам. Видел там гипсовые маски актеров — наших суперзвезд? Делают слепок с лица, а потом примеряют к ним грим, чтобы над живым человеком не издеваться. Изгаляйся над гипсовой головой, сколько душе угодно. Не капризничает, не ноет, не торопится. А если сделать маску из воска, то покойничек получится очень натуральным. Напяль на него блондинистый парик, наклей брови и намажь гримом. Останется только приделать голову к манекену, накинуть костюмчик и в гробик по размерчику подогнать. Убийства тут же прекратятся, а я смогу работать дальше с развязанными руками.

Метелкин слушал приятеля с открытым ртом.

— Ты гений, Дик. Надо эту идею обсосать как следует.

— Договорись с гримерами. Они люди небогатые, от халтуры не откажутся. Денег у нас на похороны хватит. Ты их небось не успеваешь считать.

— Не в деньгах дело. Как нам донести информацию о твоей смерти до Шефнера?

— Марецкий донесет, но об этом мы потом поговорим. Сначала надо решить вопросы с подготовкой и мелочами. Займись этим, а у меня своих дел хватает.

— Хочешь поехать в Красково?

— Обязательно. Нельзя ребят подвергать такому риску.

Метелкин промолчал. Он уже жалел, что позвонил Степану, но он знал о готовящемся убийстве, и только Марецкий мог предоставить Дику настоящее алиби.

Они расстались возле ресторана. Женя пошел к метро, а Вадим остановил машину. Все произошло быстро и

очень неожиданно. Двое крепких парней взяли его под руки, а третий встал позади. Оставалось только сесть в машину. Так они и сделали. Вадим посредине, двое по бокам и третий впереди с водителем. На его вопросы не отвечали, ехали молча, тихо, и Журавлев понял, что разговаривать с ним будут не здесь и не эти быки.

Его доставили в знакомое отделение милиции и, минуя дежурного, отправили в камеру. Никто его протестов не слышал и на его выпады не реагировал. Когда его запирали, в дежурной части появился майор Марецкий. Капитан с повязкой дежурного вопросительно глянул на майора.

— Как будем оформлять, Степа?

— Как бомжа. Нарисуй ему мелкое хулиганство.

— И сколько с этой липой мы сможем его держать? Сутки?

— Тридцать шесть часов.

— Рискуем, Степа. Нас за это по головке не погладят.

— Найди какую-нибудь бабенку, пусть на него заявление напишет, требующее особого разбирательства, а потом заберет свое заявление, но не раньше чем через два дня. А с начальником я договорюсь. К Журавлеву никого не подсаживай. В полемику не вступать. Придет время, я сам с ним разберусь, а бумаги составлять – твоя забота, ты у нас спец по этим делам. Я буду у себя. Ко мне ребята должны приехать из Северного округа. Пусть их проводят.

К вечеру все собрались. Десять оперативников получили адреса женщин и разъехались по местам. Несколько сотрудников, в том числе Марецкий и Самохин, поделили между собой остальных женщин с единственной целью — убедить их не выходить из дому в течение нескольких дней. Большего они сделать не могли.

18

Белая «волга» перескочила через железнодорожный переезд и поехала вдоль полотна к поселку. Гриша сидел в своих «жигулях» у поворота с выключенными фарами. Он заметил машину и разглядел силуэт водителя. По нынешним временам никто уже не носил шляпы, контур которой очень хорошо выделялся на светлом фоне заднего окна машины. «Волга» свернула на проселочную улочку, и Григорий включил двигатель. Он не стал зажигать фары, а ориентировался по габаритным огням шедшей впереди машины.

Поселок утопал в соснах вековой посадки, а проселочные дороги делили его на квадраты, словно шахматную доску. Их отличало только название, которое в темноте не прочтешь, поэтому Гриша считал перекрестки, чтобы потом можно было ориентироваться в лабиринтах лесных участков. Наконец идущая впереди машина свернула в проулок с левой стороны. Гриша доехал до перекрестка и притормозил. «Волга» стояла метрах в двадцати с погашенными огнями возле высокого забора. Он припарковал свою «пятерку» к обочине, вышел из машины и решил прогуляться по улочкам, чтобы запомнить адрес.

В узких переулках столбы с освещением были разбросаны на расстоянии полусотни метров друг от друга, и приходилось напрягать зрение, чтобы не угодить в какую-нибудь яму. Дойдя до машины, Григорий запомнил адрес. На калитке краской значился дом номер двенадцать, а название улицы можно найти только на углах перекрестков. Эта была 7-я Вокзальная.

Гриша подошел к калитке и попытался найти щель, чтобы глянуть на территорию участка. Тут все и нача-

лось. Его правую руку какая-то силища заломила за спину, а к уху прижался холодный металл, очень похожий на ствол пистолета.

— Вы чрезмерно любопытны, молодой человек.

— Отпусти, больно. Я здесь живу рядом. Гуляю.

— И что при этом удивительно — твоя машина тоже гулять любит. Вчера она целый день простояла возле одного из зданий на Садовом кольце. А ты даже про обед с ужином забыл. И что ты там делал?

— Вы меня с кем-то путаете. Руку больно.

— Тебя одного сюда послали или с дружками?

— Никто никого не посылал...

— Не ври мне, гаденыш. Я тебя насквозь вижу. Значит, ты стерег меня со стороны переезда, а кто-то пасет въезд в Красково со стороны шоссе. Так?

— Никто никого не пасет. Что вам от меня надо?

— А это мы сейчас увидим. Шагай к своей машине, если не хочешь пулю в затылок получить.

Пришлось идти, пока руку окончательно не сломали. Гришу вывели к перекрестку, и возле двери его машины человек в шляпе резко развернул его к себе лицом. Правда, Гриша ничего не успел увидеть. Он получил мощный удар в челюсть, и из глаз посыпались искры, а потом все куда-то исчезло и наступила темнота.

Его бросили на заднее сиденье, и он рухнул, как мешок с песком. Крылов сел за руль «жигулей» и поехал в сторону Рязанского шоссе. Прозорливый холоп Шефнера не ошибся. На дороге, ведущей к основной магистрали, одиноко стояла «восьмерка». Крылов посигналил фарами и проскочил мимо на высокой скорости.

— Ты что-нибудь понял, Леня?— спросил сидевший за рулем парень.

— Ничего. Куда это он рванул?

— Сейчас спросим.

«Восьмерка» развернулась и поехала в ту же сторону, что и пропавшая в темноте машина Гриши.

— Смотри, вон он стоит у обочины. Видишь?

— Не слепой, вижу. Кроме нее, и машин-то на дороге нет. За пять часов три машины проехало.

— Будний день, да еще погода. Какой псих поедет на дачу?

Они остановились позади Гришиной машины и вышли.

— Он что, заснул или напился до чертиков?– задумчиво произнес Вовчик.

Его уже никто не слышал. Шедший позади приятель получил крепкий удар по голове рукояткой пистолета и был пойман сильными руками при падении. Его просто уложили рядом с передней дверцей со стороны обочины, чтобы не светился на дороге.

Гриша сидел за рулем, и складывалось впечатление, что он действительно спит.

Вовчик хотел открыть дверцу, но не успел. Его сбил с ног обрушившийся на голову метеорит. Что-то очень тяжелое и сильное. Из ноздрей хлынула кровь.

Бессознательное тело Крылов усадил рядом с Гришей, потом выкатил «жигули» на середину дороги и включил фары, чтобы случайный лихач не врезался на полном ходу в непредвиденное препятствие. Затем он вернулся к «восьмерке», поднял с земли еще одного нерадивого следопыта и усадил его за руль. Сам устроился на коленях бесчувственного водителя «восьмерки» и в таком скрюченном положении ухитрился завести двигатель и тронуть машину с места. Он проехал три сотни метров вперед, развернулся, приоткрыл дверцу и вдавил педаль газа в пол. Машина взревела и рванулась вперед. Скорость нарастала с каждой секундой. Фары выхватили из темноты стоявший посреди дороги «жигуленок».

Крылов направил машину прямо в лоб застывшему железному коню и, когда расстояние сократилось до критической точки, выскочил из машины на полном ходу. Трюк удался, если не считать мелких ссадин. «Восьмерка» врезалась во вторую машину с такой силой, что «пятерка» подпрыгнула, отлетела на встречную полосу и, несколько раз перевернувшись, упала на крышу, выбивая искры из асфальта, затем протаранила шоссе еще несколько десятков метров.

Моторный отсек «восьмерки» ушел в салон, сделав машину безносой. На дорогу полился бензин, и оставалось бросить спичку, что Крылов и сделал. Когда вспыхнул факел, он уже спрыгнул с обочины в овраг и скрылся за деревьями. До Краскова пришлось идти лесом, натыкаясь на деревья, и терпеть удары веток кустарника по лицу. Но что это в сравнении с тем, что произошло на шоссе?!

* * *

Когда Ингрид поинтересовалась странным видом Крылова, то он отмахнулся, ответив, что это издержки его работы.

— Меня другое интересует: что и где мы делаем не так? Журавлев разгуливает на свободе. Его машина стоит во дворе. Позвонил ему домой по телефону. Парень простудился и лечится водочкой.

— Ты с ним успел подружиться?

— Нет, передал привет от его друга из Питера Кирилла Матвеева. Они учились вместе. Сказал, что проездом в Москве и выполняю просьбу Кирилла. Тот принял мой звонок как должное.

— Странно. По идее, он должен был бросить машину. Неужели колесо не прокололось?! Невероятно!

Ингрид ходила по террасе и курила длинную коричневую сигарету, сверкая отражениями от бриллиантовой броши. Даже оставаясь сама с собой, она не забывала о красивой одежде, макияже и о бриллиантах. Все стены в этом доме были увешаны зеркалами.

Крылов ее терпеть не мог, но вынужден был с ней работать рука об руку — таков приказ хозяина.

— У меня на примете есть еще одна пассия Журавлева,— внезапно заговорила Ингрид.— Я думала с нее начать, но не получилось, ты уже зацепил другую. Антонина Зайцева. Бывшая жена владельца автосервиса «Рено». После того как ее мужу вручили доказательства неверности супруги, он избил ее до полусмерти и вышвырнул на улицу. Тут Журавлев промахнулся. Зайцевы жили гражданским браком и не были зарегистрированы. Пришлось Антонине возвращаться в свою клетушку в старой «хрущевке». Я выбрала ее потому, что она легкодоступна. Работает на дому, шьет женские тряпки на заказ и на продажу. Я к ней ходила. Обговаривали фасон платья. Остановились на том, что, как только мне удастся купить подходящий материал, она меня ждет. Выкройка уже готова. У нее не дом, а проходной двор. Сработать можно без проблем, но как мы притянем к этому делу Журавлева... Он уже обжегся пару раз и на телефонный звонок не клюнет.

— А нам он не нужен. Пусть сидит дома и пьет водку. Вчера, пока он ходил ловить простуду, я побывал у него дома и кое-что прихватил с собой. Оставить улику рядом с трупом равноценно визитной карточке.

Ингрид загасила сигарету и взяла новую.

— Не слишком ли у нас все напыщенно? Журавлев — бывший следователь — при каждом убийстве разбрасывает улики? Это с его-то опытом! Тут надо придумать что-нибудь более весомое. Нужна причина, по которой

он убивает этих женщин. А пойдет он на такое, если ему будут угрожать. Кто? Почему и как? Причина одна: он спал с женами солидных бизнесменов. А если предположить, что несколько женщин, брошенных мужьями, решили объединиться, отомстить донжуану? Журавлев раскрыл замысел и решил упредить удар и убрать их с дороги.

— Звучит как дешевый триллер с лотка. Но если эту мысль развить, обосновать, просчитать, то может кое-что получиться, похожее на правду. Но заговорщиц надо найти, объединить и накрыть всех одним махом, а не щелкать по одной, как лесные орешки. Задачка не из легких.

— Попробуем упростить.

— Думай, Ингрид, ты у нас мастер интриг. Любого можешь втянуть в болото. Твой ход. Рассуждай вслух, а я буду смотреть на твои козни со стороны, как следователь. То, что будет походить на правду, мы одобрим, а что начнет смахивать на заоблачные фантазии, отбросим в сторону. Я человек трезвомыслящий, реалист, и женские фантазии для меня выглядят достаточно примитивно. У меня кое-что есть, от чего можно оттолкнуться.— Крылов достал из кармана пиджака стопку фотографий и бросил на стол.— Наш бабник слишком беспечен и тщеславен. Он отбирал для себя по одной фотографии с каждой женщиной, проходившей через его руки. Неплохая коллекция. Ее можно использовать. Вот такие оплошности и губят аферистов. Он даже не соизволил их спрятать как следует. Одну фотографию из этой кучи я убрал — ту, где жена нашего шефа проявляет свою страсть непотребным образом. Впрочем, и остальные девочки достаточно темпераментны.

— Мы хорошо дополняем друг друга. В каждом деле нужен оптимист и пессимист, плюс и минус.

Ингрид достала из старинного буфета хрустальный графин с ликером и налила себе наперсточную рюмочку тягучей жидкости.

— Итак, начнем. Вариант первый...

До последнего варианта они дошли к четырем часам утра.

19

Следователь из областного УВД появился в девять тридцать утра, и ему пришлось ждать Метелкина в коридоре. Руководитель детективного агентства «Сириус» явился на работу на полчаса позже заявленного на дверной табличке графика.

Увидев человека, мало похожего на клиента, Метелкин догадался, что с ребятами что-то случилось. Они так ему и не позвонили. Ни один.

— Пройдите в мой кабинет.

Следователь мог бы позавидовать современным частным сыщикам. Такого кабинета не имел даже начальник УВД. Он предъявил свое удостоверение и сел на предложенный стул.

— Слушаю вас, Виктор Андреевич,— рассматривая красную книжечку, сказал Метелкин.

— Новость у меня для вас не очень приятная. Вчера поздно вечером произошло ДТП на отрезке между Рязанским шоссе и поселком Красково. Одна машина взорвалась и выгорела до основания, вторая не подлежит восстановлению. За жизнь водителя борются реаниматологи центральной больницы города Жуковского. Выживет или нет, сказать трудно. Травмы очень серьезные. Пассажир, сидевший рядом, погиб.

Следователь выложил на стол визитные карточки Владимира Лямкина и Григория Карпова.

— Здесь указано, что они сотрудники вашего агентства. Вы это можете подтвердить?

— Конечно. Расскажите подробней, кто с кем столкнулся?

— Подробностями один Господь ведает. Если бы не огненное зарево, туда могли бы и до утра не приехать. Дорога чистая, широкая, прямая, асфальтированная. Столкнуться двум машинам лоб в лоб очень трудно, даже в темное время суток. Алкоголь в крови водителей отсутствует, но тем не менее факт остается фактом. Григорий Карпов сидел за рулем пятой модели «жигулей». Очевидно, как предполагают эксперты из группы разбора, его машина по каким-то причинам остановилась посреди дороги, капотом в сторону Рязанки. «Восьмерка» шла в сторону Краскова на скорости около ста километров. Причем водитель даже не пытался свернуть в сторону, а не видеть помеху на пути мог только слепой. Удар был слишком сильным. «Пятерку» отбросило на двадцать шесть метров, после чего она перевернулась и еще несколько десятков метров протащилась на крыше.

— А что с «восьмеркой»?

— Тело не подлежит опознанию. Обгоревшая, изуродованная головешка. Пытаются исследовать кровь. Это единственная возможность установить личность. Номер двигателя мы определили. Машина принадлежит Владимиру Лямкину, который погиб, находясь в пятой модели «жигулей» рядом с Григорием Карповым.

— С ними мог быть Леонид Кузнецов. Он также являлся нашим сотрудником. Очевидно, он и сидел за рулем «восьмерки». Я не знаю причин, по которым они оказались в тех местах, но могу сказать с уверенностью, что обе машины могли ехать одна за другой, но никак не навстречу друг другу. Водители с большим стажем и опытом. Все трое дружили и работали рука об руку. Боюсь, столкновение было спровоцировано. Другого объяснения у меня нет.

— В чем заключалась их работа?

— Следили за неверными женами. Богатые старики не доверяют своим молоденьким подружкам. В целом работа безопасная. И я уверен, что ни один объект не мог заметить слежку.

Следователь провел ладонью по волосам, словно хотел удостовериться, что все на своем месте.

— Мне эта авария сразу не понравилась. На этой дороге вообще аварий не бывает, если только колесо не отвалится на полной скорости. Но все колеса на месте. В пятой модели не обнаружено никаких особых поломок, по причине которых машина могла бы остановиться посреди дороги и не дотянуть до обочины. Я не желаю вам досаждать своими выводами, но хочу, чтобы вы все как следует обдумали и приехали ко мне в Управление для повторной беседы. Нам все равно не избежать обстоятельного разговора, так что сделайте одолжение. Повесток я вам слать не буду, вы сами приезжайте тогда, когда созреете.

Следователь взял со стола свою папку и вышел из кабинета. Метелкин долго сидел в задумчивости, потом собрался и покинул свое рабочее место. Секретаршу он предупредил, что его сегодня не будет.

* * *

Весь город оживал, все офисы, цеха, торговые залы, рынки начинали гудеть. Шефнер снял трубку и попросил к себе Крылова, но ответ был на удивление странным.

— Извини, Ханс, но будет лучше, если ты сам ко мне зайдешь.

Другой начальник рассвирепел бы от такой наглости, но только не Шефнер. Он знал, что его главный охранник ничего так просто не делает. Надо, значит, надо.

Крылов положил трубку и глянул на парней, стоявших перед ним. Красавцы — как на подбор. Они стоили тех денег, которые им платила фирма.

— Он сейчас придет ко мне. Идите и проверьте еще раз его кабинет. Быстро и четко. Когда ставят времянки, они должны быть легкодоступны.

Молодые люди вышли из кабинета начальника, а Шефнер в него вошел.

— Вы меня вызывали, сэр?

Крылов не среагировал на саркастическую издевку.

— У кого, кроме тебя, есть ключи от твоего кабинета?

— У тебя.

— Это я знаю.

— У секретарши. Она приходит раньше. Кладет мне документы на стол для ознакомления, вытирает пыль, ставит минеральную воду из холодильника на стол...

— Все понятно. А теперь скажи мне, по какому вопросу ты хотел меня видеть?

Шефнер все еще стоял в дверях, растерянный от неожиданных вопросов.

— Хотел узнать о твоем визите в Красково.

— Мы обсудили несколько вариантов и пришли к общему соглашению. После завершения операции я тебе доложу о результатах.

— Не тяните. Я хотел, чтобы вы с Ингрид отправились в Смоленск. Пора произвести инспекцию и определить готовность объекта. Работы слишком затянулись. Сегодняшняя обстановка требует ускорения темпов.

— Согласен, но не уверен в том, что мне надо уезжать сейчас, когда, как ты говоришь, обстановка неблагоприятная. Здесь неблагоприятная, а не в Смоленске. Там с делами сможет справиться Ингрид сама, без моей помощи

В кабинет вошел один из помощников Крылова, отправленных ранее на проверку, и положил на стол три черных кругляшка размером с наручные часы.

— Спасибо, Жорж.

Мужчина тут же вышел.

— Подойди к столу и глянь на это. Так называемые жучки мини-передатчики, действующие в радиусе одного километра. Их принесли из твоего кабинета.

— Но твои люди проверяют кабинет каждое утро.

— После того как они уходят и появляешься ты, у твоей секретарши хватает времени их установить.

— Ты думаешь, что Катя...

— Я не думаю. Мои мысли всегда при мне. А излагаю я только факты либо результаты своих анализов. Вчера видеокамеры зафиксировали постороннюю машину рядом с нашим зданием. Мы говорили о Краскове. Вечером эта машина поджидала меня в Краскове. Я позаботился, чтобы те трое больше не смогли ни с кем делиться своими знаниями. Но это ничего не значит. Красково нужно законсервировать и перебраться в резервное место. Сделать это надо сегодня же. Этим займется Жорж и Счастливчик.

— А как быть с Катей?

— Ее наняли те, кого уже нет. Но в любом случае мы имеем дело с агентством «Сириус», и поэтому никакого шума. Вызови ее ближе к вечеру и отправь в месячный отпуск. Скажи, что ты надолго уезжаешь в Германию и она тебе не нужна. Выплати ей жалованье вперед. Нам не нужно расстраиваться по мелочам. А минеральную воду из холодильника ты сам достать можешь. Сегодня в полночь я тебе позвоню. Не исключено, что нам понадобится встретиться, если дело осложнится.

— Ты меня озадачил.

— Это должно быть твоим постоянным состоянием, так как решение всех задач возложено на твои плечи.

Шефнер и сам это понимал, для того на него и работали тысячи людей, чтобы он мог не отвлекаться по мелочам.

* * *

И еще один кабинет — самый скромный из тех, о которых говорилось выше. Его занимал начальник УГРО райотдела Западного округа Степан Марецкий. Метелкин ворвался в кабинет в начале третьего.

— Извини, фельдмаршал, но дело серьезное.

— Ответный визит? Я вчера сидел в приемной и ждал, а ты так, по-свойски, без лишних церемоний.

— Ты прав. Я жалею, что сдал тебе Дика. Вчера Дик собирался ехать в Красково, где должен был появиться неуловимый Крылов.

— Откуда сведения?

— Сорока на хвосте принесла. Суть не в этом. Вадим мне еще в «Пекине» сказал, что ребят одних туда пускать нельзя. И как в воду глядел: один в реанимации, а двое в морге. Автокатастрофа. Вот тебе и Крылов! Милый мальчик.

— Дойдет очередь и до него. Кое-что я уже предпринял. Посмотрим.

— Посмотришь ты на очередной труп. Отпусти Дика — только он один сможет сладить с этим гадом, пока ты будешь бегать по Москве и размахивать наручниками.

— Отпущу. Через сутки. У меня капканы уже расставлены. Ждем-с! Вот-вот — и зверь объявится.

— Наивный ты мужик, Степа.

— Дик на воле — гарантия нового убийства.

— А мы его похороним. Тут надо устроить все с помпой. Я только что приехал с «Мосфильма». Они сделают восковую голову Журавлева не хуже живой. Попробуй договориться с крематорием. Сожжем куклу — и прекратятся все убийства. Главное, чтобы настоящий зверь понял, что враг повергнут. Я сумею пустить утку среди газетчиков, будто маньяк-убийца погиб, и назову время и место похорон. Остальное репортеры сделают сами. Похороны станут сенсацией. Фейерверк обеспечен. Убийца не сможет не узнать о смерти Журавлева.

— Слишком много формальностей. Человека не так просто списать. Порой обычный телефонный аппарат не спишешь. Проще Дика арестовать на публике с шумом, а потом выпустить.

— Если ты ему предъявишь обвинение, то обязан послать в Бутырку. А там они легко проверят, что такой к ним не поступал. Не только у тебя связи. Нельзя недооценивать врага. Ты уже и сам понял, что мы не с мелюзгой дело имеем.

— Ладно, я подумаю. В чем-то ты прав, но один я ничего не решаю.

— Началось!! — завопил Метелкин.– Ну копайтесь, пока всю Москву не перерезали.

Метелкин вышел, хлопнув дверью.

20

Три платья Тоня сдала на реализацию продавцам Черкизовского оптового рынка и возвращалась домой. Платили ей гроши, но лучше иметь дело с китайцами, чем с армянами и азербайджанцами. Те могут ничего не заплатить, и защиты не найдешь. Приходилось сводить концы с концами, перебиваясь с хлеба на воду.

В старом дворике на Плющихе стояли две развалюхи и два восьмиэтажных кирпичных дома. Ей повезло, что ее квартира находилась в хорошей постройке. По центру дворика был разбит скромный, но уже разросшийся скверик, где любили отдыхать старушки и выгуливали своих шавок и псов местные собачники.

Ингрид стояла в подъезде дома напротив, и ей пришлось подняться на площадку пятого этажа, чтобы иметь полный обзор двора. Она видела, как в подворотню вошла Антонина и направилась к своему подъезду. Буквально через несколько секунд следом за ней во двор вошел рослый парень с газетой в руках. Он шел следом за женщиной. Как только Тоня Зайцева зашла в подъезд, молодой человек свернул в скверик и уселся на лавочку напротив ее окон.

Ингрид достала из сумочки сотовый телефон и набрала номер.

— Это я. Она уже дома, но мне кажется, что ее ведут. Что будем делать?

— То, что наметили. Я и не сомневался, что их возьмут под контроль. Теперь мне понятно, почему его не трогают. Хотят взять с поличным. Резонно. Будь внимательна.

— Хорошо. Тогда я пошла.

Она убрала телефон в сумочку и вызвала лифт.

В подъезд Зайцевой Ингрид вошла уверенной походкой, как в свой собственный. Поднявшись на второй этаж, она позвонила в сорок первую квартиру. Дверь открыли тут же, будто стояли за ней и ждали.

— Здравствуй, Тоня. Помнишь меня?

— Магда? Куда же ты запропастилась? Выкройка давно готова. Нашла ткань?

Женщины прошли в комнату, заваленную тканями, недошитыми платьями и блузками. Швейная машинка стояла в центре, с потолка свисала лампочка без абажура.

— Секундочку. Сейчас я тебя усажу.

Хозяйка начала сгребать выкройки с дивана и перетаскивать их на стол.

— И если нетрудно, Тонечка, закрой окно, а то я простужена, боюсь, еще больше надует.

— Ради Бога, сейчас закрою.

«Интересная женщина, — подумала гостья.– Прекрасная фигура, точеные черты лица, опрятная. Немного угловата и грубовата, но это небольшая помеха. Такая может найти себе стоящего мужчину и жить, как королева, а она тряпьем занимается. Ведь такие соблазнительные штучки долго в девках не засиживаются. Ей еще и тридцати нет. И вероятно, уже не будет».

Ингрид села на освобожденный от посторонних предметов диван и предложила Тоне сесть рядом.

— О платье мы потом поговорим. Я пришла к тебе по другому поводу. Видишь ли, всех нас объединяет общее несчастье: мы остались без мужей по собственной слабости. Позволили себе расслабиться один раз — и нас тут же засветили. И сделано это было специально.

Антонина непонимающе хлопала длиннющими ресницами.

— Что значит «специально»? Как это?

— Тебе твой муж показывал фотографии?

Хозяйка стиснула зубы.

— Нет, он поставил видеокассету, включил телевизор, заставил меня смотреть и при этом избивал. Бил до тех пор, пока я сознание не потеряла. Сволочь!

— Сволочь не он, а тот, с кем ты ему изменяла. Вот он — сволочь и подонок. Ведь его Дик зовут?

— Да, но он-то тут при чем?

— А ты наивная дурочка. Не подумала, как это вас ухитрились заснять в такой момент, когда в комнате никого не было. Все это Дик устраивал со своим напарни-

ком, а потом продавал компромат нашим мужьям. Он на нас деньги зарабатывал, а мы после этого на улице оказались.

Ингрид достала из сумочки фотографии и подала Зайцевой.

— Вот, полюбуйся.

Тоня разглядывала снимки, и ее черные глаза сверкали красными искрами.

— Ублюдок! Вот скотина!

— И только одной из всех муж простил ее слабость. Причина простая: он импотент. Пришлось смириться.

Тоня отбросила фотографии в сторону.

— А где ты их взяла?

— Наняла сыщика и адвоката. Мы решили засадить этого самца за решетку. В зоне из него «петуха» живо сделают, как узнают, за что он туда попал. Зэки за нас отомстят, сделают его своей девочкой. Там он быстро поймет цену нашим страданиям. Сыщик, которого я наняла, выследил Дика и побывал у него дома. Там он и нашел эту коллекцию.

— Ну а что я могу сделать?

— Нам надо собрать несколько таких же, как мы, дурех. Адреса и телефоны я уже выяснила. Хорошо, если бы женщины приехали сюда, тогда я позвала бы своего адвоката, и мы составим общее заявление. А он уж сумеет дать ему ход. И чем быстрее мы это сделаем, тем лучше. Нечего тянуть. Мне не терпится увидеть этого паршивца в зале суда за решеткой.

— И за что его будут судить? За то, что мы к нему в постель ныряли?

— За шантаж и вымогательство. Пять лет минимум.

— Давай попробуем.

Антонина собрала фотографии в кучу и вновь их просмотрела. Выбрав одну из них, она сказала:

5-1518

— Эту телку я знаю. Мир тесен. Она живет недалеко, на площади Восстания, у метро «Баррикадная». Зовут ее Галя Ростоцкая. Была у меня одна подруга, впрочем, она никуда не делась. А эта Галка живет в квартире напротив. Воображалистая девица. Ее муж бензоколонкой командует.

— Теперь у нее нет мужа так же, как и у нас.

— Сейчас мы это выясним.

Тоня подошла к телефону и набрала номер.

— Але, Марина? Привет. Антонина... Узнала? Отлично. У меня к тебе один дурацкий вопросик есть. Ты давно не видела свою соседку? Я имею в виду Галю. Вот как? Сегодня утром... А скажи мне, она что, развелась со своим бензиновым королем? Ушел от нее? Вот как... Ты можешь сделать для меня одно одолжение? Попроси ее, пусть она мне сейчас перезвонит, у меня есть новости о ее муже... Как — не можешь? Хорошо, я подожду. Перезвони тогда.

Тоня положила трубку.

— Галя сидит дома. Замуровалась на все замки, к телефону не подходит, двери никому не открывает. У нее был участковый и попросил не выходить на улицу в течение нескольких дней, а Маринку она сама к себе позвала. Со скуки подыхает. Звонить ей бесполезно. Видимо, ее здорово напугали. С чем это связано, не знаю. Сейчас Марина спустится во двор и покричит ей в окно — иначе она ее не впустит.

Красавица, называющая себя Магдой, щелкнула пальцами.

— Значит, этот хмырь уже обжегся. Кто-то из женщин на него настучал. Теперь он хочет всех нас застращать. Видимо, милиция уже насторожилась, и наше заявление попадет к ним вовремя.

Зазвонил телефон, и хозяйка сняла трубку.

— Кто? А, Галочка! Очень хорошо, что ты сама мне позвонила. Мне не хотелось твоей соседке выкладывать некоторые подробности из твоей личной жизни. Но дело в том, что то же самое несчастье и меня постигло, и еще нескольких женщин. Всех нас оставили мужья. Виной тому один и тот же тип. Дика помнишь?.. Я так и думала. Передо мной лежит фотокарточка, где ты сидишь на нем верхом и балдеешь от удовольствия. А потом наш очаровашка раздаривал эти снимки нашим мужьям за определенную мзду. Тут у меня сидит одна из его жертв. Есть неплохая идейка, как кастрировать нашего общего котика. Хотелось бы, чтобы ты сейчас приехала ко мне. Что значит — не можешь уйти? Не будь дурой! Нечего тебе бояться среди бела дня в центре Москвы. Скоро тебя бояться будут. Бери такси и приезжай. Ради такого дела можно чем угодно рискнуть... Правильно. Мы тебя ждем.

Тоня бросила трубку на рычаг.

— Она приедет.

— Надо бы еще кого-нибудь позвать. Ты очень убедительна. Сделаем так: я буду диктовать тебе телефоны и имена, а ты звони.

— Давай попробуем.

Ответ они услышали лишь на пятую попытку, остальные номера не отвечали.

Вероника Уварова с готовностью согласилась приехать. Тоня Зайцева разошлась не на шутку. Она с таким азартом разговаривала с подругами по несчастью, что и мертвую могла разбудить и вселить в нее чувство ненависти и жажду мести.

— Для первого раза хватит,— остановила ее Магда, когда хозяйка вновь взялась за трубку.— Бог любит троицу. Трех свидетельских показаний вполне достаточно. Сейчас я позвоню адвокату и попрошу его приехать.

Магда не стала пользоваться хозяйским телефоном, а достала из сумочки мобильный. Набрав номер, она сказала:

— Добрый день, Олег Александрович, вас Магда беспокоит. Девушки готовы написать заявление. Только вы заготовьте их, а мы поставим свои подписи... Что вы говорите?.. Ах да. Заявление от меня, Антонины Зайцевой, Галины Ростоцкой и Вероники Уваровой. Где-то через час мы соберемся по адресу: Плющиха, дом девятнадцать, квартира сорок один... Хорошо, спасибо, мы вас ждем.

Магда улыбнулась.

— Он обязательно приедет.

* * *

Старший лейтенант Копылов продолжал сидеть в дворовом скверике и, читая газеты, то и дело поглядывал на подъезд. Он запоминал всех, кто входил и выходил из дома. Если в подъезд входил молодой мужчина или кто-либо, вызывающий определенное подозрение, то Копылов заходил следом и прислушивался. Любой человек, задержавшийся на втором этаже, мог стать объектом внимания. Акустика была прекрасной, и даже внизу можно услышать, как звонят в дверь на пятом этаже. Пока все шло нормально и ничего примечательного не происходило. Одно печалило беспечный рабочий день — после двух часов начал накрапывать дождик. Пришлось достать зонт. Стоять в подъезде не рекомендовалось, чтобы не привлекать к себе внимания.

В начале третьего во двор вошла хорошенькая красотка, а следом — Глушко. Копылов служил в Северном округе, а капитан Глушко в Западном. Не далее, как вчера, они познакомились на совещании, где им распределили

женщин, находившихся в зоне особого внимания, и каждого из десяти офицеров закрепили за одной из потенциальных жертв.

Красотка зашла в подъезд, где жила Зайцева, а капитан остался во дворе. Копылов тихонько свистнул. Глушко оглянулся и увидел коллегу. Осмотревшись по сторонам, капитан прошел к палисаднику и сел на скамейку рядом.

— Привет.

— Здорово. Хорошо схлестнулись. Ты кого ведешь?

— Тонечку Зайцеву. Ходить за ней — одно удовольствие. Фигурка божественная. Боюсь, теперь по ночам будет сниться, а по утрам с мокрыми трусами просыпаться стану. У тебя тоже телочка фигуристая. Кто?

— Вероника Уварова. Только она не ходит, а носится на «форде» как угорелая. Дважды из поля зрения выскальзывала. Едва нагнал. Так что мне не до ее ножек было. Хорошо еще в аварию не угодил. Боевая девка.

— Не думал, что они знакомы между собой. Нам об этом ничего не говорили.

— А нам вообще что-нибудь говорили? – возмутился капитан.– Нашли мальчиков! Мы им не курсанты. Даешь работу — так введи в курс дела. А то так... Сняли с дела и отправили баб пасти.

— А мне нравится. Хоть воздухом подышим.

— Ага. Сейчас как ливанет, и будем мы с тобой, как общипанные петухи крылышками махать... Где ее окна-то?

— Второй этаж, первые два окна от подъезда. Кухня и комната. Пришла и тут же фрамуги закрыла. На улице двадцать градусов, а она закупорилась.

— Так многие делают, кто живет на нижних этажах. Слышимость во дворах хорошая, как в колодце. Не все любят, чтобы об их жизни посторонние знали.

— Какая там жизнь, если она одна живет. Правда, левачит на швейной машинке, но кого это сейчас трогает.

Дождь начал усиливаться.

* * *

Крылов вошел во двор через противоположные ворота. В первую очередь он проверил обстановку. Два типа, сидевшие в скверике под зонтиками к нему спиной, не внушали особого доверия. Он обошел зеленую зону с другой стороны и вошел в последний подъезд дома так, чтобы не попадаться подозрительным типам на глаза. Сегодня Крылов выглядел необычно. Вместо шляпы – бейсболка, вместо пиджака – ветровка, на ногах кроссовки. Смена костюма происходила быстро, прямо в подъезде. Все, что нужно, лежало в наплечной спортивной сумке. Спортивная одежда перекочевала в сумку, а пиджак и ботинки на рифленой подошве сменили наряд. Теперь он выглядел вполне респектабельно.

На последний этаж он поднимался пешком. Чердачный замок его не смутил, а о замке в подъезде Зайцевой он позаботился заранее. Никакой запор для Крылова не мог стать преградой. Обычно он любил поджидать хозяев в их собственных квартирах, а там встречались и более хитрые приспособления. Надев перчатки, Крылов в считанные секунды справился с проржавевшим «сторожем» и бросил его на пол.

На чердаке было темно и пыльно. Слуховые окна забиты досками. Он прошел мимо трех люков и остановился у нужного. Крышка скрипнула и открылась. На секунду он замер и прислушался. Тихо. Он спустился по железной лестнице вниз и оказался на площадке последнего этажа. Все необходимое он взял с собой, а сумку оставил

на чердаке. Стряхнув с себя пыль, он поправил поредевшие волосы и начал спускаться вниз.

Никто из жильцов дома ему на пути не попался. Мелочь, разумеется, но, по мнению Крылова, в его работе не могло быть мелочей.

Квартира сорок один. Он коротко позвонил и изобразил на лице улыбку. Хозяйка тоже улыбнулась, увидев мужчину на пороге.

— Добрый день. Я по приглашению Магды.

— Олег Александрович? Проходите, мы уже ждем вас.

В комнате стоял устойчивый столб сигаретного дыма, чашки с кофе на столе, полная пепельница окурков с помадой на фильтрах и четыре женщины. Каждая из них была по-своему хороша. Никому определенно предпочтения не отдашь. Тут дело вкуса.

— Приятно очутиться в такой очаровательной компании, милые дамы. Ваши мужья еще долго будут жалеть, что расстались с вами, вы достойны лучшего. А тот, кто повинен в этом, скоро поймет, что значит женский гнев. Он будет испытывать его на себе в течение ближайших пяти лет. Достойный урок для смазливого сладострастного шантажиста и подлеца.

— Мы уже в зале суда? – спросила Вероника Уварова.– Не растрачивайте энергию, она вам еще пригодится для господ судей.

— Энергии у меня на всех хватит.

— Хотите кофе? – предложила хозяйка.

— Не откажусь.

— Я тебе помогу,– с готовностью вызвалась Магда и отправилась вслед за Тоней на кухню.

Теперь в комнате остались только две женщины, что упрощало задачу. Они сидели лицом к двери и спиной к окну.

— Извините, здесь слишком душно. Я приоткрою окно.

— Магда простужена,– возразила Галя.

— Мы на минутку, пока они варят кофе.

Он обошел стол и, как только оказался у них за спиной, выдернул из-за пояса пистолет с глушителем и дважды выстрелил. Раздались слабые хлопки. Гораздо громче было падение Галины, которая зацепила браслетом скатерть и потащила ее за собой вместе с чашками недопитого кофе. Обе пули легли в цель. Первая попала Веронике в голову чуть ниже затылка, а вторая угодила Гале под левую лопатку. Вряд ли они успели почувствовать боль. На полу лежали женщины, скатерть и разбитые вдребезги чашки. Кофе смешался с кровью.

На шум прибежала хозяйка. Крылов уже ждал ее и, оставаясь на месте, вытянул руку с пистолетом вперед. Она ничего не успела понять. Еще один хлопок — и в переносице женщины образовалась черная ровная дырочка. Тоня покачнулась и упала навзничь.

Крылов взял сумочку Ингрид с дивана и вышел в коридор. Она уже стояла возле входной двери.

— Возьми из комнаты мою чашку. Там остались следы пальцев и помады.

— Забудь об этом, посуда превратилась в тысячу осколков.

Крылов достал из кармана платок, обмотал им руку, открыл дверь и выглянул наружу.

— Все. Иди. Через час встретимся. Где фотографии?

— Я отнесла их в кухню и положила на холодильник.

— Пусть там и лежат. До встречи.

Ингрид направилась по лестнице вниз, а ее напарник, захлопнув дверь, пошел наверх.

Он поднялся на чердак, вынул пистолет из-за пояса, вытер его платком и бросил на пыльный пол. Его обрат-

ный путь был таким же, каким он сюда пришел. Спустившись на первый этаж, и, перед тем как выйти из подъезда, Крылов переоделся. На мокрый асфальт он вышел уже в кроссовках.

Похоже, дождь зарядил надолго. Небо затянуло тучами. Он посмотрел на часы. Без четверти четыре. Все прошло так, как и задумывалось.

Убийца вышел из тех же ворот, через которые пришел, бросив напоследок взгляд на сидевших под зонтиком мужчин в безлюдном скверике. А они так и сидели, не ведая, что происходит в нескольких метрах от них. Беспокойство появилось после семи вечера, когда в окнах зажглись огни, а в квартире Антонины Зайцевой все еще царил мрак. К восьми часам оперативники забеспокоились всерьез и решили проверить обстановку. Дверь откроет хозяйка, которая не должна видеть своего провожатого, поэтому они приняли решение, что в квартиру позвонит капитан Глушко, наблюдавший за Вероникой.

Копылов поднялся на один пролет выше, а Глушко нажал кнопку звонка. Ему пришлось нажимать ее не один раз, но ответа не последовало. Вот тут ребята созрели до нужной стадии и поняли, что пора действовать.

Три разбега и три удара плечом в дверь — столько понадобилось силы, чтобы выбить замок. Копылов влетел в квартиру вместе с дверью, пролетел еще пару метров и, споткнувшись о тело хозяйки, распластался на полу. Приподняв голову, он увидел перед собой страшную картину: в метре от него лежали женщины и смотрели ему в глаза. Он даже не сразу понял, что они его не видят. По коже побежали мурашки.

— Лежи, не вставай,– приказал капитан.– Тут ничего нельзя трогать. Я иду к соседям звонить нашим. Местные менты только все испортят.

— А мне так и лежать, что ли?

— Ладно, вставай, только осторожно, и ничего не цапай. Занимай вахту в дверях квартиры и ни одной души через порог не пропускай, пока не приедут Марецкий и Самохин.

— Провалили дело! – с тоской пробормотал лейтенант. Он все еще лежал и не решался встать.

21

На место происшествия прибыла бригада экспертов, подполковник Самохин и майор Марецкий. После беглого осмотра Самохин сказал:

— Придется подключать Петровку, Степан, а они уже свяжутся с прокуратурой. Через час здесь будет народу больше, чем на оптовом рынке.

— За час мы успеем многое выяснить, хотя тут и так все понятно.

И словно в подтверждение сказанному эксперт Лапин принес из кухни фотографии.

— Вот, гляньте. На холодильнике лежали.

Разглядывая фотографии, Самохин покачал головой.

— Все здесь. Вот и Полина Тучина, найденная на берегу, и Кира Каверина, которую прирезали на квартире, и сегодняшние красотки.

— Слава! – окликнул Марецкий капитана.– Звони дежурному по городу и доложи обстановку. И не забудь местных ребят вызвать, а то как-то не очень солидно получается: вторглись на чужую территорию и даже не проинформировали.

— Сейчас позвоню. В кухне параллельный телефон.

Из комнаты в коридор вышла женщина в белом халате.

— Ну что, Варвара Алексеевна?

— Смерть наступила от трех до четырех. Огнестрельные ранения, калибр 7,65, но с уверенностью сказать не могу.

Самохин глянул на часы.

— Время девять. Это они здесь уже около шести часов лежат?

— Выходит, так,— ответила женщина и направилась в ванную мыть руки.

В комнате работал фотограф и эксперт.

— А где наши оболтусы?— спросил Самохин.

— На лестничной клетке курят.

— Пойдем разбираться.

Старший лейтенант Копылов и капитан Глушко выглядели побитыми псами.

— Докладывайте: как дело было?— строго спросил Самохин.

Говорить стал Копылов.

— В восемь утра Зайцева ходила на рынок, в двенадцать вернулась домой и больше никуда не выходила. Я помню всех людей, кто заходил и выходил из подъезда. Если в дом заходили мужчины, то проверял, на какой этаж едут. Их всего шесть человек за все время зашло. Причем я ждал, пока дверь хлопнет, а то поднимется на пятый, а потом пешком вниз. На женщинах я свое внимание не останавливал. Тут ведь вот какое дело. Зайцева подрабатывала шитьем. Портниха. Так что женщин к ней много ходило. Всех не прощупаешь.

— А ну-ка глянь в свой блокнот и посмотри, кто из мужчин входил в дом до шестнадцати часов?— потребовал Самохин.

Копылов полез за блокнотом.

— А ты что скажешь?— подполковник глянул на Глушко.

— Я вел Уварову. Она среди трупов. Утром посетила салон красоты, потом магазины, сидела дома, а в половине второго как с цепи сорвалась, села на машину и — сюда. Довел ее до подъезда, а тут уже Копылов в скверике скучает. Ждали вместе. Не стоять же возле дверей. Следили за окнами, все выглядело пристойно. Когда стемнело, они свет не зажгли, вот тут мы и забеспокоились.

— А третья подружка — кто? На фотокарточках ее попка сверкает,– спросил Марецкий, показывая снимок.

— Значит, осталась без контроля. Из тех, кого участковые предупреждали. Мне так думается: они собрались здесь, чтобы составить план мести своему общему хахалю. Все они без мужей остались.

— Похоже на то. Вот только где они полную коллекцию снимков собрали? Свои могли иметь, а чужие?– удивился Марецкий.

— Сложный вопрос,– пожал плечами Глушко.

В разговор вмешался Копылов.

— Вот что у меня записано. После возвращения Зайцевой с рынка до шестнадцати часов входили в дом четверо мужчин и двое пацанов лет по тринадцать. Они здесь во дворе играли. В двенадцать сорок вошел старик с палочкой и авоськой. Очевидно, из магазина возвращался. В тринадцать сорок три приехал тип на машине. Она так и стоит возле дома. «Семерка» номер Е 435 МА 77. Поднялся на лифте на шестой этаж. В четырнадцать восемнадцать зашел мужик в спецовке с инструментами. Похож на слесаря из РЭУ. Поднялся на четвертый этаж. Мне он показался подозрительным, но он ушел через шестнадцать минут. Без пяти три появился парень лет тридцати. В руках у него ничего не было. Кавказская внешность. Поднялся на пятый этаж. Вот и все. Остальные приходили позже. Только одного понять не могу: а почему женщина не могла быть убийцей? Тут одна бабенка вышла из дома около четырех. По виду сразу можно сказать, что нездешняя...

— Бабенка тут ни при чем,– заявил появившийся на площадке майор.– В комнате обнаружены знакомые сле-

ды. Та же рифленая подошва и тот же сорок третий размер. Следы четкие, пыльные. Какое-то время этот тип стоял за столом лицом к двери, откуда предположительно и прогремели выстрелы.

— Выстрелы не гремели. Мы бы их услышали,– с обидой возразил Копылов.

— Что еще, Ваня?– спросил майора Марецкий.

— На столе стояли четыре чашки, а трупов только три. Осколков много, но вот ручки от чашек не побились, а их четыре. На окурках три цвета помады, сорт сигарет разный. А у Зайцевой губы не накрашены. Значит, отсутствует женщина, у которой губы накрашены перламутровой помадой темно-вишневого цвета. Курит коричневые сигареты «Море».

— Я же говорил! – оживился Копылов.– Помню я ее. Когда входила, не знаю, возможно, сразу после прихода Зайцевой. Прошмыгнула какая-то дамочка. Не успел засечь, отвлекся. Но без четверти четыре такая выходила. Очень эффектная дама, лет сорока, шляпкой пол-лица загорожено. Одета необычно. Шарф через плечо перекинут, платье тоже темно-вишневое. Ткань такая облегающая. В общем, одно могу сказать: в метро такую не встретишь. Но лица я не запомнил — она слегка склонила голову, прикрывшись полями шляпы.

— Похоже на сладкую парочку,– усмехнулся подполковник.– Один работает, а баба на подхвате. Но она обычно к делу свидетелей привлекает, а тут ушла.

— Свидетели ей нужны, чтобы Журавлева подставить, а его здесь не было. В этом вся штука.

— А ботиночки, Степа? Что скажешь?

Марецкий приоткрыл дверь квартиры и крикнул:

— Слава, войди сюда! – Повернувшись к Самохину, он добавил: – Странная история, Коля. На улице дождь идет, а на ботинках пыль. Он что, их специально на пороге переодевает вместо тапочек?

— Дождик с двух часов начался,– подтвердил Копылов.

— Может быть, он их в подъезде поджидал?– спросил Самохин.– А когда они собрались, то и нагрянул.

— Светиться он не станет.

На площадку вышел капитан.

— Вот что, Славик, возьми фонарь и Коршунова с собой, и осмотрите подъезд и чердак. Там пыли должно быть больше, чем где-либо.

— И я с вами пойду, — сказал эксперт.– Фотографа тоже не мешает позвать, а то вы там все мне затопчете.

— Правильно, Ваня, действуй.

Группа из четырех человек отправилась наверх.

— Вот что я добавить забыл, — мялся Копылов.– После того как Зайцева вернулась с рынка, буквально минут через десять она плотно закрыла окно комнаты.

— После того, как дамочка прошмыгнула?

— Пожалуй, так.

— То-то я смотрю, что в комнате так душно,– заметил подполковник.– В такую погоду устраивать в квартире курилку, да еще окна прикрыть. Странно.

— Значит, ее попросили это сделать.

— И что ты за человек, Степа?– удивился Самохин.– Ну тут же все черным по белому написано. Ботинки принадлежат Журавлеву, бабы тоже. Ну кого бы они впустили, кроме него? Вызвали к себе, чтобы кастрировать, а он с ними не согласился и пристрелил свидетелей. Кому еще нужно убивать женщин, с которыми спал только один мужик? Ты же видел фотографии.

— А их, по-твоему, тоже Журавлев принес? Похвастаться. Мол, вас много, а я один. Давайте жить дружно одной семьей. Убийца очень ловко использует Журавлева

с единственной целью: заставить нас поверить в то, что, кроме Журавлева, никто этого сделать не может. Ладно, давай остановимся на том, что убийца Журавлев. Убедил. Но почему бы не прокрутить другие версии, чтобы потом не оказаться в тупике. И прошу тебя: не пори горячку. Сейчас приедут с Петровки и из прокуратуры. Не козыряй фотографиями. Если они так же, как и ты, вцепятся в Журавлева, уже других версий не останется. Мы сами его найдем, а высокое начальство пусть другие варианты разрабатывает. У них возможностей во сто крат больше, чем у нас. Им и карты в руки. А сдашь ты им Журавлева — они и искать-то никого не станут.

— А завтра еще пару баб пришьют,– обозлился подполковник. Глянув на лейтенанта, он рявкнул: – А вы чего тут болтаетесь без дела? Живо обойдите все квартиры и проверьте, все ли дома из тех, кто входил в подъезд,— пенсионеры, кавказцы, дети. Кого видели из чужих. Может, он в подъезде баб караулил? Живо, вперед!

Копылова и Глушко как ветром сдуло.

— Ты чего-то мудришь, Степан. Зачем ты потребовал, чтобы я машину Журавлева к его дому поставил? Или ты знаешь, где он скрывается?

— Знаю, Коля.

— Тебе мало трупов? Ты чего выжидаешь? Журавлева надо брать.

— Мы его похороним, а потом найдем убийцу. Слежка за женщинами ничего не даст. Они непредсказуемы. Захочет — уйдет, захочет — послушает. Их даже страх не берет. И убийца знает, как их выманивать.

— Ты чего, парень, остаканился уже? Кого похороним?

Их беседу прервали. Лейтенант Коршунов спускался вниз.

— Несу вам рождественские подарки, господа начальники.

В одном целлофановом пакете лежало оружие с глушителем, а во втором, поменьше, — листок бумаги.

— На чердаке нашли?– спросил Марецкий.

— Да, ребята там потеют. Света побольше просят. Следы от рифленых подошв в обе стороны ведут. Убийца проходил через пятый подъезд, поэтому его никто не видел.

Он подал пакеты майору.

— Именной, с обратным адресом. Револьвер системы «наган», четыре пули выпущены, гильзы в барабане. Следов нет. Майор просил не вскрывать. Глушитель самопальный, нарезка на стволе свежая. А главное, гравировка: «Сергею Журавлеву за отличную службу от Бурденко».

— Кто такой Сергей?– спросил Самохин.

— Отец Вадима Журавлева, известный прокурор, потом судья, а Бурденко был когда-то генеральным прокурором Советского Союза. На Нюрнбергском процессе выступал. Год назад отец Вадима погиб.

— Тебе и этого доказательства мало?– возмутился Самохин.

— Наоборот, только подтверждает мою теорию. Убийца крутит нас за нос как хочет. А с другой стороны, оставляет свои следы и оружие убийства. Окровавленный нож бросил в собственной машине. Отпечатки стер, а кровь оставил. Теперь теряет револьвер своего отца, но не забывает вытереть отпечатки.

— Погоди, Степан. Отпечатков и быть не должно, если он работал в перчатках.

— А как, по-твоему, должны среагировать женщины на присутствие своего любовника в перчатках? Руки замерзли в квартире? А потом: ты ведь видел точность попадания пуль. В Зайцеву он стрелял с трех метров и попал в

переносицу, другой — в сердце, третьей — в мозжечок. Ювелирная работа, а Журавлев с одного метра в баобаб не попадет. Это тебе любой из его бывших коллег в московской прокуратуре подтвердит.

— Что там в записке?– раздраженно спросил подполковник.

— Распечатка на компьютере — пять женских имен.– Коршунов начал читать: – Кира Каверина. Дальше идут все данные, адрес, место работы, телефоны. Потом Полина Тучина. Против этих двух стоят галочки. И еще три имени: Антонина Зайцева, Галина Ростоцкая и Вероника Уварова. И опять со всеми данными.

— Понятно. Значит, третью женщину зовут Галина Ростоцкая. Иди-ка, лейтенант, за Славой и езжайте с капитаном по адресам. Ты — домой к Уваровой, а он — к Ростоцкой. Может быть, кто-то знает, как они попали сюда. Опросите соседей.

— Понял.

— А улики верни Ивану.

— Понял.

— Действуй.

Самохин закурил. Перемещая беломорину из одного угла рта в другой, он продолжил:

— Что-то ты знаешь, Степа, и скрываешь. В одном могу с тобой согласиться: слишком наш преступник рассеянный. И все-то он теряет и оставляет нам стрелки и указатели, а сами преступления выполняет виртуозно. Но почему мы должны проходить мимо фактов? Наша задача в первую очередь остановить маньяка, прекратить серию убийств, а потом копаться в деталях. А для этого Журавлева надо найти и посадить.

— А он уже сидит.

Подполковник открыл рот, но ничего не сказал.

— Я арестовал его вчера днем. Кстати, на нем модные мокасины на гладкой кожаной подошве. А теперь, Коля, нам придется думать, что предпринять, чтобы поймать настоящего убийцу. Хочешь того или нет, а Журавлева придется отпустить.

— Его отпускать, а тебя сажать. Вот зачем тебе понадобилась его машина! Мол, Журавлев на свободе — и тем самым ты подстрекал убийцу к действиям.

— Но мы же поставили все возможные жертвы на контроль. Я рассчитывал загнать головореза в ловушку.

— Плохо мы женщин знаем! Ты бы взял у Журавлева платную консультацию. Мол, так и так: что делать? А убийцу-то мы вовсе не знаем. Непростой тип. Знает толк в своем деле.

22

Затвор щелкнул, и дверь камеры со скрипом открылась. Свет из коридора ударил Вадиму в глаза. Он сбросил ноги со скамейки и встал.

— Выходи.

Он вышел в коридор. Ему уже не хотелось качать свои права и бить себя в грудь. Пара дней в темной клетке размером с деревенский сортир быстро приводят к смирению и покою. От яркого света приходилось щуриться. Его провели мимо дежурной части и сопроводили на второй этаж, где располагались кабинеты начальства. Иначе и быть не могло. Дежурный разбирается только со шпаной, а ему предстоит серьезный процесс, изолятор, следователи и адвокаты. И никто из них ему не поверит. Эту партию он проиграл, а помог ему в этом Женечка Метелкин. Без его усердия сыскари не смогли бы вычислить Журавлева. Он знал методы их работы и мог

бы водить за нос ментов столько, сколько ему надо, пока сам не поставил бы в этом деле точку.

— Стой.

Конвоир постучал в кабинет с табличкой «Начальник отделения». Заглянув внутрь кабинета, он спросил:

— Можно заводить?

— Давай.

Журавлев вошел в кабинет, и дверь за ним закрылась.

За длинным столом, накрытым зеленым сукном, сидели трое мужчин. Все в форме. Он знал только одного. Майор Марецкий сидел слева, подполковник справа, а полковник в центре.

— Присаживайтесь, Вадим Сергеевич. Будем совместно решать наши проблемы,— предложил полковник.

Журавлев взял стул, поставил посреди комнаты спинкой вперед и оседлал его, будто коня.

— Слушаю вас,— раздался хрип из его горла, и он сам не узнал собственного голоса.

— Я из Главного управления внутренних дел, заместитель начальника по оперативной работе. Моя фамилия Скороходов, зовут Валерий Игнатьевич. Для начала я введу вас в курс дела. Вы подозревались в убийстве двух женщин. Все улики говорили о вашей причастности к этим преступлениям. Однако среди нас нашелся сотрудник, который не верил даже прямым доказательствам. Майор Марецкий знаком с вами с детства и был убежден в том, что вы невиновны. Ему удалось это доказать, создав вам алиби. Пусть он действовал незаконным путем и не теми методами, но, надеюсь, вы его извините. Вы были задержаны и помещены в камеру временного содержания. В то же время в вашей квартире появился наш сотрудник, а машина, принадлежащая вам, поставлена во дворе под окнами. Несмотря на то что мы имеем дело с очень опытным преступником, он все же клюнул на приманку и сделал вывод, что вы на свободе. Вчера он совершил новое убийство, дерзкое, изощренное и наглое, чуть ли не на глазах у оперативников. Действует он вместе с сообщницей. Теперь у нас есть ее отпечатки пальцев.

Им удалось собрать в квартире Антонины Зайцевой еще двух женщин — Веронику Уварову и Галину Ростоцкую. Все женщины застрелены из нагана вашего отца. Убийца успел побывать у вас дома и взять все необходимое для того, чтобы очередной раз ввести следствие в заблуждение. На месте происшествия найдено оружие с самодельным глушителем, следы от ваших ботинок и фотографии. Преступникам удалось скрыться. Если бы в это время вы оставались на свободе, то вопрос о вашей причастности к очередному преступлению ни у кого не вызвал бы сомнений. Боюсь, в этом случае отвести от вас подозрение было бы очень сложно или даже невозможно. Проблему решил майор Марецкий. Разумеется, он получит взыскание за произвол, однако не дал увести расследование по ложному следу.

Теперь перед нами стоит новая задача: как и каким образом остановить серию убийств, после того как мы вас освободим. Я не уверен в том, что мы поймаем преступника в считанные дни. У него широкий выбор для маневра. Двадцать три потенциальные жертвы с неуправляемым характером. Ко всем подхода не найдешь, а сказать им правду мы не имеем права. Информация может дойти до убийцы или его сообщницы. Какие будут предложения?

Журавлев откашлялся.

— Я так думаю, что некий господин Метелкин уже высказал мое предложение майору Марецкому. Необходимо устроить мои похороны. Кто-то из сообщников убийцы обязательно придет убедиться в моей гибели.

Прощание с телом нужно организовать в зале крематория, где установить видеокамеры. Появление чужого лица будет подтверждением. Необходимо заранее известить только самых близких, а их у меня нет. Значит, роль родственников сыграют ваши люди, одетые в штатское. Волокиты много, но цель оправдывает средства. Убийства прекратятся. А потом действуйте по своему усмотрению. Что касается меня, то я умею менять внешность до неузнаваемости и просто уеду из Москвы на то время, пока вы будете заниматься розыском.

Полковник немного помолчал.

— Вы правы. Я уже слышал о вашем предложении. Очень неординарный ход. Пожалуй, стоит рискнуть. Надеюсь, руководство примет это предложение.

— А вы возьмите мою голову для убедительности. Через день она будет лежать у вас на столе в шляпной коробке. Макияж я тоже возьму на себя. А вы позаботьтесь о документах и об организации похорон.

— Хорошо, вы свободны. Извините за доставленные неудобства. Постарайтесь не появляться в тех местах, где вас знают и где может вас увидеть убийца. Его надо ввести в некоторое замешательство. Он не должен знать, что вы на свободе. То ли спрятались, то ли уехали из города, а может быть, специально проводите время на людях, чтобы иметь твердое алиби. А мы будем делать вид, что ведем активные поиски Вадима Журавлева.

— Согласен. Задачи поставлены, будем выполнять.

Вадим встал.

После долгого молчания Марецкий подал голос:

— Твоя машина стоит во дворе. Ключи в зажигании. Номер мы тебе поменяли на всякий случай.

— Спасибо за очередную заботу, товарищ майор.

* * *

Разговор проходил на даче в Салтыковке — той, что Крылов называл резервным объектом. Все дачи в Подмосковье покупались на подложные имена. Престарелых отставных офицеров обеспечивали временными доплатами к пенсии, и они соглашались проводить торговые сделки и покупать на свои имена недвижимость. Таких дач имелось шесть, пользовались, как правило, двумя, остальные стояли на консервации. Никто там не жил, кроме Ингрид, которая никогда не появлялась на фирме и в Москву выезжала только по мере необходимости.

Сегодня сюда приехал Шефнер. В последнее время по настоянию Крылова принимались самые серьезные меры предосторожности, так что шефу фирмы пришлось добираться до места больше часа, в то время как хватило бы и сорока минут. Он садился в одну машину и после нескольких хитроумных петель по московским переулкам пересаживался в другую, в результате до дачи он добрался на пятой. Все машины имели тонированные стекла, кроме последней. Приезжать в деревню на «мерседесе» — значит привлекать к себе внимание. Так что к калитке он подъезжал на запыленном сером «москвиче».

Шефа ждали к обеду, стол был уже накрыт. Учитывая занятость хозяина, разговор намечалось провести во время трапезы. Посторонних не было. Когда приезжал Шефнер, Ингрид отпускала свою экономку и повариху домой к внукам и хозяйничала сама. Впрочем, предосторожность излишняя, так как пожилая прислуга была глухонемой, а они разговаривали по-немецки, в том числе и Крылов. В Москве, и тем более на фирме, он себе этого позволить не мог.

Как правило, разговор начинал начальник службы безопасности. Сегодняшний день не отличался от остальных.

— Все, что мы можем делать, мы делаем. Результаты не заставят себя ждать. Как сообщают мои люди, возле дома Журавлева дежурят мальчики в штатском. Вряд ли Журавлев рискнет вернуться домой. Безусловно, он человек ловкий и не даст взять себя голыми руками среди бела дня. Но милиция уже доведена до состояния кипения, и арест Журавлева вопрос не дней, а часов. На детективное агентство у нас собралось достаточно материалов, и мы сумеем его прикрыть с помощью той же милиции. Но существует одно очень важное «но». Расследование серии убийств в Москве приобретает соответствующие масштабы. Я думаю, помимо прокуратуры к работе подключены все подразделения милиции. В руках следственных органов имеются фотографии всех женщин, и если у них не найдется снимка Наташи, то они найдут ее имя в каких-нибудь списках, как нашел имена я. А это значит, что все женщины будут найдены и опрошены, а также не оставят без внимания их мужей. К такому обороту и мы должны подготовиться. Тебе, Ханс, ничего не надо скрывать от следствия. Они знают схему, и не стоит выглядеть белой вороной. Ты обманутый муж, ты об этом знаешь, но, в отличие от русских мастодонтов-собственников, принял известие с достоинством и жене ничего об этом даже не сказал. Ее простил и обошелся без скандалов. Она съездила в Германию, вернулась, а сейчас отправилась отдыхать на Черноморское побережье под присмотром одной супружеской пары. И не в определенное место, а на машине вдоль побережья в поисках уютного дикого уголка природы. Так что точнее ее местонахождение ты узнаешь только из присланных открыток. Подходящую семейную пару я уже подобрал. Надежные люди — из тех, кто соответствует нашим критериям.

— А Наташа? А открытки?– спросил Шефнер, оторвавшись от еды.

— Она приведена в должное состояние. Психотропные уколы сделали свое дело. У нее прослеживается некоторая заторможенность, вялость и даже безразличие. Она плохо понимает, где находится, абсолютно послушна и выполняет команды. Содержание открыток ей продиктует Ингрид, и она напишет их собственной рукой, так что ты будешь получать их регулярно, если не ежедневно: сегодня из Геленджика, завтра из Лазаревского. Думаю, скоро к тебе придут из следственных органов. А посему нам нужно доказательство того, что с твоей женой все в порядке и она действительно прощена за свою неверность. Завтра в Москве День города. Это отличный фон для фотографий. Я вывезу Наташу в центр, где ты будешь нас поджидать. Пять-шесть кадров на фоне плакатов и иллюминации будут отличным доказательством того, что вы с женой счастливы и никаких размолвок между вами нет.

— Не возражаю,– кивнул Шефнер.– Ее действительно надо вывезти из Москвы. Пришло время нам перебираться в Смоленск. Теперь там будет наша основная база. Работы идут полным ходом. На следующей неделе Ингрид должна выехать на базу. Пусть она и возьмет с собой Наташу, а ты им дашь пару человек для охраны. Как только все вопросы по Москве будут решены, ты отправишься следом. В Смоленске у нас на данный момент дел больше, чем в столице. Вскоре и я к вам присоединюсь. Нам необходимо готовить резервные базы в районе Смоленска, покупать землю, расширять строительство и открывать действующие фирмы, а не заниматься пустой показухой.

— Теперь послушайте меня, уважаемые джентльмены,– подала голос Ингрид.

Она говорила долго и интересно. Но мы оставим на время их компанию, а о том, что предлагала женщина, мы узнаем чуть позже, когда наступит подходящий момент.

* * *

Ему надели резиновую шапочку, в ноздри вставили трубочки, чтобы он мог дышать, а потом весь череп обмазали гипсом. Так он должен был просидеть до тех пор, пока гипс не затвердеет. Впоследствии слепки будут разрезаны, сняты, опять склеены и залиты специальным воском. Так в гримерной одной из самых лучших киностудий делалась посмертная маска обычного смертного, а вовсе не звезды или просто популярной личности.

Метелкин сидел рядом, наблюдал за работой и не закрывал рта. Его не смущали посторонние уши, и вряд ли гримерам была интересна его сбивчивая болтовня.

— Гришка в сознание все еще не пришел. Врачи опасаются, что он впадет в кому — тогда ему уже не выкарабкаться. Ребят разрешили похоронить. Я был у следователя. У обгоревшего трупа все же взяли кровь и провели анализы для идентификации. За рулем «восьмерки» сидел Лёньчик. Я ничего не сказал, что он не умеет водить машину и никогда за руль бы не сел, даже под пистолетом. Авария подстроена. Крылов раскусил ребят и уничтожил. К сожалению, ты оказался прав. Одно мне непонятно: почему Степан ничего не делает по отношению к Крылову и Шефнеру? Он будто не слышит ничего, о чем я ему говорю.

Метелкин замолк, словно ждал ответа, но гипсовая голова не могла ничего сказать. Пришлось разговаривать с самим собой.

— Нам удалось купить сведения о недвижимости, которой владеет фирма Шефнера. Как это ни странно, но в Подмосковье у Шефнера есть только особняк, записанный на Наташу, о котором мы все знаем и где состоялось наше знакомство. А под Смоленском несколько участков земли. Их еще найти надо. Сведения скупые, есть только регистрационные номера. А почему бы нам не обратиться к Виноградову? Помнишь того майора из ФСБ? Ну да, мы как-то ему помогли. Помнишь дело с алмазной мафией? Ну да, он должен быть нам благодарен. По идее, иностранцами должно заниматься их ведомство...

Метелкин еще очень долго рассуждал, но, когда с головы Журавлева сняли гипс, получил на все свои идеи отрицательную реакцию. У Вадима вырос слишком большой зуб на банду Шефнера, как он выразился, и решил, что они сами, без посторонней помощи справятся с ними. Так, как те того заслуживают.

23

Появление оперативника в офисе ничуть не удивило Шефнера. Он встретил майора Марецкого у себя в кабинете и любезно предложил сесть. Марецкий сел и положил папку на колени.

— Слушаю вас, Степан Яковлевич. Чем могла заинтересовать моя персона?

— Не совсем так, господин Шефнер. Меня интересует ваша жена. Но, перед тем как с ней встретиться, я решил поговорить с вами. Речь идет об очень деликатных вещах.

— Это очень любезно с вашей стороны. Слушаю.

— Вы в курсе того, что ваша супруга позволила себе слабость и завела любовника?

— Мне об этом известно. Но почему такие вещи интересуют милицию, я не понимаю.

— Идет следствие, и подробности я вам изложить не смогу, но обстановку в целом разъяснить в состоянии. В Москве совершена серия убийств молодых женщин. Судя по почерку, действовала одна и та же рука. В ходе расследования выяснилось, что все жертвы в недавнем

времени были разведены с мужьями либо оставлены ими. В дальнейшем мы установили, что причиной разрыва являлась супружеская неверность. Мало того: все женщины изменяли мужьям с одним и тем же человеком, который впоследствии через некое детективное агентство шантажировал мужей. Вам, очевидно, пришлось с этим столкнуться?

— Вы правы, но я не назвал бы это шантажом. Агентство не занималось вымогательством. Они предлагали свои услуги — я их нанял и заключил договор. Все отношения строились на добровольных началах. У меня нет претензий к агентству. Правда, я не настолько импульсивен и разводиться с женой не стал. Ошибки молодости. Я даже ничего ей не сказал о том, что мне известно. Просто я постарался сделать так, чтобы она не встречалась со своим любовником, и отправил ее по делам фирмы в Германию.

— Не все мужчины способны на такое благородство. В России по-другому смотрят на измену жен и приравнивают такие поступки к предательству. Женщины легче переносят измену мужей. Но не будем отвлекаться. С определенного момента бывшие любовницы некоего донжуана начали погибать. Их зверски убивали. Тут трудно объяснить причины. Возможно, женщины объединились в общий кулак и решили отомстить шантажисту, который поломал им жизнь. Другое объяснение трудно найти, если он решился защищаться таким варварским методом.

— Я надеюсь, моя жена не входила в эту коалицию. Ее две недели не было в России. Она вернулась два дня назад, пробыла в Москве ровно сутки, мы погуляли по красочной столице в День города, а вчера она уехала отдыхать... Кстати,– Шефнер выдвинул ящик стола и выложил перед оперативником несколько фотографий,– утром принесли мне из фотолаборатории. Как видите, у меня с женой вполне хорошие отношения.

— Хотите вы того или нет, но мне придется с ней поговорить. Дело в том, что именно в День города небезызвестный донжуан был убит. Ему подлили яд в бокал с вином. Труп найден в его квартире. На столе стояли два бокала. Во втором яда не оказалось, но остались отпечатки женских пальцев. Теперь мы вынуждены взять отпечатки для экспертизы у всех женщин, которые так или иначе проходили по спискам отравленного.

— Вы можете снять их с посуды в моем доме.

— Речь идет об убийстве, серии убийств. Я вас понимаю, но прокуратура ни на какие поблажки не пойдет. Если Наталья Шефнер сама не явится к следователю для дачи показаний и дактилоскопической экспертизы, то ее приведут под конвоем.

— Вряд ли я смогу вам помочь. Наташа уехала вчера на юг в отпуск с семейной парой на машине. Они собираются путешествовать вдоль морского побережья Кавказа от Адлера до Тамани. У меня нет ее адреса. Вся надежда на то, что она мне позвонит из Сочи или какого-нибудь другого крупного города. Но я даже не могу себе представить, что ей сказать. Вернись: тебя вызывают в прокуратуру по делу об убийстве. Так?

— Следствие есть следствие. Ваши взаимоотношения с супругой тут ни при чем. В конце концов, если бы она была более осмотрительна и целомудренна, я в вашем кабинете не появился бы. За свои ошибки приходится платить. Вашей жене повезло. Она осталась жива и даже мужа не потеряла. Другие пять женщин лишились и мужа и жизни. Теперь и главного героя придется хоронить. Может быть, он убийца и подлец, но родственники готовят ему пышные похороны, а мы в настоящее время вынуждены искать ту, которая стала виновницей этих похорон. К сожа-лению, нам не удалось взять его вовремя, и сейчас вместо одного подозреваемого их стало двадцать три.

Двадцать три женщины составляют список донжуана. Пятеро погибли. Но и мужей этих женщин нельзя не брать под подозрение. Одно дело — если ты бросил свою жену, другое — если ее убили и ты можешь предположить, кто это сделал. Земля быстро слухами полнится. Об убийствах в Москве не писала только самая ленивая пресса, целиком поглощенная политическими сплетнями. А «МК» уже известил публику о похоронах знаменитого бабника. Похороны могут превратиться в манифестацию.

— Чует мое сердце, что неприятностей не избежать.

— Для вашей жены эта история кончится небольшим испугом, и не более того. Вы сказали, что она уехала на юг с супружеской парой. Кто они?

— Мои старые знакомые — Алексей Лучников и его жена Валерия. Они каждый год путешествуют по югу, и я подумал, что Наташе будет с ними интересно. Мне не хотелось, чтобы она оставалась в Москве. К тому же наступил бархатный сезон. Ей лучше отвлечься.

— Хорошо, не буду вас больше задерживать, но прошу проявить инициативу, и если Наталья Шефнер позвонит, то попросите ее вернуться в Москву. Если она откажется, то у следователя ее сопротивление вызовет определенные выводы. А вам это ни к чему.

После ухода майора Шефнер отправился в кабинет Крылова. В последние дни он уже не вызывал к себе начальника службы безопасности, а ходил к нему сам, даже несмотря на то, что секретаршу отправили в месячный отпуск.

24

Как ни старались родственники скрыть от общественности тайну похорон Вадима Журавлева, но любопытных и пронырливых зевак все равно набралось немало.

Из морга судмедэкспертизы тело покойного решили не завозить домой, а отправили сразу в крематорий. Три автобуса и вереница машин длиной в четверть километра вытянулась вдоль дороги к последнему пристанищу бывшего виновника шумных убийств в Москве. К провожатым примкнули репортеры и даже телевизионщики. Пришлось подключиться автоинспекции и милиции. По просьбе родственников использовать видео- и фотокамеры запретили, а в зал прощания прессу вовсе не допустили. Нашлись недовольные крикуны, кто-то встретил похоронную процессию с транспарантами: «Убийцу в костер!», «Туда тебе и дорога!» — и прочими нелицеприятными лозунгами.

Никто не ожидал такого резонанса. Милиции пришлось поработать. Но у протестующих нашлись мегафоны, и покой на кладбище был нарушен злобными выкриками. Манифестантов пришлось оттеснить к воротам. Больше всех вопили женщины из общества «Равноправие всем».

Автобус подогнали прямо к дверям зала, и гроб с телом перенесли на каталку. Крышку сняли только после установки гроба на лифт. Народу набился полный зал. Кто родственник, кто друг, а кто враг — разобрать было невозможно. Процедуру прощания сократили до минимума. Короткое выступление одного из друзей длилось две минуты. К гробу подпустили только шесть человек, после чего крышка была забита, и гроб под печальную музыку начал опускаться в шахту. Шторки из черного бархата задернулись, и входные двери раскрылись.

Толпа повалила на улицу. Никто не знал, что из стоявшего рядом с автобусом «РАФика» с опущенными занавесками шла съемка, и каждый выходивший попадал в объектив видеокамеры. Велась также и фотосъемка.

В основном люди шли молча, но иногда слышалось: «Лежит в гробу как живой» или: «Повезло мужику — уж лучше на тот свет, чем на пожизненное заключение». Шумные похороны, как смерч, пронеслись над кладбищем. Налетел вихрь, покружился с полчаса и прекратился. Всего этого можно было бы избежать, если бы организаторы спектакля не вложили столько усилий в рекламу. Но в каждом представлении имелись свои плюсы и минусы. Об этом речь шла уже на совещании в райотделе, где присутствовал виновник торжества.

Просматривая видеоматериалы, покойничек рассуждал вслух:

— Вы, ребята, перегнули палку. Завтра вся Москва будет знать, что Вадим Журавлев умер. А если я и на самом деле умру? Кого хоронить будете? Бомжа в общей могиле? И что делать мне? Остановит меня гаишник, покажу я ему права, а меня тут же заметут за использование подложных документов, подделку, угон чужой машины. Но ведь и не выпустят, пока не выяснят личность. А личность установить невозможно. Я умер. Меня нет. Мне легче доказать, что я Борис Ельцин, чем Вадим Журавлев. А как жить дальше?

— Да, малость переборщили,— согласился Марецкий.— Придется уговаривать высокое начальство выдать тебе новые документы на новое имя. Будешь ты у нас залегендированным агентом.

— Агенты работают на чужой территории, а когда возвращаются домой, то становятся самими собой. А я в собственном доме превратился в агента. Вернись я в свою квартиру — соседи милицию вызовут. Вон они, — Журавлев указал пальцем на экран.— Весь дом пришел на похороны. Люди меня знали, уважали, а тут убийца, маньяк...

— Но это же была твоя идея, Дик,— спокойно заметил Метелкин.— Мне она сразу не понравилась. Что теперь кулаками махать? Родственники обменяют твою квартиру в другой район, где ты будешь жить под именем Феди Тапочкина или Кости Забодайкина.

Все замолчали.

— Стоп! – крикнул Метелкин.

Сидевший у видеомагнитофона подполковник Самохин нажал на кнопку. На экране застыл кадр.

— Чуть-чуть назад,– попросил Метелкин.– Стоп. Вот они. Смотрите. Двое высоких парней. Одного зовут Жорж, второго не знаю. Они есть в нашей картотеке. Мы фотографировали всех, кто работает на фирме Шефнера. Трое суток я щелкал фотоаппаратом с крыши дома напротив, используя мощный телеобъектив. Эти ребятки работают в службе безопасности под начальством Юрия Крылова.

— Они сами тебе представились?

— Нет, мы переманили на свою сторону секретаршу Шефнера, но ее быстро раскусили и выгнали в отпуск. Я разложил перед ней все отснятые мною фотографии. Те, на которых она опознала знакомых, я подписал. А второго типа все называют просто Счастливчик. Правда, я думаю, что и Жоржа зовут иначе и Крылов вовсе не Крылов. Но дело не в этом. Важно то, что люди Шефнера пришли на похороны, чтобы убедиться в смерти Журавлева, что и требовалось доказать. Так что не зря старались ребята. Главная цель достигнута, и убийства женщин в Москве прекратятся.

— Что подтверждает мое прямое участие в этом деле,– добавил Вадим.

— Искусство требует жертв. Когда мы выведем банду Шефнера на чистую воду, я напишу о твоем подвиге огромную статью. И ты вынырнешь из чана с кипятком в облике Ивана-царевича. Из грязи в князи. Сенсация обеспечена, тебя пригласят на телевидение в передачу

«Герой дня». Пока походи в роли Феди Тапочкина. Лаврового венка еще не заслужил...

— Ладно, хватит,– оборвал Метелкина Марецкий.– Жена Шефнера жива и здорова. Она с ним по Москве разгуливала в День города, и тому есть доказательства. Что касается Юрия Крылова, то подкопаться не к чему. Он носит фамилию жены. Путаница хорошая, но документально все подтверждено. А ситуация выглядит следующим образом. Некая Лариса Бронштейн десять лет назад вышла замуж за некоего Александра Крылова и уехала с мужем на постоянное место жительства в Израиль, не теряя российского гражданства. Там она развелась с мужем, а через год вышла второй раз замуж. Ее новый супруг взял фамилию жены от первого мужа, и на свет появился новый Крылов, но только Юрий. Два года назад Лариса Крылова-Бронштейн вернулась в Россию с новым мужем. Она сейчас занимается бизнесом, а ее муж служит в фирме Шефнера главным охранником. Чтобы выяснить подноготную Крылова, мы направили запрос в Израиль. Но, учитывая наши неровные отношения с этой страной, очень трудно ожидать быстрый и исчерпывающий ответ. Сам Крылов может наплести что угодно. Бабушка с дедушкой уехали в Израиль еще до революции, когда такой страны на карте мира не существовало. Там и родился, учился, женился и вернулся на родину предков. В этом деле нам и ФСБ не поможет, если у них нет корней. И заниматься Крыловым всерьез никто не станет, пока мы не предъявим серьезных оснований. А у нас ничего на него нет. Мужик живет в стране два года, и ни одного столкновения с законом. Чист, как распустившийся листочек.

— Основания есть, и очень серьезные. Профессиональная подготовка Крылова говорит сама за себя.

— А чем это подтверждается?– усмехнулся майор.– Наблюдениями детективного агентства «Сириус», у которого рыльце в пушку, и МВД отзывает выданную вам лицензию. Чья бы корова мычала!

— У нас отзывают лицензию?! – удивился Метелкин.

— А ты как думал? Благодаря кому каша заварилась? Вы еще через вертеп прокуратуры пройдете. Следствие только еще набирает обороты. В твоей коллекции фотографий, детектив, наверняка завалялась фотокарточка Юрия Крылова. Не подаришь на память?

Метелкин достал из своего дипломата черный конверт с фотографиями и протянул Марецкому.

— Тут вся их команда. Давно мечтаю тебе передать их. Пользуйся, пока я добрый.

Марецкий начал рассматривать снимки.

— Что ты знаешь о Наташе?– спросил Журавлев у Марецого.

— Уехала на Кавказ отдыхать с семьей знакомых. Я уже дал наводку по всем трассам, ведущим к югу. Некий Алексей Лучников с женой Валерией взяли Наташу с собой. По данным ГИБДД, у Лучникова две машины — «фольксваген-гольф» и «шкода-фелиция» у жены. Обе машины поставлены на контроль в южных направлениях. Если одна из них не успела еще проскочить к морю, то мы узнаем все подробности о пассажирах. Ребята получили определенную установку и сумеют выяснить все, что нужно. Но я думаю, что никуда Наташа не уезжала. Она в Москве, и Шефнер ее прячет. Возможно, насильно. Судя по фотографиям, показанным мне Шефнером, женщина не испытывает радости от праздника. Она либо больна, либо слишком устала, но ей плевать, что творится вокруг нее. Главное — она жива.

— Шефнер не будет держать ее в Москве,– твердо заявил Журавлев.– Слишком опасно. Он постарается ее куда-нибудь сбагрить, но не на море, конечно, а под особый контроль. Сейчас надо взять под наблюдение аэро-

порты и вокзалы западного направления. Сможешь?– Вадим взглянул на Марецкого.

— Уже наблюдаем. Тебе тоже надо сваливать из Москвы. Кино закончилось. Делать тебе здесь нечего.

— Согласен, но и я на юг не поеду. Меня интересует бизнес Шефнера в Смоленске. Думаю, основные события будут разворачиваться там. Завтра пойду к своим друзьям на «Мосфильм». Они поколдуют над моим образом, обеспечат меня гримом и дадут несколько уроков, хорошо бы и паричок какой-нибудь. Они уже колдуют над моим новым образом. Гипсовый слепок для экспериментов у них остался.

— Тебя и без грима если кто и признает, то не поверит своим глазам. Скажут: «Померещилось. Чур меня, чур меня, сатана пришел!» – рассмеялся подполковник.

— Я с тобой поеду,– заявил Метелкин.– Мне здесь делать нечего.

— Нет, дружок, дел у тебя много. Без московских новостей мне не обойтись,– охладил пыл Метелкина Вадим.– А чем занимается Настя?

— Сидит дома с ребенком. А зачем она тебе?

— Боевая девчонка. Вот от такой помощницы я не откажусь. С ее ребенком теперь ты сидеть будешь, а Настя поедет со мной. Только ей тоже надо разноцветных париков набрать и всякой прочей атрибутики. Если она согласится, конечно.

— Господи! У нее же шило в заднице сидит. Она там у себя на стенку лезет от безделья. Денег-то у нее хватает. Мы ее не обижали, но само понятие «покой» для нее хуже смерти.– Метелкин говорил о своей бывшей служащей с особым восторгом.

— Не завидую я смоленским ментам, — с грустью сказал Степан.– Если к ним едет Журавлев, да еще с подружкой, кончилась их сладкая жизнь. Не пройдет и недели — как Смоленск встанет на дыбы!

25

Сегодня у майора Марецкого был день визитов. Он выполнял ту работу, которую уже давно надо было выполнить. Просто не всегда знаешь, с чего нужно начинать. Визиты хорошо наносить тогда, когда тебя ждут и твоему приходу рады, но если ты хочешь увидеть делового человека, крупного начальника, бизнесмена в разгар рабочего дня, то любой незапланированный приход становится проблематичным.

В одной шикарной конторе ему удалось достаточно быстро добиться встречи с ее руководителем. Правда, грубоватые телохранители не церемонились с майором уголовного розыска и обыскали его на предмет оружия и только после этого сопроводили в кабинет своего шефа. Марецкого не смутил тот факт, что двое головорезов остались в кабинете. В конце концов, ему плевать на репутацию какого-то воротилы.

Киселев очень удивился появлению представителя милиции. Налоговая полиция — куда ни шло, но уголовный розыск?

— Итак, чем обязан?

— Речь пойдет о вашей жене, Григорий Валентинович.

— Опять? У меня уже нет жены. Я разведен. Разбирайтесь с этой сучкой сами, а с меня хватит.

— Что значит «опять»? Насколько мне известно, мы вас беспокоим впервые.

— В таком случае наведите порядок в собственном ведомстве. Все, что у меня было, я уже отдал. Все подробности вам известны. Чего же вам еще от меня надо?

— Для начала давайте уточним, кому и что вы отдавали. Нет смысла пререкаться и раздражаться. Давайте работать и не отбирать попусту друг у друга время.

Киселев кивнул на дверь, и охранники вышли.

— Приходил ко мне один из ваших недели две назад. Наглый тип. Мало того, что он проник в мою квартиру незаконным путем, он еще и пистолетом угрожал.

Марецкий поднял руку.

— Минуточку-минуточку. Давайте по порядку. Как? Что? И где? Наши сотрудники законов не нарушают. Вы хотите сказать, что кто-то проник в ваш дом и выдал себя за оперативника? Вы видели его документы — имя, звание?

— Не до того было. Он меня напугал до смерти. Сами подумайте: входите к себе в квартиру, включаете свет — а в кресле сидит мужик в плаще, шляпе и с пистолетом. Он сказал, что из органов, но не уточнял. Будто они занимаются бандой шантажистов и потребовал от меня компромат на мою жену, выданный мне частным сыщиком. Его интересовала личность любовника. Мол, он только взглянет на фотографии и уйдет. Я, как дурак, поверил. Открыл сейф, а он на меня ствол наставил, забрал фотографии и ушел. Все забрал.

— Значит, вы ему на слово поверили, что он из органов?

— Поверил. В сейфе лежали деньги, сумма немалая, но он ничего, кроме фотографий, не взял.

— Вы очень доверчивы, Григорий Валентиныч.

— Ну да, особенно если тебе пушкой угрожают...

— Понятно. Вы сказали, что этот тип был в плаще и шляпе. Вы хорошо его запомнили?

— Не очень, но, увидев, узнал бы.

Марецкий достал несколько фотографий из кармана и разложил их на столе перед хозяином кабинета.

— Среди этих мужчин его нет?

Киселев ткнул пальцем в снимок Крылова.

— Этот.

— Вы его по шляпе узнали?

— Похоже, он в ней спит. Сейчас в деролькax только немцы ходят, и то только на охоту с фазаньим перышком за ленточкой. Мне доводилось бывать в Баварии и ходить на охоту. Так они там все поголовно в деролькax, как наши пацаны в бейсболках. У каждого народа свои традиции. Но когда наш мент в таком виде ходит, это смешно.

— Целиком и полностью согласен с вами.

Все, что нужно узнать, Марецкий узнал, а то, что хотел выяснить Киселев, так и осталось невыясненным. Майор не вдавался в полемику и быстро ретировался.

За сегодняшний день он успел обойти двенадцать точек, и в двух случаях бывшие мужья признали Крылова, причем их жены не подвергались нападениям. К концу рабочего дня майор заглянул в офис мужа погибшей Киры Кавериной.

Александр Ильич встретил гостя без особого энтузиазма.

— Мне не очень хочется вам досаждать, Александр Ильич, но следствие продолжается.

— Удивительно. Убийца, как я знаю из газет, уже похоронен. Киру к жизни не вернешь и тех женщин тоже. Трагедия нашла свое завершение, и преступник отомщен.

— И тем не менее. Некоторые вопросы остались нерешенными. В частности, если вы помните, то здесь из вашего стола исчезли фотографии и потом каким-то чудом оказались в ящике тумбочки в вашей квартире. Вы уверяли, будто держите рабочий стол на замке. Значит, кто-то сумел проникнуть в ваш кабинет, вскрыть стол, взять фотографии и принести в ваш дом с определенной целью.

— С какой — интересно? Показать моей жене и убить ее?

— Показать нам. Ни вы, ни ваша жена понятия не имели о том, что фотографии в доме. Я вас очень прошу, позовите, пожалуйста, вашу секретаршу в кабинет. Может быть, она прольет свет на странную историю с исчезновением снимков.

— Вряд ли. Я из нее уже все жилы вытянул. Она клянется, что никто из посторонних ко мне в офис не заходил.

— Попытка не пытка. Мы попробуем подойти к вопросу с другого боку.

— Сделайте милость.

Каверин нажал кнопку звонка, и в кабинете появилась солидная полная дама лет пятидесяти. По нынешним временам такие секретари выглядели древними ископаемыми. Вид у нее был серьезным, неприступным и очень гордым.

— Вера Дмитриевна, у нас гость из уголовного розыска. Он хочет вас кое о чем спросить. Постарайтесь ему помочь.

— Слушаю вас,– она переключила свое внимание на Марецкого.

Степан выложил на стол несколько снимков и пригласил женщину подойти к столу.

— Посмотрите, пожалуйста, на этих мужчин. Может быть, вы кого-то из них знаете.

Она долго вглядывалась в фотографии и с некоторым сомнением указала на Крылова.

— Вот если бы ему шляпу снять, он очень похож на нашего монтера по телефонной связи.

— А когда вы его видели в последний раз?

— Недели две назад. Он приходил менять какие-то мембраны в телефонных трубках.

— А по каким признакам вы определили, что он телефонист?

— Очень просто. У нас весь технический персонал ходит в голубых комбинезонах с логотипом фирмы на переднем нагрудном кармане.

— Он менял мембраны в телефонах Александра Ильича?

— Да. Сначала поменял у меня, потом я ему открыла кабинет Александра Ильича. Но я стояла в дверях и наблюдала за ним.

— От начала до конца?

— А к чему все эти вопросы?

— Отвечайте! – рявкнул Каверин.

— Позвонила междугородняя, и я отвлеклась на пару минут. Не могла же я здесь снять трубку, когда все они были раскурочены.

— Значит, телефонист оставался вне поля вашего зрения несколько минут?

— Да, но дверь кабинета оставалась открытой.

— Спасибо, вы нам очень помогли.

Ее начальник так не думал, но при посторонних не стал выяснять отношения. После того как секретарша вышла, Марецкий сказал:

— Позвоните в бюро обслуживания для очистки совести. Узнайте, высылали они монтеров с подобным заданием или нет.

В бюро обслуживания ответили, что у них контракт с телефонным узлом и они своих мастеров не держат, но за последний месяц к телефонистам не обращались.

— Значит, у него был сообщник? — с деловым видом спросил Каверин.

— Вот видите, а вы говорите дело пора закрывать. Тут еще копать и копать...

Каверин понимающе кивнул.

26

И вновь Журавлева встретил двухметровый амбал. Может быть, генерал Скворцов и прав. Он не за жизнь свою опасается, а за сохранность бесценных архивов печется.

У Никанора Евдокимыча сидел еще один гость. Журавлеву уже приходилось с ним встречаться по одному делу, и они хорошо помнили друг друга. Но при хозяине сделали вид, будто не знакомы.

Пришлось представляться друг другу вторично.

— Прошу познакомиться, господа. Мой коллега, действующий подполковник ФСБ Олег Петрович Виноградов. Я могу ему доверять, он отличный оперативник и хороший сыщик. А это ныне похороненный, псевдоубийца и последователь Джека-потрошителя господин Журавлев Вадим Сергеевич. В прошлом следователь, а ныне в опале. Человек, жаждущий восстановить справедливость и найти Наташу. Я обещал оказать ему посильную помощь. Полагаю, ваше знакомство будет полезным. Что касается прошлого, я и моя документация к вашим услугам. Ну а если говорить о сегодняшнем дне, то тут Олег Петрович будет незаменим. Вам же, Вадим Сергеевич, как птице свободного полета, предоставляется возможность действовать согласно сделанным выводам. Честно скажу: история с появлением эсэсовского кинжала меня серьезно насторожила. Такие сувениры можно было найти в первые послевоенные годы, и то с великим трудом. Они и тогда представляли собой огромную ценность и попадали в руки как трофей только к генералитету высшего порядка... Да, но что же мы стоим? Присаживайтесь.

Каждый нашел для себя удобное место.

— Вы меня извините, старика. Начинаю говорить — и уже не остановишь. Давайте сначала послушаем, что нам скажет Олег Петрович.

Виноградов казался человеком, лишенным эмоций. Он говорил тихо, монотонно и доходчиво.

— К Шефнеру в нашем ведомстве интереса никто не проявлял. О том, что он неофашист, мы ничего не знаем. Могу понять почему. Шефнер в действительности окончил военную академию в Москве. Но он приехал учиться по направлению из ГДР. Члены НАТО к нам учиться не приезжали, а ФРГ состоит в альянсе со дня его основания. Мы всегда доверяли восточным немцам и знали, как сложно их офицерам попасть в Россию на учебу, тем более в те годы, а Шефнер учился с 1972 по 1978 год. Причем окончил академию на отлично и оставил самые лучшие отзывы о себе. Докопаться до сути сейчас невозможно. Все архивы и документы госбезопасности ГДР уничтожены вместе с Берлинской стеной. Так что мы ничего не знаем о том, как Шефнер попал к нам и чем занимался до приезда на учебу и после.

На данный момент мне удалось выяснить, что Шефнер хочет наладить производство комплектующих к немецкой электронике, пользующейся спросом и поставляющейся в нашу страну из Германии. Он арендовал пять участков земли в пригороде Смоленска, где намерен выстроить мини-заводы — мастерские. Причем власти с большим удовольствием отдали ему эти участки. В основном это заболоченные места, куда не забредают даже местные жители. Отдать мусорную яму под аренду, да еще за твердую валюту, — не что иное, как получать доход с воздуха. Работы идут полным ходом.

Привязать Шефнера к группенфюреру Грубберу мы не можем. Нет никаких данных. Если Шефнера к нам заслала западногерманская разведка, то надо снять перед ними шляпу. Кандидатура подобрана безукоризненно. Тем интереснее будет работать. Только вся работа ляжет на плечи тех, кто находится в Германии, а в тех условиях

широкого следствия не проведешь. По крохам собирать придется. Да и то только в том случае, если для этого найдутся серьезные основания.

С Юрием Крыловым дело обстоит еще хуже. Все, что мы сумели узнать, так это то, что в Израиль он попал из Испании как русский эмигрант, который выехал из России в начале семидесятых и мотался по странам с места на место, пока не женился на гражданке Израиля. Потом развелся, будучи уже гражданином земли обетованной, и следующий свой брак заключил с нынешней женой, которая приняла решение вернуться в Россию. Проследить его путь невероятно сложно. И опять же для этого потребуются очень веские основания. На сегодняшний день он имеет двойное гражданство и в любой момент может сесть на самолет и покинуть пределы России. Стоит ему почувствовать опасность — он так и сделает. Этого человека можно поймать только с поличным во время совершения преступления, чтобы запереть его в клетке. С него нельзя взять подписку о невыезде, его можно только выслать. Но что это даст? На его место приедет другой. Важно понять их цель, а не выставлять пугало на поле. На официальное следствие у нас нет оснований. Будем разбираться частным порядком. Пара толковых ребят у меня есть. Попробуем покопать.

— Утешительного мало,– заключил Журавлев.– Но я верю в интуицию Никанора Евдокимыча. Ваш рассказ об архиве СС не дает мне покоя. Может быть, потому, что я романтик, а может, потому, что в деле фигурирует эсэсовский кинжал. К тому же для меня очевидно, что Юрий Крылов не зря приехал в Россию. Он не просто гражданин Израиля, а опытный, обученный агент. Он действует безукоризненно, профессионально и вовсе не беспокоится о том, что его могут взять с поличным. Наша милиция ему не соперник. Он выдержит удар и покрепче. К стенке такого не прижмешь, и язык ему не развяжешь. Не тот случай. Но хочу вернуться к начатой теме. Меня выгоняют из Москвы. Правильно делают. Я тут только мешаю. Хочу поехать в Смоленск и посмотреть на эти самые объекты Шефнера и на его недвижимость. Там меня, слава Богу, никто не знает. Можно будет дышать полной грудью. Но мне хотелось бы взять с собой довоенные карты Смоленской области. Может быть, в этом вы мне сможете помочь?

— Попытаюсь,— ответил Виноградов.— Попробую сделать запрос в картографическое общество. Конечно, простому смертному такие карты не дадут, а нам пойдут навстречу. Это я для вас сделаю.

Журавлев перевел взгляд на генерала.

— Могли бы вы, Никанор Евдокимыч, составить по старой карте приблизительный план отхода штандартенфюрера Хоффмана из-под Смоленска к Орше?

— Только из собственных логических умозаключений. Тут придется покопаться в военных архивах и понять, где в момент бегства Хоффмана дислоцировались наши войска. Хоффман мог уходить только по определенному коридору. Его поджимали со всех сторон и наступали с тыла. Однако, как мы знаем, он прошел и сохранил всех своих людей, что мне до сих пор кажется самым невероятным. Но задание принято. Мне и самому будет интересно окунуться в те времена.

— И еще. Мне хотелось бы иметь список немецких разведчиков, пойманных на территории, прилегающей к Смоленску в радиусе двухсот километров, вплоть до сегодняшних дней. Точнее, меня их имена не интересуют. Гораздо важнее время, год и место, где были задержаны лазутчики. Наверняка если архив остался на нашей территории, то кого-то засылали, и не раз и не два. Либо с инспекцией, либо на поиски.

— Пожалуй, и в этом мы сумеем вам помочь,– улыбнулся Скворцов и глянул на Виноградова.– А? Как, Олег Петрович, поможем?

Виноградов кивнул.

— Конечно, все это мне напоминает какую-то очень интересную детскую игру,– рассуждал умудренный опытом генерал.– Но одно то, что есть такой человек, способный в наше сумасшедшее время затрачивать свои силы на поиски военных реликвий, уже радует.

— Может быть, и так,– улыбнулся Журавлев.– Но не совсем. Просто стало очевидным, что мы не можем подобраться к Шефнеру и Крылову со стороны сегодняшнего дня. Надо идти к истокам и начинать поиски с другой стороны. Ведь речь идет об убийце пяти женщин, а не только об истории. Причем эти убийства до сих пор в глазах общественности лежат на мне — на человеке, не совершавшем их и потерявшем свое собственное лицо, честь и даже жизнь. Редко кто сегодня может похвастаться тем, что способен навестить собственную могилу и положить скромный букетик к изголовью. Мне хотелось бы вернуть себе собственное имя и жизнь.

— Живой труп. Почти по Толстому,– заметил генерал.

— Вот тут и думайте, чего больше в моем рвении: романтики или самозащиты. Я не верю, что нашей доблестной милиции удастся доказать вину Крылова, арестовать его и осудить. А у ФСБ нет оснований даже на проведение проверки этих людей. Так и живем. Хочешь жить — умей защищаться сам, а не жди помощи со стороны.

— К сожалению, вы правы, Вадим Сергеич,– с грустью подтвердил Скворцов.– Тяжелые времена. Порядка нигде нет. Каждый выживает как может.

— Я обещал Наташе, что не дам ее в обиду. Жаль, что тогда я ничего еще толком не знал и мало доверял ей. Теперь мне понятны ее опасения. Одно успокаивает: пока милиция ею интересуется, Шефнер не решится ее убрать, а значит, она будет жива. Но путь к ее поискам лежит неблизкий. Мне нужно иметь в руках оружие против Шефнера. Такое, что заставит его содрогнуться. А пока он хозяин положения, любые попытки найти девушку — пустые хлопоты.

— Когда вы собираетесь уезжать?– спросил Виноградов.

— Максимум через пару дней.

— То, что не успею для вас сделать, вышлю с курьером, но два дня тоже срок. Постараюсь приложить как можно больше усилий.

Журавлев улыбнулся.

— Приятно, черт подери, когда тебя понимают!

Часть II

КРИКИ НА БОЛОТЕ

1. Путь в Смоленск

Многого ему добиться не удалось. Довоенная карта Смоленской области оказалась слишком малого масштаба, без особых подробностей. Правда, в картографическом институте Смоленска обещали поднять архивы и найти более подробную карту, но уверенности и оптимизма никто не испытывал. Во время наступления немцев такие карты уничтожались. Рассчитывать приходилось только на военные архивы историков Министерства обороны. Возможность реальная, но долговременная. Генерал Скворцов лично занимался этим вопросом. В итоге можно сказать, что Журавлев отправился в Смоленск с пустыми руками. Он даже не представлял себе, чем будет там заниматься. Списки объектов Шефнера не вызывали особого доверия и требовали проверки на местах. Роль инспектора Вадиму не очень нравилась, а главное — он не понимал, какую пользу могут дать эти проверки.

Гораздо важнее остаться в Москве и заняться поисками Наташи. Безусловно, она знала немало, что и послужило причиной ее изоляции. К сожалению, он слишком недоверчиво и иронично отнесся к ее рассказам и, соответственно, не вызвал у девушки должного откровения, пока жареный петух его самого хорошенько не клюнул. Теперь приходилось убираться к чертовой матери в неизвестность после собственных похорон. Компанию ему составила Настя. Отправив ребенка к матери и оставшись без работы, Настя не знала, как применить свой темперамент и энергию. Любая авантюра ее устраивала, и над предложением Вадима она думала недолго.

Итак, из положительных результатов перед отъездом из Москвы набралось только два: согласие Насти, жаждущей острых ощущений, которых могло и не быть, и очень хороший грим, что эти два момента вряд ли нужны где-то за полтысячи километров от Москвы.

Гримеры постарались на славу. Отличная команда профессионалов-художников, прозябающих на скудном пайке, с радостью ухватилась за хорошо оплачиваемую халтуру и показала все, на что художники способны. Очевидно, вдохновение возникает только на сытый желудок. Помимо краткого курса уроков грима Журавлеву выдали кучу разных прибамбасов для собственного творчества, парики, накладки, клей и все остальное. К тому же ему создали новый имидж для повседневной жизни, чтобы во время своих дел в Москве накануне отъезда никто не смог бы его узнать.

Учитывая принцип, что «жизнь строится по закону бутерброда», который, как известно, падает маслом вниз, и принимая во внимание, как этот закон сочетается с бытием нашего героя, нетрудно понять, что Вадим тут же встретил бы кого-нибудь из знакомых,— стоило ему выйти на улицу в своем обычном виде. А как бы вы себя чув-

ствовали при встрече с покойником, чья урна с прахом захоронена, а над холмиком торчит табличка с его именем. Лучше не искушать судьбу и пожалеть простых смертных. Из блондина Вадим превратился в брюнета. Темные линзы сделали его глаза карими. Шарики со сквозными дырочками расширили ему ноздри. Накладные зубы скрыли белозубую улыбку и отяжелили челюсть. К протезу наварили немного лишней пластмассы со стороны верхних боковых зубов, что позволило избавиться от самой назойливой особой приметы — ямочек на щеках. Теперь, улыбаясь, он больше походил на хомяка с толстыми щечками. В итоге от Вадима Журавлева ничего не осталось. Когда его собственное отражение попадало в зеркало, он вздрагивал. Настя посмеивалась над его новым образом и говорила: «В этом виде ты ничем не отличаешься от моих бывших клиентов. Теперь тебе самому придется искать такую дуру, которая согласится лечь с тобой в постель».

Поезд на Смоленск отходил в десять вечера. Они занесли свои вещи в купе и вышли на платформу покурить. Настя старалась не смотреть на Журавлева, потому что его вид вызывал у нее смех. Она никак не могла привыкнуть к его новому облику, к тому же он начал шепелявить со вставной челюстью, с которой не мог свыкнуться.

— До отхода осталось еще десять минут. Может, мне пойти журнальчиков купить на дорожку?– предложила Настя.– С кроссвордами.

Но Вадим ее не слушал. Он крепко сжал ей локоть и придвинул девушку к себе поближе.

— Стой смирно. Сейчас они пройдут мимо нас.

— Кто?

— Молчи и не вертись.

И эти самые «они» проследовали мимо. Впереди шла женщина лет сорока в оригинальной кокетливой шляпке.

Очень интересная, с хорошей фигурой и гордо поднятой головой. Она держала под руку другую красотку, и складывалось впечатление, будто ее молодая подруга была слепой и ничего перед собой не видела. Отпусти ее на секунду — и она тут же врежется в столб или, того хуже, свалится под колеса поезда. Их сопровождали двое парней с атлетической внешностью и чемоданами в руках.

— Иди за ними следом, Настя. Нам нужен номер вагона и купе. Объяснимся потом.

Настя умела быть дисциплинированной, и ей не приходилось повторять дважды. Не задумываясь, она последовала за ними. Шли минуты, а ее все не было. Вадим уже пожалел, что не пошел сам. Раздались свистки, состав дернулся и медленно поплыл вдоль перрона. Вадим запрыгнул на подножку и всматривался в лица провожающих, посылавших уходившему составу воздушные поцелуи. Насти среди них не оказалось. Платформа освещалась слабо, а в некоторых местах и вовсе проваливалась в темноту. Журавлев скрипел вставными челюстями, а поезд тем временем набирал скорость.

Перрон кончился, проводник закрыл дверь, повернул ключ и пригласил пассажиров из тамбура пройти в свои купе. У этих самых проводников имелась странная привычка все запирать. Как будут складываться обстоятельства, Вадим не знал и воспользовался опытом бывшего щипача — универсальный вагонный ключ перекочевал в его карман. Не Бог весть какая хитрость, особенно если образуется толчея в узком коридоре.

Он отправился в свое купе, сел у окна и задумался.

Настя появилась минуты через три.

— Ну слава Богу! Я уже решил, что ты отстала,— скороговоркой прошепелявил Журавлев.

— Старайся разговаривать медленно, а то тебе понадобится переводчик. Я ничего не поняла из сказанного,

но догадываюсь, о чем ты хотел спросить. Мне пришлось сесть в их вагон. Они едут в фирменном «СВ», там занавесочки задернуты, а ты хотел знать номера купе. С платформы ничего не видно. Короче говоря, так. Едут они в шестом вагоне. Женщины заняли третье купе, мужчины четвертое. Я толкалась в коридоре и видела, как девушку тут же уложили. Ее полка левая, а дамочка устроилась справа. И еще. Престарелая красотка спросила у проводника, до которого часа работает вагон-ресторан. Важно это или нет, не знаю. Вы удовлетворены моей работой?

— В нашем деле, красотуля, все важно. Фортуна повернулась к нам лицом. Та, что помоложе, не кто иная, как Наталья Шефнер, жена Ханса. Я был уверен, что ее будут прятать в Москве, чтобы в нужный момент она оказалась под рукой. Но они решили иначе. В Смоленске ее никогда не найдут. Иголка в стоге сена. Мы должны ее отбить. Другого шанса нам не подвернется.

Настя села и открыла бутылку пепси.

— Ага, значит, ты считаешь, что сейчас у нас такой шанс есть? Я в восторге от ваших взглядов на соотношение сил, уважаемый Джеймс Бонд. Но и это еще не все. Ты же не сообщника спасаешь, а хочешь украсть мешок с костями в шестьдесят пять килограммов весом, да еще без ручки. Девка под кайфом. Поверь мне: я когда-то мединститут заканчивала. Ее наркотиками накачали либо психотропной дрянью, что ничуть не лучше. Глаза-то стеклянные, ничего не видят.

— Что подтверждает все мои опасения. Сама она в Смоленск не поедет. Ее перевозят как груз. Для того и охрана потребовалась. Этих парней я знаю. Одного зовут Жорж, другого Счастливчик. Клички, конечно. Работают они в фирме Шефнера. Ребята не промах, на ринге я с ними выяснять отношения не стал бы. Тут какой-то особый ход нужен. Наглый, дерзкий и непонятный.

Настя покачала головой.

— В Смоленске их встретят. Я в этом не сомневаюсь. А что мы можем сделать в поезде? Перевести ее в свое купе? Допустим. А куда ты денешь ее потом? Тебе же не дадут с ней выйти из вагона, а уж тем более увезти с вокзала.

— Все правильно. Решение должно быть неординарным — таким, к чему противник не готов.

Дверь распахнулась, и на пороге появился проводник.

— Так, дорогие товарищи, вы у меня едете до Смоленска,– он держал в руках билеты.– Поезд прибывает в шесть утра. Разбужу за полчаса, чтобы собрать белье.

— Значит, мы всю ночь будем в дороге?

— Конечно, очень удобно. Сел в поезд, лег спать, а проснулся в пункте назначения.

— Вы правы,– улыбнулся Журавлев, показывая свои кошмарные зубы и дутые щеки.– Принесите нам чайку.

— Без проблем.

Проводник исчез.

Поезд громко загудел и ворвался в тоннель. На секунду свет погас и зажегся дежурный фонарь над окном. Сразу стало темно и неуютно. Вадим выглянул в коридор — там тоже горели только дежурные огни: три фонаря на целый коридор.

— Черт! Что за маразм? Въезжаем в кромешную тьму, а свет гасят.

Он сел на место и глянул на Настю, которую перемена иллюминации не трогала, она продолжала пить пепси. Тоннель пролетели в считанные секунды, и вновь зажегся свет.

Принесли чай. Журавлев смотрел на проводника с каким-то любопытством, будто ему вместо чая подают коньяк.

— Скажите, любезный, почему свет гасят?

— Вы про тоннель? Дело в том, что обычный свет и дежурный вместе работать не могут. Рубильник один. Либо туда, либо сюда. Днем люди не пользуются светом, и машинист врубает всегда дежурный при въезде в тоннель, а то поезд погрузится во тьму. Привычка. Как тоннель — так он хлоп по тумблеру. Здесь еще ничего, ночью люди спят, а дальше, перед Смоленском, начнется карусель — семь длинных тоннелей, по полминуте, а то и дольше. Машинисты привыкли в темноте ездить. Они на дорогу смотрят, освещенную прожектором. Вот такая, брат, история.

— Чего удивляться,– улыбнулась Настя.– Вся страна так живет. То свет то тьма, а просветов не видно.

Проводник вздохнул и пошел восвояси.

— Может быть, ресторанчик посетим?– предложила девушка.

— Непременно. Страсть как хочется посмотреть на эту компанию поближе.

Поближе не получилось — народу в ресторане хватало. Странная четверка сидела от них за четыре столика, но все, что нужно, Вадим видел. Наташа сидела лицом к ним, рядом с красоткой, мужчины спиной. И надо сказать, эти спины выглядели достаточно широкими, чтобы не дать своих попутчиц в обиду. Все ели стряпню местного повара, кроме Наташи. Взгляд у нее действительно был необычным. Полное отсутствие присутствия, как выражаются шутники.

— Похоже на аминазин в большой дозе. Это не наркотик, но выбивает человека из колеи тут же. Смотри на нее — чем не Марья-искусница? «Что воля, что неволя, все равно!»

— А ты обратила внимание, что у вас волосы почти одного цвета и длина такая же?

— О чем ты, Квазимодушка?

— Так, примеряюсь.

— А меня это как бы не касается? Выкладывай, что задумал?

— Всему свое время, Настена. Идея еще сыровата, а главное — требует математически точного расчета.

Ужин подходил к концу. Четверо странных путешественников отправились в свои купе. Они прошли мимо столика, за которым сидели Вадим с Настей. Первым шел Жорж, следом Наташа, за ней дамочка и заключал шествие Счастливчик.

— Похоже на конвой,– сказал Журавлев, когда они вышли из вагона.

— Ты видел ее?– спросила Настя.– Девку здорово накачали. Живая кукла. Она ничего не видит и ничего не понимает. Полная прострация.

— К сожалению. Они на нас даже не взглянули. А у меня душа в пятки ушла. Мне так и казалось, что один из этих бугаев схватит меня за шкирку.

— Извини, Квазимодушка, но они оба видели тебя в гробу и белых тапочках, причем в прямом смысле.

— Трудно привыкнуть к собственной смерти. Теперь так. Они едут в шестом вагоне, мы в одиннадцатом. Нас разделяет пять вагонов. Давай пройдем по поезду и проверим по времени это расстояние.

Настя уже ничего не спрашивала. У Журавлева горели глаза, а если он что-то задумал, то лучше к нему не приставать,— парень ушел в себя и заваривает очередную кашу. В этом состоянии от него ничего не добьешься. Созреет — сам обо всем расскажет.

Они прошли пять вагонов, и Вадим глянул на часы.

— Две минуты сорок секунд.

— И что дальше?

— Ничего. В каком мы вагоне?

— Ты у меня спрашиваешь? Я у тебя, как пудель на поводке. Надеюсь, мы еще увидим наше купе?

— Наверняка, если у пуделя есть нюх.

Они стояли в тамбуре. И опять Настин кавалер думал о чем-то постороннем, разглядывая металлический щит на стене.

Настя не могла понять, что в этой железке могло его заинтересовать.

— Читаешь по слогам? Я могу тебе помочь. Тут написано: «Осторожно! Высокое напряжение». Буквы крупные, печатные. Разобрал?

В ответ Вадим достал из кармана универсальный железнодорожный ключ и открыл дверцу щита высокого напряжения.

— И что там?— спросила девушка, не рассчитывая получить ответ.

— Рубильник. Проводник может отключить питание вагона, например, если произошло короткое замыкание и появилась угроза пожара. А это очень важно.

— Не сомневаюсь. Тебе еще не пришла в голову идея заглянуть под колеса и изучить момент трения их с рельсами в местах стыковки?

— Боюсь, и этот момент меня заинтересует в недалеком будущем.

Он запер дверцу и направился в вагон. Минуя третий по счету, он заглянул в купе к проводникам. Вероятно, ему приглянулась проводница, читавшая книжку, но оказалосъ иначе.

— Простите, милейшая стюардесса. У вас на столике лежит карта. Случаем, это не наш маршрут?

— Вы правы. Я только третий раз на этой линии, и мне требуется шпаргалка.

Вадим бесцеремонно ввалился в купе и сел на край нижней полки, где храпел напарник очаровательной проводницы. Настя осталась в коридоре.

«Вот осел, — думала она. — Ему нужно носить с собой зеркало. Он все еще считает себя неотразимым, ходячая страшилка».

Но Вадим продолжал начатое дело.

— Вы знаете, я человек суеверный. Есть одно колдовство, точнее, старый обычай, но, говорят, действующий. Когда поезд въезжает в тоннель, вы должны зажечь свечу, написать желание и сжечь листок. Но он должен успеть сгореть до того, как поезд выйдет из тоннеля. У меня не получается. Нескольких секунд не хватает.

Проводница рассмеялась.

— Вы верите в эти сказки?

— Это не сказки. Моя подружка успела и выиграла в лотерею машину. Скажете, совпадение? Может быть, но я никогда раньше не видел людей, выигравших что-нибудь по лотерейным билетам. А почему бы не попробовать? Я знаю, что у нас на пути много тоннелей. Вот если бы точно знать, в какое время въедешь в шахту, то можно подготовиться заранее. Нельзя же всю дорогу сидеть со спичками в руках и ждать.

— Я вас поняла. Что же, давайте попробуем прикинуть.

Она развернула карту и сняла со стенки деревянную рамку с расписанием.

— Так. И что мы имеем?.. Вот. Между Сафоновом и Ярцевом четыре длинных тоннеля. Первый буквально через пять минут после отхода поезда от Сафонова, а в Сафоново мы прибываем в четыре утра десять минут. Пять минут стоянка плюс еще пять. Значит, в тоннель мы войдем в четыре двадцать. Следующий тоннель, если верить карте, через пять километров. Это самый длинный,

очередной через три километра, и еще один через шесть километров. Тут время предугадать трудно.

— С какой скоростью идет поезд?

— Считайте сами. От Сафонова до Ярцева сто километров, поезд идет час тридцать минут без остановок. Примерно семьдесят пять километров в час.

— Хорошая арифметика. Мне нравится. У вас отлично работает голова. Студентка?

— Студентка. Заочный политех.

— Удачи вам. Советую гадать со мной вместе.

— В это время я буду спать, меня сменит напарник.

— Ну а я попытаю счастья. В каком мы вагоне, кстати?

— В девятом.

— Осталось чуть-чуть. Спокойной ночи.

Журавлев вышел в коридор.

— Увижу я наше купе?– возмутилась Настя.

— Конечно, но ненадолго. Идем.

Наконец они добрались до своего купе. Поезд уже погрузился в сон. Шел третий час ночи.

Вадим сидел у окна и что-то черкал на листке бумаги, потом вглядывался в темноту мелькавших пейзажей и следил за секундомером часов. Настя хотела спать, но она уже поняла, что этой ночью ей не удастся коснуться подушки. Она ошибалась, но о том, что ее ждет, даже не догадывалась.

В какой-то момент Вадим обратил на нее внимание. Он долго разглядывал ее, будто видел впервые, и после продолжительной паузы произнес:

— На семь минут ты должна перевоплотиться в Наталью Шефнер. А теперь займись своими волосами. Твоя прическа не должна отличаться от ее. Колдуй, подружка, у нас не так много времени осталось, а я пойду к проводнику и позаимствую у него фонарь.

Настя вылупила на него свои огромные глазищи.

— Боже милостивый! Кажется, началось.

* * *

Расчет шел на секунды. Риск мог стоить жизни. Их спасал азарт и вера в успех. Но это скорее всего было естественным состоянием Журавлева, чем необычным. Настя подходила под ту же статью, но не имела столь богатого опыта, как ее партнер. В конце концов, ее никто не заставлял совать голову в пекло, и она поехала с Журавлевым по собственному желанию. Взялся за гуж, не говори, что не дюж. Нет, она не отказывалась, просто ей было немного страшновато, однако девушка старалась не показывать своих слабостей.

В четыре пятнадцать, как и положено по расписанию, поезд тронулся со станции Сафоново после пятиминутной стоянки. В ту же минуту Журавлев и Настя вышли из своего купе и направились в сторону шестого вагона. Через две с половиной минуты они достигли цели.

— У нас не больше сорока секунд, крошка,– сказал Вадим, когда они остановились в тамбуре.– Иди к купе и жди меня возле двери.

Настя кивнула и вошла в вагон. Журавлев достал ключ и открыл дверцу силового щита. Правую руку он положил на ручку рубильника, в левой держал фонарь. Секунды казались годами. На лбу выступили капельки пота.

— Три, два, один, ноль...

Поезд со свистом ворвался в черный коридор тоннеля. Вадим резко опустил ручку рубильника вниз. Свет в вагоне погас. Он включил фонарь и ворвался в коридор. Грохот стоял невозможный, тьма кромешная. В считанные секунды он оказался возле Насти. Вставив ключ в скважину, он погасил фонарь, сунул его в карман и открыл дверцу купе. Первой вошла Настя. Она тут же сорвала одеяло с человека, лежавшего на полке слева, и прижала одеяло к груди. Вадим схватил на руки спавшего и тут

же вышел из купе. Настя закрыла за ним дверь и легла на освободившееся место. Накрывшись одеялом, девушка повернулась к стене и уткнулась лицом в подушку.

Вадим вошел в тамбур с девушкой на руках. Включив фонарь, он прижимал ее тело к стене и поддерживал коленом, чтобы не выронить и высвободить правую руку. Поезд вновь дал длинный протяжный гудок, и состав вырвался из тоннеля на просторы русских полей. Журавлев поднял рубильник вверх. В вагоне вспыхнул свет. Ни секунды не медля, он перешел из шестого вагона в седьмой. До купе надо пройти пять вагонов со спящей женщиной на руках. Наташа ничего не чувствовала — безвольная, мягкотелая кукла, утопающая в снах. Только бы не наткнуться на проводников, молил Бога похититель.

Когда в купе зажегся свет, Ингрид открыла глаза. Она плохо переносила поезда и скорее дремала, чем спала. Пока поезд грохотал по тоннелю, ей казалось, что в купе что-то происходит. Увидеть или услышать что-либо не представлялось возможным, но ей почудилось, будто колышется воздух и что-то двигается.

Она приподняла голову и глянула на соседнюю постель. Наташа спала. Ингрид села, скинув ноги на коврик и налила себе в рюмку ликера. Плоская серебряная фляжка и любимая рюмочка всегда путешествовали вместе с ней. Одной рюмки ей показалось мало, и она выпила еще. Что-то нервишки начали сдавать после московских приключений с женскими трупами. Ингрид вновь легла. Может быть, теперь ей удастся заснуть. Ночник почему-то не выключался, и она тоже отвернулась лицом к стене.

До своего купе Журавлев добрался без приключений. Наташа здорово похудела и превратилась в пушинку. Бледная, синегубая — как покойница. Он положил ее на свое место и глянул на часы. Пора возвращаться. Он вышел в коридор и запер дверь. Теперь пора вторую птичку доставать из клетки.

В шестом вагоне он очутился за полминуты до въезда в следующий тоннель. И вновь его рука легла на рычаг. Все повторилось, но только теперь он не заходил в вагон, а лишь приоткрыл дверь и пустил луч фонаря вдоль ковровой дорожки.

Состав ворвался в черный коридор, издавая душераздирающий гудок. В ту же секунду Настя соскочила с полки и вышла в коридор. Дверь она закрыла тихо и повернула ключ, который так и остался торчать снаружи. Она прихватила его с собой, подняла фонарь с полу и по освещенной дорожке побежала в тамбур, где ее поджидал напарник.

На этот раз Вадим не стал врубать свет, а оставил рубильник выключенным. Настя передала ему ключ, и он запер дверцу щита. Поезд еще не выехал из тоннеля, а они уже неслись по вагонам к своему убежищу.

— И что будем делать дальше? — спросила Настя, глядя на спящую Наташу.

— Обмотай ей полотенцем голову, чтобы не разбилась.

— О чем ты?

— Через минут десять ее начнут искать, и если она останется в поезде, то ее найдут. Я буду с ней прыгать на ходу. Встретимся в Смоленске в гостинице, как договорились.

— Скорость семьдесят пять километров. Сам считал.

— Для меня пустяки, а ее надо упаковать, чтобы не покалечилась.

— Может, сорвать стоп-кран?

— И поднять панику, скинуть людей с полок? Нет, этим мы только обозначим для всех точку, откуда следует

начинать поиски. А мне еще погони не хватает с живым манекеном под мышкой. Делай, что говорю.

Наташу обмотали. Вадим вынес ее в тамбур, открыл дверь, и ему в лицо ударил сырой холодный воздух.

Он откинул подножку, надел на спину свой рюкзак, взял девушку на руки и опустился на самую нижнюю ступеньку. Настя поддерживала его, чтобы Вадима не снесло ветром.

Журавлев склонился вниз, как только мог. До земли оставалось сантиметров тридцать, и тут он отпустил Наташу, немного толкнув ее в сторону от поезда. Падение не могло быть слишком опасным. Еще мгновение — и он сам спрыгнул следом. Несколько раз перевернувшись, он уперся в соседнюю колею и застыл.

Не прошло и минуты, как поезда и след простыл. Черные тучи скрывали луну и выжимали из себя слезы, падавшие на землю в виде мелкого дождя. Он встал, включил фонарь и зашагал назад. Скудный пучок света выхватывал из темноты отдельные крохотные островки шпал, рельсов и гравия.

Его поджидал неприятный сюрприз. Шум приближавшегося поезда нарастал. Шел встречный, по той самой колее, куда должна была упасть Наташа. Рельсы гудели громче и громче. Вадим уже бежал, но Наташа словно растворилась. Трагедия не произошла благодаря мощному прожектору приближавшегося состава. Девушка лежала на шпалах между рельсами. Пришлось устраивать гонки с поездом. Вадим бросился вперед что было сил. Десяток метров отделяли его от бесчувственной жертвы, а поезд буквально наступал ему на пятки.

Он успел, он добежал. Схватив девушку, Вадим отпрыгнул в сторону и полетел под откос вместе с Наташей. Гигантский локомотив занял его место. Длинная черная кишка товарного состава грубо и нагло стучала по рельсам, напоминая о величии хозяина железных путей. И вновь все стихло. А что теперь? Он сидел в яме, весь поцарапанный, а рядом лежала она и стонала. Главное — жива, а остальное пустяки. Где наша не пропадала! Пожалуй, только здесь, в Смоленской области. Пути Господни неисповедимы.

Журавлев вздохнул. Придется ждать рассвета. А Настену поезд нес в Смоленск. Она осталась одна с врагами, поиски Наташи уже начались.

2. Смоленск

Поезд прибыл в Смоленск точно по расписанию. Настя чувствовала себя усталой и разбитой. За ночь ей не удалось заснуть и на пять минут. Одно успокаивало — им удалось сделать важный шаг в ходе намеченного следствия. А главное, Вадим с Наташей вовремя покинули поезд. Все же у Вадима отлично развито чутье, он словно в воду глядел. Не прошло и получаса, как в поезде началась суета. Здоровяки, сопровождавшие Наташу, рыскали по вагонам не стесняясь. С фонарями проверяли каждый закуток, совали в лицо возмущенным пассажирам красные удостоверения, в которых было непонятно что написано. Ее купе тоже подверглось обыску. Нахалы потребовали от девушки встать и показать багажное отделение. До конечной станции оставалось совсем немного, и они не смогли дать встряску всем проводникам. Тот, которого Вадим называл Счастливчиком, начал с последнего вагона, а Жорж с первого. Они требовали от проводников показывать им билеты пассажиров и проверяли, все ли на местах. К счастью, до проводников ее вагона они не успели добраться, времени не хватило. Но радоваться не приходилось. Ког-

да Настя вышла на привокзальную площадь, к ней подошел один из тех кошмарных мужиков.

— Простите, дамочка, а где ваш спутник?

Настя сделала гордый вид и осмотрела его с ног до головы. Ей очень хотелось послать нахала куда подальше, но она понимала, что ей не следует привлекать к себе внимание и застревать в памяти этих людей.

— Кого вы имеете в виду? Я ехала одна. И вы это видели, когда врывались в мое купе.

— Вчера вечером вы сидели в вагоне-ресторане с мужчиной. Только не говорите мне, что вы его не знаете. У вас шла достаточно оживленная беседа.

— Ах вот вы о чем! Сосед по купе. Это он пригласил меня на ужин. Очень приятный интеллигентный мужчина, в отличие от некоторых. Но все дело в том, что он сошел в Сафонове. Я в это время спала. По-моему, он ехал к брату в отпуск. Даже не запомнила, как его зовут.

— Мы это сами выясним,– рявкнул здоровяк и ретировался.

Настя пошла за ним следом. Зачем она это делала, вопрос сложный, отчета она себе не давала. Просто надо было что-то делать, а не сидеть в гостинице и ждать у моря погоды. Кто его знает, когда Вадим доберется до Смоленска и приедет ли он вообще. Теперь его планы не от него зависели. Такую обузу взвалил себе на плечи.

Следить за Жоржем не составляло труда, потому что он и его напарник имели рост под метр девяносто. Такие люди в толпе не затеряются. Жорж привел ее к стоянке машин. Возле «мерседеса» стояла та самая красотка, сопровождавшая Наташу, еще один мужчина, очевидно тот, кто приехал их встречать, и Счастливчик. Они долго и живо что-то обсуждали, а Настя поняла, что ей в любом случае потребуется машина.

Пришлось сбрызнуть духами за ушками и пустить в ход все свое обаяние. Один из частников был сломлен чарами девушки и согласился ехать с ней хоть на край света. По привычке Настя выбрала себе неказистого мужичка на полголовы ниже себя. От таких легче отбиваться, если того потребует ситуация, и они не такие наглые, как молодые красавчики.

— Так вы согласны, Гоша?– спросила она, не сводя глаз с «мерседеса».

Новый кавалер сверкал, как гривенник, только что привезенный из Гознака.

— Для вас, Настя, мне море по колено. «Волга» моя ничуть не хуже их драндулета. От меня не оторвутся.

Гоша старался выпрямлять спину и приподниматься на цыпочки.

— Вот и отлично. Я на вас очень надеюсь.

Приятной неожиданностью стало то, что Счастливчик и Жорж сели совсем в другую машину, а в «мерседес» — только нянька Наташи с неизвестным мужчиной.

— Ну что же вы, Гоша, нам пора. Посмотрим, какой вы виртуоз. Только не наступайте им на пятки, а то они нас заметят.

Кавалер открыл даме дверцу и поспешил на свое место за рулем.

«Мерседес» ехал по городу неторопливо. Гоша мог расслабиться, что он и сделал, больше внимания уделял ножкам пассажирки, чем дороге. Рот он и вовсе не закрывал. У Насти была хорошая привычка уметь делать вид, что она слушает, при этом ничего не слышать, а думать о своем.

Не прошло и получаса, как «мерседес» припарковался у гостиницы «Варшава» — прекрасного особняка с огромными балконами.

— А твои подопечные богатые люди,— сказал Гоша.— В этой забегаловке номера стоят недешево.

— А они тут есть?

— Для особо приближенных к императору. Впрочем, я могу устроить номер в любом месте. Меня везде знают.

— Проверим. Иди за той красоткой из «мерседеса» и сделай мне номер рядом с ее. Тогда я тебе поверю.

— А ты меня пригласишь на чашечку кофе?

— Видно будет. Не тяни время.

Гоша вышел из машины и направился к центральному входу. Настя видела, как с ним поздоровался швейцар, чуть ли не поклонившись в ноги. Он вернулся через пятнадцать минут с ключами.

— Держи, Настенька, двенадцатый номер, второй этаж. Паспорт потом занесешь администратору. Он подождет. Красотку твою зовут Магда Вяйле. Она остановилась в тринадцатом. Значит, не суеверная.

— Ловкач, ничего не скажешь. Ладно, Гоша, приходи вечером на кофе. А сейчас мне отдохнуть надо с дороги, а потом кое-какие дела сделать.

— Не обманешь?

— Куда я денусь. Чао!

Настя взяла сумку с заднего сиденья и направилась в гостиницу.

Номера в отеле и впрямь были на уровне четырех звезд. Настины апартаменты имели три комнаты. Тут даже холодильник с выпивкой и фруктами имелся, но Настю больше всего интересовал балкон. Окна выходили в парк с противоположной стороны от входа. Настя выглянула на широкую площадку с мраморными перилами, больше похожую на веранду, чем на балкон, и осмотрелась. Тринадцатый номер находился слева. Балконы разделяло чуть больше метра. Настя переобула туфли на кроссовки, забралась на перила и перепрыгнула на соседний балкон. Делала она все легко и не напрягаясь, словно ребенок, которому ничего не грозит, кроме шлепка по попке.

Пригнувшись, она подошла к двери. Окно оказалось открытым, и Настя присела на корточки и устроилась под ним. Слышимость была неплохой. Всех слов она разобрать не могла, но большую часть разговора слышала. Магда говорила с акцентом и тихо, а хозяин «мерседеса» басил достаточно громко.

— Гюнтер тебя встретит в Ховрине. С ним вы объедете все точки. Осушение завершено в Курнакове и Балаханове. Грунт мягкий и тяжелую технику не держит. В этом вся проблема. Раскопки приходилось вести вручную, но пока нашли все, что угодно, но только не нужный объект. Работа проведена гигантская. Людишки гибнут как мухи. Кто тонет в топях, кого засасывает, а в Курнакове змеи. Ужас какой-то: что ни день — то два-три трупа.

— Ладно, на месте разберусь. Почему о змеях не докладывали раньше? В Москве о них ничего не знают, а это очень важно.

— Прости, Ингрид, но я всего лишь исполнитель, прораб. Делами заправляют ваши, немцы. С них и спрашивай. Гюнтер, Герман, Гельмут Ведь на работу нанимала меня ты. Почему ты не поставила меня начальником? Я здесь каждый кустик знаю, а ваши умники землю с места на место перекладывают. Толку что?

— Я не командую. Шефнер руководит всем, а он тоже под контролем. Кто и где должен копать, решают не в Москве, а там. Я тебе доверяю, Коля. Ты самый надежный человек среди этой своры. Но придет время — и мы свое слово скажем. Дай срок. Нащупаем жилу и тогда вступим в игру по-настоящему.

— А Крылова не боишься?

— У меня есть противоядие от его укусов. Придет время — мы и о нем подумаем. А теперь езжай. Заедешь за мной завтра утром.

Наступила тишина. Потом вновь заговорил мужчина:

— А я надеялся, ты меня оставишь.

— Не сегодня, Николай. Я устала. Терпеть не могу поезда, да еще когда в пути случаются неприятности.

— Ты думаешь, эти костоломы ее найдут?

— Не знаю, но Крылов найдет. От него никто не скроется. Если, конечно, мешкать не будет. Впрочем, мне плевать. У меня голова другим забита. Насчет змей никому ничего пока не говори. Я должна все обдумать. А ты подготовь для меня хорошую карту этой местности.

— Курнаково?

— Наверное, я плохо запоминаю русские названия. А теперь ступай. Я с ног валюсь.

Настя прошмыгнула под окном и тем же способом вернулась назад. Она ничего не поняла из услышанного, но основные детали записала в блокнот. Приняв душ, она легла в постель и попыталась понять, с кем же они связались, но выводов так и не сделала. Потом она вспомнила о Вадиме, и ей стало его жалко. Вот парень мучается, ищет на свою задницу приключений! А ради чего?

Засыпая, она улыбнулась. А ради чего? А она? Ради чего... С этой мыслью девушка провалилась в глубокий сон.

3. Москва, Петровка, 38

Положив папки в сейф, полковник Скороходов сел на свое место и, закурив, посмотрел на сидевшего напротив майора Марецкого.

— Выходит, версия Журавлева самая состоятельная?

— Журавлев проработал пять лет следователем. Он не обыватель со стороны, он участник событий,– тихо рассуждал Марецкий.– Определенная предвзятость имеет место, разумеется, но давайте рассматривать только факты. Сначала — о неизвестной женщине, говорящей с прибалтийским акцентом. Словесный портрет ее у нас есть. Первое описание незнакомки мы получили от соседки убитой Киры Кавериной. Тогда эта дама представилась сотрудницей собеса. Проверка показала, что таких работников в собесе нет. Запомним главное: незнакомка отказалась входить в квартиру соседки, и разговор шел на лестничной площадке, именно в это время Журавлев вышел из квартиры убитой. Пожилая женщина не запомнила его внешности, но псевдосотрудница собеса ей ее навязала, после чего исчезла.

Второй раз след прибалтийской красавицы отпечатался на северной набережной, где обнаружено тело Полины Тучиной. Неизвестная остановила машину техпомощи и сказала рабочим, будто у реки убивают женщину. И опять она навязала внешность Журавлева вынужденным свидетелям. Правда, на сей раз она оставила свой след в виде листка из записной книжки. На нем она записала номер машины. Экспертам удалось установить по продавленным ручкой линиям два телефона, записанных на предыдущей страничке. Сейчас мы проверяем абонентов этих телефонов. На листке, переданном рабочим, остался четкий отпечаток большого пальца незнакомки. Забегая вперед, могу сказать, что идентичный отпечаток обнаружен на осколках разбитых чашек в квартире Антонины Зайцевой, где произошла третья трагедия. Нам удалось установить, что помимо убитых Зайцевой, Ростоцкой и Уваровой в доме присутствовала четвертая женщина. Отпечатки и описание внешности совпадают с той же прибалтийкой.

Рабочие техпомощи также подтвердили ее сходство с описаниями, сделанными другими свидетелями. По картотеке ее отпечатки нигде не проходили, но у нас есть еще анализы слюны и помады, оставленных на окурках. В итоге мы выяснили, что псевдосвидетельница присутствовала при всех убийствах. На вид ей около сорока лет, рост метр шестьдесят восемь – метр семьдесят. Пепельные волосы, яркая внешность, одевается элегантно, пользуется духами «Афродита» и дорогой французской помадой, курит сигареты «Моо» с ментолом. Пока немного, но это уже хоть что-то.

Теперь поговорим о ее предполагаемом сообщнике, исполнителе. По мнению Журавлева, им является Юрий Крылов. Темная лошадка. Пока мы еще не добрались до его корней, но знаем, что он имеет двойное гражданство и служит в фирме Шефнера в должности начальника службы безопасности. Чист, как белый лист бумаги — никаких правонарушений, образцовый семьянин. Даже имеет разрешение на ношение огнестрельного оружия, выданное год назад нашим министерством. Улик против него нет. Связи с Прибалтикой никак не прослеживаются.

Косвенные подтверждения таковы. Первое. Сотрудник турбюро, которым руководила погибшая Полина Тучина, видел мужчину, похожего на Крылова, за полтора часа до смерти Тучиной. Она села к нему в машину. У нас есть фотография Крылова, и сотрудник турбюро подтвердил сходство с тем мужчиной, с которым уехала Тучина. Мало того: у Крылова есть «BMW» с желтыми номерами. О них нам тоже говорил коллега Тучиной. Второе. Имеется звукозапись, сделанная агентством «Сириус», где Крылов разговаривает с Шефнером. Крылов намеревался в тот вечер отправиться в подмосковное Красково. Трое сотрудников «Сириуса» решили его проследить и устроили засаду в Краскове. На следующий день двое из них найдены мертвыми, а третий лежит в реанимации и до сих пор не пришел в себя. Третье. Секретарша мужа погибшей Кавериной опознала Крылова по фотографии как телефонного мастера. Что нужно было Крылову в офисе Каверина? Ответ: фотографии жены Каверина и Журавлева. Фотографии как раз и исчезли из стола хозяина кабинета. Также Крылова опознал некто Киселев. Крылов навестил его дома и, угрожая пистолетом, забрал фотографии, полученные им от агентства «Сириус». Очевидно, Киселева могла стать следующей жертвой, но с их показаниями к Крылову не подкатишься. Для нас эти факты лишь подтверждения версии Журавлева. Если согласиться с его выводами, будто Крылов исполнитель всех преступлений, то мы имеем дело с очень опасным человеком.

И наконец, о Шефнере и его жене. Тут и вовсе темный лес. Мы выяснили главное — и тут Журавлев оказался прав на сто процентов. Как только стало известно о смерти Журавлева, убийства прекратились. На похоронах присутствовали люди Шефнера, а точнее, ребята из отдела Крылова. По словам Журавлева, жена Шефнера подозревает мужа чуть ли не в шпионской деятельности и опасается за свою жизнь. Журавлев отнесся с недоверием к ее словам, но женщина и впрямь пропала. У ФСБ на Шефнера ничего нет. У нас тоже. Стандартный фирмач, исправно платящий налоги в казну. Нас он устраивает по экономическим аспектам. Что касается его жены, то она неуловима. Этим и занимался Журавлев. Его поиски кончились плачевно, как мы знаем. Однако факты таковы.

Шефнер отправляет свою жену в Германию, после того как ее встречи с Журавлевым приняли постоянный характер. Ребята из «Сириуса» проверяли факт отъезда Наталии Шефнер в Германию, а также ее мнимое возвращение. Они раздобыли видеопленки таможенного турникета и убедились, что жена фирмача никуда не выезжала

и не приезжала, а ее паспортом пользовалось третье лицо. Я был у господина Шефнера. Он ведет себя достаточно открыто и спокойно. Показывал мне фотографии, где гуляет с женой по Москве в День города. Убедительный аргумент. Наталия жива, и мы это знаем, но Шефнер делает все возможное, чтобы мы с ней не встретились. Возможно, Наталия знает то, чего не следует знать другим. Ее держат под замком. Где? Мы этого не знаем, но нельзя же человека вечно держать взаперти. Чем-то это должно кончиться. И я не уверен, что финал истории будет оптимистичным.

Теперь Шефнер утверждает, что жена уехала в путешествие по Черному морю со знакомой семейной парой. Проверка этого не подтвердила, а, скорее, наоборот, только усилила подозрения. Под Белгородом, по нашей наводке, была задержана машина «шкода-фелиция», на которой ехали на юг муж и жена Лучниковы. По словам Шефнера, именно с ними Наталия уехала на юг. Но ее в машине не оказалось. Белгородские сыскари сработали грамотно. Машина была остановлена для досмотра. Искали супружескую пару, перевозившую героин, и все машины, где ехали мужчина и женщина, досматривались. Супругов сопроводили в отдельное помещение и тщательно проверили их вещи. Улов оказался неожиданным. В одном из чемоданов лежала стопка открыток с морскими пейзажами, шестнадцать штук. Все адресованы Хансу Шефнеру, написаны рукой его жены. Ребята сделали ксерокопии, открытки положили на место и отпустили семейную чету путешествовать дальше. Те приняли извинения и уехали. Копии переслали нам.

Почерковеды подтвердили, что открытки написаны рукой Наталии, но все они в один голос уверяют, будто человек, писавший эти письма, находился в ненормальном состоянии — либо в состоянии алкогольного или наркотического опьянения, либо пребывал в лихорадке. Так это или нет, подтвердить некому. Местонахождение Наталии Шефнер до сих пор не установлено. У Шефнера есть месяц по меньшей мере, пока он сможет козырнуть присланными с юга открытками. Прижать его к стене — значит подвергнуть женщину опасности. Она и без того находится в подвешенном состоянии. Им ничего не стоит вывезти ее в Сочи и утопить в море. Вот, собственно, и все, что мы имеем на сегодняшний день.

— Негусто,– помрачнел полковник.– Нужно установить постоянное наблюдение за Шефнером и его ближайшим окружением.

— Согласен, Валерий Игнатьевич, но хотел бы попросить у вас людей в помощь. Слишком скудными резервами я обладаю. Ребята толковые, но их очень мало.

— Хорошо, человек пять я для вас выбью, но только взамен потребую с вас по полной программе.

— За нами не заржавеет,– улыбнулся Степан.

***

Метелкин много слышал от Журавлева о бывшем генерале Скворцове — разведчике, историке и обладателе уникальных архивов, но не предполагал, что ему самому придется встретиться с легендарным стариком.

— Не удивляйтесь, Евгений Михалыч,– улыбнулся ухоженный старец.– Вадим Сергеич оставил мне ваши координаты перед отъездом в Смоленск. Он вам доверяет и решил, что лучше вас никто не сможет переслать ему необходимые данные. Вот я и решил вас побеспокоить по этому случаю.

Метелкин слушал и с любопытством оглядывал кабинет.

— Конечно, я все сделаю в лучшем виде.

Хозяин разложил на столе карту, проклеенную прозрачной лентой.

— Это копия уникального экземпляра штабной карты 1-го Белорусского фронта. Здесь обозначено наступление генерала Бахрова на Смоленск и продвижение линии войск на запад. Именно в это время штандартенфюрер Хоффман ушел с архивом от наступавшей Красной Армии. По карте отчетливо видны коридоры, по которым Хоффман мог отступать. Их три. Каким воспользовался эсэсовский полковник, мы не знаем. Но в одном я убежден — Хоффман не пошел на Оршу. Ее взяли в кольцо партизаны и выпихнули немцев еще до подхода Красной Армии. А это значит, что выбери Хоффман средний коридор, то он неминуемо попал бы в ловушку. Ведь мы знаем, что Хоффман и его люди добрались до Германии целыми и невредимыми. Значит, остается южный либо северный коридор, но на проверку этих проходов может уйти уйма времени.

И вот о чем я подумал. Вадиму Сергеичу я уже рассказывал историю о том, как в пятьдесят шестом году был задержан в районе Смоленска агент западной разведки. Русский, уроженец Смоленской области. Цель его заброски — вербовка неустойчивых граждан. Правда, я в этом сомневаюсь. В ходе расследования выяснилось, что агент работал при штабе Хоффмана и бежал из Союза вместе с шефом. Но он утверждал, будто не сопровождал архив и уехал вместе с военными, а с архивом уехал только Хоффман и дюжина офицеров СС — самых надежных и храбрых. Вполне резонно. Но! Никто из них не знал русского языка, а этот агент служил в штабе переводчиком. Без такого человека в экстремальной ситуации не обойтись.

Я навел кое-какие справки и наткнулся, можно сказать, на сенсацию. Этот агент жив и находится в России. Моим коллегам из Комитета пришлось немало потру-

диться, чтобы отыскать этого человека. Зовут его Зиновий Карлович Круглов. Недавно ему стукнуло восемьдесят три года. Живет он далековато — поселок Дегунино, что в шестидесяти километрах к востоку от Норильска, у берегов Енисея и в двадцати километрах от Дудинки к югу. В пятьдесят шестом он получил двадцать пять лет лагерей. Вышка по тем временам. Амнистия на таких не распространялась. Отсидел от звонка до звонка и жив остался. Это после рудников-то! Перебрался в Сибирь на поселение. И вот уже как пятнадцать лет обосновался в Дегунине и с места не трогается. Его можно понять. А главное дело в том, что ни одна карта и план ничего не стоят против живого свидетеля. Не знаю, как вы отнесетесь к моему сообщению, но уверен, что Вадим Сергеич отправился бы туда не задумываясь.

— Я так и сделаю. Мы ведь друзья.

— И прихватите эту карту с собой. Может быть, старик еще не совсем из ума выжил и вспомнит события почти шестидесятилетней давности по карте. Ну не по карте, так по названиям населенных пунктов, большинство из которых переименовывались уже по нескольку раз. Могу привести пример. Поселок городского типа — его освобождали в сорок третьем — назывался Сталино. В пятьдесят пятом его назвали Первомайским, потом он превратился в город Ворошилов, затем стал Зареченск, а сейчас его именуют Верхний Постой — как деревушку двести лет назад. Сменяются вожди, времена, люди, меняются и названия.

— Я все понял. Постараюсь разговорить старика. Так вы убеждены, что Шефнер приехал в Россию искать архивы?

— Я? Да! Но не все со мной согласны. Убеждать я никого не хочу, время само расставит все по своим местам. Но я же не один день ломал над этим голову, сверял, вычитал, складывал и прикидывал. Все говорит о том, что

миссия Шефнера состоит в поисках архивов. Такая находка стоит того, чтобы за нее положить жизнь.

— Уже немало жизней положено. Вадим, и тот своего имени лишился. Можно к нему на кладбище сходить.

— Поверьте мне, молодой человек, Шефнер имеет очень важное и ответственное задание. Он и его люди ни перед чем не остановятся ради достижений своих целей. Тысячи жизней ничто по сравнению с их целью, и они не будут вести счет убитым. Тут, как нигде, нужна стопроцентная осторожность и внимательность. Это как прогулка по минному полю в поисках экзотических цветочков для школьного гербария.

— Я учту ваши замечания.

— Тогда с Богом. Удачи!

Метелкин вышел от генерала в возбужденном состоянии.

* * *

Беседа Шефнера и Крылова проходила в машине. Главный охранник лично сменил шофера хозяина и подал машину к подъезду в девять утра. Шефнер не очень удивился перемене водителя. Он достаточно неплохо знал Крылова и понимал, что тот ничего зря не делает.

— У нас неприятности, Ханс,— начал Крылов, отъезжая от дома.— Наташа исчезла. Мне необходимо срочно сегодня же выезжать на место.

— Что значит «исчезла»?

— То и значит. На подъезде к Смоленску между Сафоновом и Ярцевом. Она ехала с Ингрид в одном купе. Долго рассказывать, но в вагоне пропал свет. Когда его зажгли, то выяснилось, что Наташи на месте нет. Ребята проверили весь поезд, каждую щель. Исчезла.

— Милиция?

— Нет, те могли задержать ее официально. Она проходит по делу как свидетель. Боюсь, нам мстят за смерть Журавлева его дружки. Это не так страшно, если девчонка будет молчать, но если она заговорит, то дело может иметь непредсказуемые последствия. В состоянии транса, если ей не делать уколы, она продержится не более суток, а потом начнет соображать и реагировать на события.

— Ты хочешь найти ее за сутки и заставить молчать?

— Она замолчит навсегда. Хватит с ней цацкаться. Найти ее тоже не составит труда. Вдоль железной дороги проходит только одно шоссе. Если правильно взять направление, то я ее найду. Она же обуза. С ней невозможно передвигаться быстро. Понадобится машина, но без шофера. Лишний свидетель может обратить внимание на странную дамочку. А где взять машину? Угнать. Вот я и начну с поисков пострадавшего.

— А если у них имелась своя машина?

— Тогда нам не повезло. Я исхожу из тех вариантов, которые можно реально просчитать, но на подъезде к Москве я уже выставил своих людей. Они ее не пропустят. Поезда московского направления также проверяются, а самолетом без документов женщину не провезут. Москву мы блокировали, но мне необходимо самому выехать на место. Вслепую я не умею ориентироваться.

— Хорошо, выезжай. Делай так, как считаешь нужным, но потом отправляйся в Смоленск. Там наша главная цель. Я приеду через пару недель. Лучше тебе ехать через Германию. Пусть в Москве будут на сто процентов уверены, что ты уехал из страны. А вернешься каким-нибудь туркруизом в Смоленск.

— Пожалуй, ты прав.

— Я уеду днем на машине. Повожу хвостов по Москве, сменю пару машин и ускользну. За меня будь спокоен. К вечеру я уже доберусь до места. Мои ребята меня

там встретят. Они уже работают. Ингрид отправилась на первый объект одна. Ее встретил Гюнтер на вокзале. С ней все в порядке. Ситуация в целом мне не нравится. Из пяти объектов два оказались пустышками. Время идет, дело стоит, а мы еще умудряемся попадать в неприятности. В конце концов, за нашу безопасность отвечаешь ты, а я не уверен, что мы можем работать без оглядки. Соберись и наведи порядок. У тебя хватает людей и ума, чтобы обеспечить спокойный ход дел, а не трястись в лихорадке.

Машина подкатила к офису. Шефнер вышел, а Крылов, не мешкая, взял курс на Смоленск. Ему хватило часа, чтобы обрубить все концы и через юг направиться на запад. Этот человек умел выстраивать комбинации, заводить противника в тупик и выходить победителем.

4. Сафоново

Пришлось заплатить деньги, чтобы Наташу положили в отдельную палату и разрешили Журавлеву остаться при ней нянькой.

Врач пожал плечами.

— Ну в общем-то, что могли, мы сделали. Остается только ждать. Анализ крови подтвердил, что ей кололи аминазин в больших дозах. Ожидать, что организм быстро очистится, нельзя. Лекарство сильное. Думаю, к вечеру она придет в себя, я имею в виду — обретет вполне сознательное состояние. Появится реакция, осмысление, восстановятся все функции головного мозга, но организм наберет силы в полной мере не сегодня и не завтра. Для этого понадобятся дни, а то и недели. Будем колоть витамины, а главное — сон и покой. Организм отравлен.

— Понимаю, доктор, но мне нужно отвезти ее домой. Там уже с ума сходят. К тому же опасность не миновала,– Журавлев сделал глубокомысленный вид.– Похитители девушки не захотят смириться с ее побегом. Они будут ее искать.

— История ваша мне не очень нравится. Но даже если я вам поверю, что вы спасли свою подругу и выкрали ее из лап похитителей, то они прекрасно понимают — женщина в таком состоянии не могла самостоятельно убежать. Тот, кто колол ей аминазин, в этом не сомневается. Без посторонней помощи она ничего сделать не могла. Очевидный факт.

Журавлев подошел к окну и отодвинул занавеску.

— Скажите, доктор, сколько у вас больниц в городе?

— Всего лишь две. Наша — центральная, но, как видите, имеет только четыре пятиэтажных корпуса. Еще есть военный госпиталь и институт медэкспертизы. Туда вообще не попасть, он находится за колючей проволокой. Дело в том, что в ближайшем пригороде Сафонова находится несколько исправительно-трудовых колоний — женская и четыре мужских, все строгого режима. Больных зэков отправляют в этот институт.

— Значит, только две общедоступных?– спросил Вадим, разглядывая больничный двор.

— Вы хотите сказать, что ее могут искать в больнице?

— И в больницах тоже. Это же логично.

Журавлев оглянулся и пристально посмотрел на врача. Лет сорок на вид, но уже лысый, невысокий, невзрачный, вряд ли такой имеет крепкую многодетную семью. Скорее всего, холостяк. Не очень ухоженный, галстук с жирным пятном на самом видном месте.

— Вы не женаты?

Доктор поднял брови, как бы не понимая вопроса. Журавлев решил пояснить свою мысль.

— Если у вас дома есть нормальные условия, то я готов платить вам пятьдесят долларов в сутки за приют и уход. Я имею в виду уколы.

Врач замялся.

— Даже не знаю, что вам сказать. Деньги — вещь хорошая, но, боюсь, вам у меня не понравится. Вы правы, я холостяк, и те условия, которые я могу вам предложить, не очень комфортабельные.

— Надеюсь, не хуже больничных.— Вадим достал деньги и протянул врачу стодолларовую купюру.— Давайте ключи и адрес.

Доктор раскраснелся. Он откинул халат и достал из неглаженых брюк ключи.

— Улица Александра Матросова, дом двенадцать, квартира девять на втором этаже. Меня зовут Игорь Владимирович Кошкин.

Журавлев отдал деньги и, взяв ключи, вновь отошел к окну.

— Оденьте ее, Игорь. Нам здесь лучше не задерживаться.

— Хорошо. Но, может быть, вы зря паникуете? Ведь в приемном покое девушку не оформляли.

— Береженого Бог бережет.

Он оказался прав. Во двор въехала бежевая «девятка». Машина остановилась на площадке перед корпусом. Из нее вышли двое мужчин. Он их узнал. Оперативно работают мальчики. Сами вряд ли могли догадаться, но, видимо, получили четкие инструкции от Крылова. Тот умеет просчитывать ходы противников и делает это безошибочно.

Сейчас Журавлев вспоминал, как под утро вывел Наташу на шоссе. Они были в таком виде, что ни один водитель не рискнул бы их подобрать. Какой-то псих все же остановился. Вадим выбросил шофера из машины, двинул ему в челюсть и уложил парня в нокаут. Приходить в себя добродушного владельца «жигулей» Журавлев отправил в кювет. Грубо, конечно, но бессонная ночь, блуждание по лесу с женщиной на руках и бессмысленное ожидание на шоссе сделали свое дело. Мужик обозлился и озверел. Тут уж не до тонкостей и такта. Грубо, просто и доходчиво. Он усадил Наташу в машину и добрался до ближайшего города. В центре он сменил транспорт. Бросил «жигули» и угнал «москвич». Два угона в масштабе пятидесятитысячного города – это ЧП. Другое дело, что он сделал ошибку: приехал на «москвиче» в больницу и оставил его во дворе. Но кто мог предположить, что он здесь задержится надолго, а противник сработает слишком быстро и точно?!

Теперь приходилось пожинать плоды собственного разгильдяйства и торопливости. Он стоял у окна и наблюдал, как Жорж и Счастливчик осматривают угнанный «москвич». При их оперативности они окажутся здесь минут через семь-восемь. Лучше не испытывать судьбу. Вадим оглянулся. Наташа стояла уже одетой, но все же напоминала манекен. Правда, в глазах появился некоторый блеск, а на щеках слабый румянец. Отрешенный взгляд, смотрящий в никуда, и полное безразличие. Вряд ли она понимала, что с ней происходит.

— Найдите способ выйти из здания другим способом, Игорь. Наши преследователи уже здесь. Не пытайтесь им врать, когда они придут. Да, была здесь похожая девушка с мужчиной, сделали уколы, и они ушли сорок минут назад. А главное, не пугайтесь их — иначе они сядут на шею. И постарайтесь сделать так, чтобы возле вас было побольше народу. Они не станут тратить драгоценное время на выяснение отношений.

— Зря я с вами связался. Мне только неприятностей не хватало.

— Неприятности у этой женщины. А мы с вами здоровые, нормальные мужики. Не будьте слюнтяем. Идемте.

Доктор вывел их в коридор, они прошли к служебной лестнице и спустились в подвал.

— Этот узкий коридор соединяет корпуса под землей, а также связан с моргом, столовой и прачечной. Идите влево. Попадете в первый корпус и выйдете на улицу возле морга. Там есть другие ворота, через которые заезжают катафалки. Но в любом случае к больнице идет только одна дорога от пригородного шоссе.

— Ладно, разберемся. Возвращайтесь и ждите гостей. Только держитесь как подобает мужчине. До вечера.

Испуганный, не привыкший к конфликтным ситуациям, Игорь Кошкин вернулся в свой кабинет и тут же вызвал к себе чуть ли не весь медперсонал отделения. Жорж и Счастливчик выяснили местонахождение странной дамочки через вахтеров и санитаров, они и не думали обращаться в окно справок, а, поднявшись на четвертый этаж, в первую очередь обошли все помещения и палаты. Убедившись, что Наташи нигде нет, они направились к заведующему отделением.

Толком поговорить с врачом не удалось. У него шло совещание. Жорж бесцеремонно вломился в кабинет и, подойдя к заведующему, помахал перед его носом красной книжечкой.

— Где женщина, доставленная к вам сегодня в стрессовом состоянии?

Кошкин сделал вид, что задумался, потом переспросил:

— Вы имеет в виду ту, что накачали аминазином?

— Ее самую.

— Мы сделали что могли, и ее забрали. Нет смысла держать в больнице людей, которым наша помощь не нужна.

— Кто ее забрал?

Вид стоявшего в дверях напарника очень смущал трусливого врача, и он немного заикался, чем вызывал некоторое недоумение своих сотрудников, заполнивших и без того не очень обширный кабинет.

— Мужчина. Муж, наверное.

— Как он выглядел?

— Высокий брюнет с широким носом, карие глаза. Так, обычный человек.

— Когда они ушли?

— Чуть больше часа назад. Он сказал, что они торопятся на поезд.

Обронив эти слова, Кошкин сам удивился собственной фантазии. Очевидно, ему так хотелось как можно дальше послать страшных типов, что он решил отправить их на вокзал.

Жорж осмотрел присутствующих и больше вопросов не задавал. На их появление взирали с явным недоумением. Пришлось ретироваться. В то время как они спускались по лестнице вниз, Журавлев с Наташей выбрались на свежий воздух. Рядом находилась двухэтажная постройка морга, возле стоял катафалк и два автобуса. Гроб с телом выносили из ритуального зала прощания.

И опять смерть должна его выручать, подумал Журавлев. То его собственная, то чья-то чужая. Не раздумывая, Вадим повел Наташу к одному из автобусов. Родственников и друзей у покойника оказалось немало. Автобусы забились битком. Через несколько минут похоронная процессия выезжала из ворот больницы. Автобусы выстроились в цепочку и на малых скоростях поехали к пригородному шоссе.

Вадим видел в окно, как их кортеж обогнала бежевая «девятка». Кажется, пронесло. Молодец Игорь, сумел отшить шестерок Крылова. Небось теперь сидит с мокрыми

штанами и боится выйти из своего кабинета. Но ничего, деньги приходится отрабатывать. Зазря в наше время не платят.

5. Прозрение

Она открыла глаза и увидела перед собой лицо. Он сидел рядом с ней на кровати и смотрел на нее. Сознание к Наташе приходило медленно, предметы выглядели искаженными и мутноватыми. Может, все это еще сон? Тусклая, слабо освещенная комната, серый потолок, невзрачная мебель — такую лет сорок уже не выпускали. Сервант с чашечками и рюмочками, платяной шкаф с зеркалом, рожковая люстра без одного плафона и железная кровать, на которой она лежала. Так уже не живут. Значит, это сон.

— Как ты себя чувствуешь?

Девушка вздрогнула. Мужской голос прозвучал эхом в ее сознании, и она окончательно проснулась. Нет, она уже не спит.

— Я жива?

— Божьей милостью.

Он улыбнулся, и его щеки надулись, как у хомяка. Какой отвратный тип, но в его темных глазах она не увидела злобы.

— Где я?

— Там, где тебе ничего не грозит. Ты под защитой.

— А ты кто?

— Человек, обещавший не давать тебя в обиду.

— Таких людей нет.

— Ты не забыла Дика? Вот он тебя и вырвал из когтей ястребов. Они держали тебя под замком и кололи сильные психотропные лекарства. Но скоро силы восстановятся и все будет в порядке.

— А где же Дик?

— Пока я буду за него. Ты можешь мне доверять. Шефнер решил переправить тебя в Смоленск, потому что в Москве тебя ищет милиция, но нам удалось обмануть прихвостней твоего мужа, и теперь ты на свободе. Мы находимся в Сафонове, совсем рядом со Смоленском. По всей вероятности, ты была права, когда говорила Дику, что тебе грозит опасность. А он подумал, что ты хочешь отделаться от мужа из-за наследства. Ведь согласись — так тоже бывает. Но теперь все встало на свои места.

— Он слишком откровенен с тобой. Вы большие друзья?

— Конечно, даже мыслим одними и теми же категориями. Теперь я буду заботиться о тебе, пока не появится Дик.

— Трудно поверить, что кто-то решил оберегать меня от опасности просто так, за здорово живешь. Он меня совсем не знает. Пара ночей в постели еще не повод рисковать своей шкурой ради какой-то смазливой телки.

— Может быть, но он привык держать данное им слово. А теперь и сам погряз в это дело по уши. Слишком активно взялся за твои поиски и этим насторожил Шефнера. Вот твой муженек и решил его убрать с дороги, причем выбрал для этого оригинальный способ — решил его подставить. Крылов убил знакомую женщину Дика, подбросил ей в квартиру улики, указывающие на причастность твоего спасителя к преступлению. Пришлось затратить немало сил, чтобы выкрутиться. Так что у Дика есть свои счеты с Шефнером и Крыловым. А еще с одной красоткой, говорящей с прибалтийским акцентом.

— Она немка. Ее зовут Ингрид Йордан. По матери. А по отцу она Хоффман. Дочь Вальтера Хоффмана.

— Ах вот оно что!.. Тогда не остается никаких сомнений в том, что Шефнер приехал в Россию искать архивы СС, спрятанные Хоффманом при бегстве. Для этого он и женился на тебе.

— Ты и впрямь слишком много знаешь.

— Не больше и не меньше, чем Дик. Мы были с ним у генерала Скворцова, о котором ты ему рассказывала, и он нам поведал историю Груббера и Хоффмана. Теперь дети эсэсовских бонз продолжают дело отцов.

— Странно, не похоже на Никанора. Он не очень словоохотлив, особенно если речь идет о его личной заинтересованности. Очевидно, вы ему сказали о моем исчезновении?

— Ты права. Это и был главный повод для встречи с ним.

— Голос мне твой очень знаком. Где-то я его уже слышала.

— Не исключено.

— Ты знаешь, мне ужасно хочется есть.

— Отлично! Значит, дело идет на поправку. Ты можешь встать?

— Наверное, сейчас попробую.– Наташа села, потом спустила ноги с кровати и увидела на себе полосатую пижаму размеров на пять больше собственного.

— Боже, а это что такое?

— Думаю, хозяин квартиры спер ее из больницы. По бедности, разумеется. С поезда мы отправили тебя в клинику. Местный врач оказался толковым парнем, оказал тебе первую помощь, а потом дал ключи от своей квартиры. Не бесплатно, конечно, но в больнице оставаться небезопасно. Ищейки Шефнера уже рыщут по городу.

Вадим помог девушке встать на ноги и повел ее в кухню.

— Тут не так просто найти чистое место, чтобы тебя усадить, а в холодильнике нет ничего, кроме плесени. Боюсь, хозяин завел подпольный заводик по производству пенициллина и лечит им здоровых мужиков от гонореи. Пока ты спала, я сбегал в магазин, купил курицу и сварил тебе бульон. Это то, что нужно для ослабленного организма.

Наташа села за стол, и Дик поставил перед ней полную тарелку бульона с куриной ногой.

— Ешь и набирайся сил. Они тебе скоро пригодятся. Вечно сидеть здесь мы не можем. Встанешь на ноги — и поедем в Москву.

— Нет, я поеду в Смоленск.

Журавлев оторопел и опустился на табуретку. Девушка ела с аппетитом, и он не хотел ей мешать, ждал, пока она объяснит свое странное пожелание.

Но Наташа ничего так и не сказала. После того как она поела, он решил все же задать свой вопрос:

— А почему ты не хочешь возвращаться в Москву?

— Там нечего делать. Если они перебираются в Смоленск, значит, нащупали место, где спрятан архив. Поначалу они искали в шести местах, теперь осталось только три. В одном из трех должен находиться тайник. Раз Шефнер решился меня убрать, значит, он нащупал ту единственную правильную дорожку, которая приведет его к заветной цели. Но это еще не все. Никто не знает, кому архив достанется. Шефнер, Ингрид и Крылов объединились в одну коалицию только на период поисков. Каждый из них работает на себя. Правда, они об этом не говорят, но, думаю, понимают, что найти архив — это еще не все.

— Тяжелая задачка. Мало того что они находятся в чужой стране, ведут полулегальные поиски на чужой территории, так еще и с партнерами, от которых ничего хоро-

шего ждать не приходится, кроме как удара в спину. На что они рассчитывают? О каком успехе может идти речь?

— А у них нет выбора.

— Хорошо, тогда объясни мне, зачем тебе все это нужно. Ради чего ты лезешь в пекло? Тебя чудом удалось спасти, а ты снова кладешь голову на плаху. Отрубят! Уж кому, как не тебе, знать, с кем ты имеешь дело!

Наташа внимательно взглянула на собеседника.

— Знакомые интонации.

Журавлев не выдержал. Он вынул изо рта вставную челюсть, из ноздрей — расширители и снял с глаз темные линзы. Когда на его щеках появились ямочки, девушка уже не сомневалась в том, кто перед ней сидит.

— Хорошая работа. Если бы не твой голос, то я бы тебя никогда не узнала.

— К сожалению, и этого мало. Костоломы Крылова наверняка уже имеют описание человека, которого видели с тобой. Оперативно ребята работают. Они настигли нас в больнице, и мы с трудом унесли ноги. Хочешь испытывать судьбу дальше?

— Послушай меня, Дик. Послушай и постарайся понять. Я в этой истории увязла по уши. Я же тебе рассказывала, что работала у Скворцова. Он занимался поисками архива последние двадцать лет. Никанор – фанатик. За старенький, рваный, пожелтевший листок он может отдать что угодно. Большая часть секретных документов перекочевала в его квартиру из подвалов КГБ. Те пять лет, которые я прожила у него, я занималась тем же. Это он заставил меня выучить немецкий язык. Через мои руки прошла груда документов. Ему и до сих пор помогают ребята из ФСБ. Он им платит неплохие деньги, а сам зарабатывает тем, что дает платные консультации, причем зачастую криминальным элементам российской мафии. Человек, лишенный чистоплотности, но зараженный бациллой собирательства, как и все коллекционеры-фанатики.

Как только он узнал об архиве Хоффмана, оставленном на нашей территории, он потерял покой. Двадцать лет безуспешных поисков, расследований, анализов, изучения документов. Теперь он знает то, что не известно никому, кроме местонахождения архива. Исследование, сводки из Германии от наших резидентов, работа бывшей разведки ГДР — все попадало к нему в руки. За спиной начальства ему удавалось посылать запросы и получать ответы. Так — капля за каплей — он собирал свои данные. Вскоре ему удалось выяснить, что сын Груббера Ханс Шефнер служит в разведке и многое знает об архиве. Дочь Хоффмана, с которой он знаком с детства, также знает об архиве, и, возможно, больше, чем Шефнер. Ее интересует не архив, а золото. Цель одна, и спора при дележе быть не может. Ингрид торгует своими секретами, полученными от отца. За то время, что прошло после войны, в стокилометровом радиусе от Смоленска поймано шестнадцать агентов западногерманской разведки. Вероятно, этих людей интересовал архив Хоффмана, так как особо секретных объектов в этих районах, которые могли бы заинтересовать разведку Запада, нет.

Скворцов ждал, когда же сам Шефнер заинтересуется архивом. Исключение может составлять только Ингрид. Вот Никанор и решил опередить события. Это он послал меня в Германию с единственной целью: выйти на Шефнера, выяснить его планы и включиться в игру на стороне противника, натолкнуть Шефнера на идею жениться на русской. Никанор уже знал, что Шефнер трижды бывал в России и пытался найти повод зацепиться здесь. Но в те времена на его пути еще хватало трудностей. Скворцов решил ему помочь через меня. И его план сработал. Шефнер клюнул на приманку. Я облегчила ему все задачи. Мы поженились.

Когда Шефнер купил шесть участков в Смоленской области, Никанор понял, что не так уж много Шефнеру известно. Тогда Скворцов начал заниматься людьми, которых привез с собой бизнесмен. Это в первую очередь женщина, всегда остающаяся в тени, немцы, работающие на участках под Смоленском, и еще один странный тип по имени Юрий Крылов. На него можно было бы не обратить внимания, если не учесть то обстоятельство, что Крылов приехал в Россию в один год с Шефнером и был принят на работу в его фирму, что называется, с улицы на ответственный пост. С женщиной удалось разобраться достаточно быстро. Она из Мюнхена, где имеет крупную сеть антикварных магазинов и специализируется на русском антиквариате. Когда-то наши несуны попались на границе, и у них нашли краденые музейные редкости, раритеты. Потом выяснилось, что они выполняли заказ некой Ингрид Йордан. Правда, доказать этого не удалось.

Были еще интересные случаи на аукционах Лондона и Парижа, где выставлялись лоты, украденные из Советского Союза немецкими оккупантами. Дорожки опять вели к фрау Йордан, но на пути оказалось слишком много посредников, и следы затерялись. Впоследствии Скворцов выяснил, что Ингрид Йордан – дочь штандартенфюрера Хоффмана. Ее появление в России в компании Шефнера навело Никанора на мысль, что Ингрид интересует не архив, а антиквариат. Ее связи с разведкой так и не были подтверждены. Но у Ингрид в России есть серьезные связи. Тот, кто хоть раз был вовлечен в антикварную контрабанду, получал от нее хорошие проценты. Так что мы не можем считать ее безобидной овечкой. На Шефнера работает целая команда немцев на объектах, и он имеет поддержку непосредственно из-за кордона.

Что касается Крылова, то тут Никанору пришлось попотеть. Его имя выплыло случайно. Из Соединенных

Штатов пришли документы особой важности. Их переслал агент ЦРУ, работавший на нас уже более десяти лет. На микропленке были снимки, сделанные на секретном совещании восточного отдела ЦРУ, и перечень имен присутствующих. Одним из них значился Юрий Григорьевич Антонов. Вот тут генерал и провел параллели с Агрономом, бывшим белым офицером, работавшим на немцев. Все совпало. Крылов – сын Григория Амодестовича Антонова и американский разведчик. Никанору удалось пройти его путем до того, как он попал в Израиль. Но об этом не знают в ФСБ. У них есть снимок Крылова и его настоящее имя, но они не знают о том, что Крылов ходит у них под носом. Никанор не хочет горячки. Арестуют Крылова — все может пойти насмарку. Вот когда те найдут архив, тогда, пожалуйста, забирайте. В итоге Скворцов сделал вывод, что в деле участвуют и американцы. Но знает ли об этом Шефнер? В любом случае Крылова надо считать третьей силой, ищущей архивы Хоффмана.

— А тебя со Скворцовым четвертой?

— Наверное, так. Я слишком много отдала этому сил, энергии, лет и уже не могу оставаться в стороне, даже если мне грозит смертельная опасность.

— Понятно. Значит, своего старика ты не бросила, а продолжаешь на него работать. Вот и объяснение того, что он был с нами откровенен. Когда я ему сообщил, что ты исчезла, он понял, что остался у разбитого корыта. С чекистами он не может откровенничать — те все испортят, а если нет, то заберут архив себе. Двадцать лет трудов кошке под хвост. Потеряв тебя, он начал вербовать меня и быстро понял, что я тот самый парень, который ему нужен. На такое дело пойдет только отпетый авантюрист и неисправимый романтик типа меня. Что ж, он не ошибся. Я заглотил его крючок.

— Значит, ты со мной?– Наташа слабо улыбнулась.

— Нам надо найти способ, как добраться до Смоленска. Крылов наверняка уже контролирует все дороги в обе стороны. Придется идти в обход. Кстати сказать, меня там мой агент поджидает.

— И тоже со вставными челюстями?

— Нет, но она уже успела перевоплотиться в тебя, когда я выкрадывал твое тело из вагона. На десять минут Настя стала Наташей и спала в купе с Ингрид.

— Смелая девушка. А ты любишь женщин-партнерш?

— Конечно, только перед ними можно показать свое превосходство и почувствовать себя умным и сильным.

В квартире раздался звонок.

— О! Кажется, хозяин пришел. Иди сама ему открывай, а я — в ванную, зубы и глаза вставлять на место. Это не так просто и быстро делается.

Звонок повторился.

6. Смоленск

Путешествие длилось всю ночь. От Сафонова до Смоленска рукой подать, но Вадим решил подстраховаться. Спасибо доктору. Тот обратился к своему дальнему родственнику, работавшему на стройке шофером. Самосвал тоже транспорт, причем надежный и с хорошей проходимостью. Ехали объездными путями, которые знают только местные старожилы и шоферы, возящие песок с карьеров. В Смоленск попали лишь утром.

Вадим взял такси, и они с Наташей отправились в гостиницу, где его должна была ждать Настя. Но девушки в отеле не оказалось, у дежурного администратора для Вадима лежала записка, где говорилось, что искать ее следует в гостинице «Варшава», номер двенадцать. Нарушение инструкций означало изменение ситуации. Работая в агентстве «Сириус», все стратегические планы выстраивал Журавлев. Он подбирал клиентов, выяснял все их слабости, вкусы, вплоть до пристрастий к высоким каблукам, чулкам со швами, длине женской юбки, духам и цвету волос. Все эти инструкции получала Настя и четко их выполняла. Она знала своего клиента как облупленного задолго до их знакомства, что гарантировало пятьдесят процентов успеха. Остальные пятьдесят Настя брала на себя — эффектная внешность, острый ум, женственность, обаяние и находчивость. Все вместе гарантировало стопроцентный успех мероприятия.

Журавлев понял, что исчезновение Наташи из поезда прошло не без последствий. Настя осталась одна в клетке с хищниками, и ему следовало поторопиться. Они остановили такси и попросили отвезти их в гостиницу «Варшава».

В тот момент, когда они садились в машину, Крылов уже подъезжал к гостинице. Жорж, сидевший за рулем «джипа», остался в машине, а Крылов отправился в отель с видом постоянного жильца и, не задерживаясь, направился к лифтам.

Минуя их, он поднялся по мраморной лестнице на второй этаж, прошел по коридору и постучал в тринадцатый номер. Через минуту дверь открыла Ингрид. Хорошо, что не через полчаса. Пока эта женщина не приведет себя в порядок, она даже пожарным дверь не откроет, хоть и будет задыхаться в дыму.

— Ранняя пташка. Проходи.

Крылов зашел в апартаменты и тут же рухнул в кресло от усталости, забыв снять свою любимую шляпу.

Ингрид не обращала внимания на поведение и манеры своего партнера, оценивая его как мужлана. Никто не обращает внимания на вид водопроводчика, вызванного поменять кран в кухне.

— Задала ты мне задачку, подруга. Не хотел я отпускать девчонку с тобой, так Шефнер настоял. Результат налицо.

— Не будь занудой. Тот, кто ее увел, и тебя вокруг пальца сумел бы обвести. Операция проделана безукоризненно. Вопрос в другом: кому она понадобилась?

— Агентству «Сириус». Недооценил я этих щенков. Надо было собрать досье на всех, кто был хоть как-то с ними связан. А теперь они разбежались в разные стороны и пытаются нам мстить. Разорили осиное гнездо на свою голову.

Ингрид прошла к креслу и устроилась в нем, забросив ногу на ногу. Она даже в домашней обстановке носила элегантные туфли на высоком каблуке.

— А может быть, плюнуть на нее. Вряд ли девчонка сможет что-нибудь изменить. Работы подошли к завершающей стадии. Максимум неделя или две — и мы у цели.

— Мы не увидим никакой цели, пока девчонка жива.

— Ерунда, Шефнер выкрутится. Уж Ханса им голыми руками не взять. Ее показания сочтут за бред.

— Дело не в показаниях. Есть причины куда серьезнее. Если она дойдет своим умишком до сути, то все полетит прахом. Я уверен, что Наташа не вернется в Москву. Мои люди отслеживают путь в столицу и Смоленск. Пока результатов нет. Но долго они в Сафонове сидеть не будут. Возможно, они уже в Смоленске, нельзя исключить и такого варианта. А если предположить, что ее окружают такие ловкие сообщники, то опасность увеличивается во много раз. Ее нужно убрать любым путем. Мы не можем рисковать операцией, готовившейся годами, громадными средствами, многолетней работой — скрупулезной, рискованной. Скольких людей мы потеряли! И так, вдруг, ни за что ни про что загубить дело, стоящее миллионы долларов!

— Я не понимаю, о чем ты говоришь. Вы меня не посвящаете в свои тайны, забывая о том, что я не просто участник, но состою в доле. Мы ищем то, что здесь оставил мой отец. Советую этого не забывать. Только при моей помощи удалось составить более точный план и привязку к местности. Ради этого я здесь, а вы занимаетесь московскими шлюшками, которые якобы способны разрушать возведенное из крупповской стали здание. Мистика! Я в это не верю.

Крылов глянул на окно. Тюлевая занавеска колыхалась от ветерка, сквозившего через открытую балконную дверь.

— У тебя есть балкон?

— Очень смахивающий на стадион,– ответила Ингрид.

Крылов встал.

В ту же минуту Настя услышала стук в дверь, и ей пришлось вернуться с балкона в номер. Ей казалось, что к соседке кто-то пришел, и она хотела проверить ее номер, а заодно и послушать, о чем говорят.

Появление Вадима и Наташи ее не удивило, она давно ждала их.

— Живы и здоровы? Ну слава Богу!

— С тобой все в порядке?– встретил вопрос вопросом Вадим, заходя в номер.– Что за передислокация?

Настя провела гостей в апартаменты и усадила на диван.

— Вот, Наташа, познакомься. Своей свободой ты во многом обязана нашей скромной героине. Насте тебя представлять не нужно. Она тебя отлично знает и даже успела побывать в твоей шкуре.

Девушки кивнули друг другу и обошлись без дифирамбов. Настя тут же перешла к делу.

— Ту самую красотку из поезда зовут Ингрид, живет она в соседнем номере. Зарегистрирована под именем

Магда Вяйле. Вчера у нее был гость с объекта. Как я поняла, работает прорабом. Зовут его Николай. Очевидно, Ингрид имеет свои интересы на раскопках и на нее работают какие-то люди. Николай ее любовник. Скорее всего, не он один. Шефнер и Крылов, судя по всему, конкуренты Ингрид, а не партнеры. Каждый из них играет на своем поле.

У Вадима отвисла челюсть.

— Ничего себе информация! Просто Мата Хари, а не Настя. Как накопала?

— У нас балконы рядом. Ходила к ней в гости.

— Кто помог?

— Тот, кто утром ушел за полчаса до вашего появления. У нас ничего задаром не делается. И еще, пожалуй, самое важное — работы ведутся на трех объектах. Я вчера купила карту Смоленской области и изучила ее. Ховрино, Курнаково и Балаханово. Все они разбросаны в западной части от Смоленска на расстоянии от восьмидесяти до ста километров. Ближайшее — Ховрино. Сегодня туда выезжает Ингрид, ее там будет встречать какой-то Гюнтер. Работами руководят немцы. Кроме Гюнтера есть еще Герман и Гельмут. Но Ингрид заинтересовалась поселком Курнаково, самым дальним. Я толком ничего не поняла, но она сразу оживилась, услышав о каких-то змеях. Может быть, это условный знак. Из разговора стало понятно, что работы близятся к завершению.

— Отлично! – Журавлев не скрывал своего восторга.– Теперь мы знаем точные координаты. Покажи-ка мне свой балкончик.

Настя и Вадим направились к окну, а Наташа решила принять душ с дороги. Она внимательно выслушала доклад Насти, но оставила его без комментариев.

На улице светило солнце, все говорило о том, что день будет хорошим. Как только они очутились на балконе и девушка хотела показать пальцем на соседний и похвастаться своей ловкостью, как ее движение руки оборвал приятный мужской голос.

— Доброе утро.

Ее палец повис в воздухе. На соседнем балконе стоял Крылов и улыбался.

— Кажется, нас ждет чудесная погода.

— Согласна с вами,— выдавливая из себя улыбку, пролепетала Настя.

Вадим замер за ее спиной и не знал, что делать. Он бежал от этого человека без оглядки, а тот его поджидает, сидя на месте. Чертовщина какая-то! Крылов подошел к краю балкона и покачал головой.

— Между нами расстояние чуть больше метра, но я бы прыгать не рискнул. Можно шею сломать.

— Интересно, а кому это надо?— удивилась Настя.— У каждого в своем номере места хватает, а в гости ходят через дверь.

Крылов даже не смотрел на Вадима, будто его не существовало. Он продолжал улыбаться и не отрывал взгляда от соседки.

— Тут вы правы, в гости ходят через дверь. Все, кроме жуликов и искателей приключений, а может быть, просто из-за любопытства. И этому есть подтверждение. Посмотрите на свои белые мраморные перила. На них отпечатался след от кроссовок. Тридцать седьмой размер. Ну кому придет в голову вставать ногами на перила?

— Четырнадцатилетнему мальчишке. В этом возрасте они носят примерно такой размер. Могу судить по нашему сыну,— Настя улыбнулась и оглянулась на Вадима.

У того был вид истукана с каменным лицом.

— Может быть, вы и правы, если бы я не видел такие следы на пыльном полу своего балкона.

— Пройдите по всем номерам подряд. На следующем найдете еще что-нибудь. Кто-то своеобразно веселится, прыгая по жердочкам, пренебрегая коридором с ковровой дорожкой. Всего хорошего.

Настя буквально втолкнула Вадима в комнату.

— Ну и рожа у тебя! Ты чего его боишься? Мужик как мужик. Слова доброго не стоит. Плюгаш!

— Пора уносить ноги,– очнувшись, буркнул Вадим.

— Забирай свою кралю из ванной, и уходим, а я позвоню своему ночному придурку. У него машина, и он знает местность.

Вадим ворвался в ванную и, схватив растерянную Наташу в охапку, втащил ее в гостиную.

— Быстро одевайся. Уходим.

— Но я мокрая, с меня течет...

— Крылов в соседнем номере.

Аргумент оказался более чем убедительным.

— Тут должен быть запасной выход, — суетился Журавлев.

В дверь постучали. Все замерли на месте.

* * *

Крылов вернулся с балкона в комнату. Ингрид пила кофе.

— Скажи мне, любезная леди, ты знакома со своими соседями?

— Нет, разумеется. Я даже из номера не выходила.

— В таком случае расскажи мне, кто приходил к тебе и о чем вы разговаривали?

— Что-то не так?

— Тебя могли слышать. Под окнами на полу балкона следы. Мысочки отпечатались без пяток. Значит, кто-то сидел на корточках, и довольно долго.

— Ты слишком мнительный, Юра. Приезжал прораб из Ховрина. Он должен меня сегодня отвезти к Гюнтеру. Но о чем мне с ним разговаривать? Обычный курьер.

— Разговор мог быть безобидным, но информативным. Вы упоминали в разговоре какие-нибудь имена или названия, адреса?

— Да, он доложил обстановку в Ховрине, Курнакове и Балаханове.

— Молодцы. Все точки на карте назвали. С вами не соскучишься. Хорошо. Езжай на место как планировала, я появлюсь там чуть позже, а пока мне надо здесь осмотреться.

Крылов встал и вышел из номера. Так просто он уходить не собирался. Ему хотелось поближе познакомиться с соседями. Подойдя к дверям их апартаментов, он постучал, но ему никто не ответил. Он повернул ручку, и дверь открылась.

В номере никого не оказалось, а главное, и вещей жильцов на месте не было. Уходили в спешке. В ванной текла вода, на полу полотенце, мокрая мочалка. Пять минут назад он разговаривал с соседями через балкон, а в это время кто-то находился в ванной. Судя по резиновым шлепанцам на полу – женщина. Мокрая дорожка вела в гостиную. В пепельнице окурок от сигареты со следами помады. Свежий. А девушка с балкона еще не успела сегодня сделать макияж и выглядела вполне по-домашнему.

Следы от кроссовок были обнаружены на балконе и в тумбочке для обуви. На этом осмотр номера был закончен. Крылов не собирался устраивать погоню. Он знал главное: если это те люди, о которых он думал, то они сами к нему придут. Ингрид дала им точные адреса.

Спустившись вниз, он подошел к администратору и положил на стойку пятидесятидолларовую купюру.

— Меня интересуют жильцы из двенадцатого номера. С подробностями, пожалуйста.

Администратор смахнул бумажку, словно муху, и она оказалась в его книге между страницами, которая тут же захлопнулась. Оригинальная закладка.

— Анастасия Викторовна Ковальская из Москвы. Приехала вчера в десять тридцать утра.

— Следом за клиенткой из тринадцатого номера?

— Одновременно, но только ее оформлял наш местный карточный шулер, завсегдатай фешенебельных отелей, который щиплет приезжих. Мы ему не отказываем в просьбе. Он попросил дать ему номер по соседству. Мы решили, что это его очередная жертва. А потом пришла девушка с паспортом на оформление.

— Как его зовут?

— Гоша. Фамилия неизвестна.

— Какая у него машина?

— Бежевая «волга». Номер не знаю.

— Сегодня видели девушку?

— Нет, ключи не сдавала. Должна быть на месте.

— Второй выход есть?

— Да, с того конца, по коридору до лифтов, во двор.

— Спасибо, квиты.

Крылов прошел по коридору и вышел через служебный выход во двор, где разгружалась машина с бельем. Шофер курил, сидя на подножке кабины, а грузчики таскали мешки.

— Скажи, приятель, здесь кто-нибудь выходил минут десять назад?

Шофер кивнул.

— Две девчонки и два парня, побежали к воротам.

Крылов тоже направился к воротам. Значит, их не двое, а четверо. Немного рассеивает внимание, но суть дела не меняет.

Он вышел на улицу и зашагал к ожидавшей его машине. За рулем был Жорж.

— А ну-ка, дружок, расскажи мне еще раз о парочке в вагоне-ресторане и о том, как кавалер дамочки исчез в пути. И не забудь описать их внешность.

— Хорошо, шеф, куда поедем?

— В Ховрино.

В том же направлении, но с отрывом в несколько километров мчалась бежевая «волга».

Гоша считал себя кидалой высшего пилотажа и уважал людей смежных профессий, но жить в таком темпе, как Настя, ему не нравилось. То ей надо за кем-то следить, то от кого-то скрываться. Ночь оказалась слишком короткой для Гошиных аппетитов. Спозаранку ему пришлось убежать по срочным делам, и он едва не проспал важную сделку. Покончив с делами, он помчался назад к Насте, чтобы получить то, что не успел получить из-за спешки. Он так к ней спешил и уже предвкушал сладость свежих ощущений... но не тут-то было. Не успел он войти к ней в номер, как его тут же вытолкнули в коридор и потащили к черному входу, и вместо постели он вновь очутился за рулем.

Теперь он вез их к черту на кулички и должен был подыскать им жилье в какой-то деревне. Гоша понял, что Настя для него кусок уже отрезанный. Мотаться к ней на случки за сто километров удовольствие не из приятных. Пусть она женщина высшего класса, но можно и местными обойтись. Те под боком и не такие шустрые. К тому же Гоше очень не нравился ее приятель с дутыми щеками и ноздрями, как у лошади.

— Поедем в Курнаково, Гошенька,– сказала Настя.– Мне очень хочется пожить на природе в какой-нибудь заброшенной деревеньке.

Гоша промолчал. Куда угодно — только бы побыстрее от них избавиться. Дорого приходится платить за одну ночь.

Бежевая «Волга» неслась в западном направлении от Смоленска. Дорогу окружали леса и болота да стелющийся в низинах туман.

7. Норильский округ

Старик выглядел бодро. По виду не подумаешь, что человеку перевалило за восемьдесят. А тут, как он рубил дрова огромным колуном, просто загляденье... Геракл, да и только! Больше всего Метелкина поразило, что в такой дыре, куда он добирался более суток, деревенские мужики не ходили в лаптях и обносках, а носили фирменные джинсы.

Завидев незнакомца, старик вонзил топор в бревно и, выпрямившись, упер руки в бедра.

— Ищешь кого, сынок?– спросил он хриплым голосом.

Обветренное, загорелое, морщинистое лицо украшали ярко-голубые глаза и короткий белоснежный ежик густых, как щетка, волос. О прошлом этого человека можно было судить по наколкам. Руки и грудь пестрили татуировками. Сухопарый, жилистый и вовсе не дряхлый. Свежий воздух и изнурительный труд уберегли этого человека от беспомощной старости, закалили, придали ему сил и воспитали в нем презрение к смерти. Какие они разные, подумал Метелкин, сравнивая генерала Скворцова — холеного интеллигента с утонченными манерами и белой кожей, и прожившего половину своей жизни в лагерях и ссылках волевого и несгибаемого агента вражеской разведки. Кем же из них восхищаться?

— Я ищу вас, Зиновий Карлович. Приехал специально к вам из Москвы. Разговор есть.

— Коли так, пойдем в избу. Гостей во дворе не держат.

Просторный, чистый дом, ничего лишнего, а все, что нужно, сделано своими руками. Поднаторел агент в плотницких делах, мастерски сработано. Да и не заходя в избу, по ее внешнему виду можно было понять, что хозяин не терпит халтуры. Добротно отстроено.

— Подыщи себе местечко почище и устраивайся,– предложил хозяин.– Сначала о деле, а потом трапезничать будем. Сголодался, поди, с дороги?

— Не очень, но лучше, конечно, начать с дела. Может, вы со мной и говорить не захотите.

— Да уж чую, что за ветер тебя ко мне занес.

Они устроились на дубовых резных лавках, стоявших по обеим сторонам огромного длинного стола с идеально гладкой поверхностью. Метелкин почему-то боялся врать старику. Тот смотрел на него спокойно, слегка улыбаясь, но ему казалось, будто старик видит его насквозь и даже читает его мысли. Так это или нет, судить трудно, и Метелкин решил найти баланс между правдой и ложью. Главное, быть убедительным.

— Я бывший репортер, журналист. Писал очерки и статьи в газетах. Меня зовут Женя Метелкин. Теперь решил заняться литературой и написать приключенческий роман времен Великой Отечественной войны. Мне попали в руки материалы о некоем штандартенфюрере СС Хоффмане, который пытался вывезти с территории Советского Союза сверхсекретный архив. Получилось у него это или нет, я не знаю, но сама тема могла бы стать неплохим сюжетом для крутого боевика. Сейчас детективы в моде, и я надеюсь, что у меня может получиться.

Старик рассмеялся.

— Считай, начало ты уже закрутил, парень! Ладно. На чекиста ты, конечно, не похож, на репортера больше. Правда, без помощи комитетчиков ты бы меня отродясь не нашел, но мне на это наплевать. Я свое отсидел, мне бояться нечего. Давай примем твою басню на

веру и будем отталкиваться от сказанных тобой слов. Книжка так книжка. Хоффмана я знал очень хорошо. Могу рассказать много интересного. На пару томов моей болтовни хватит. Но я практичный человек. Жизнь здесь тяжелая. Зарабатываю себе охотой. Рыбой в этих краях много не заработаешь. Однако возраст берет свое. Хочется еще на белый свет полюбоваться годков с пяток. Ты ведь, поди, хорошие деньги за книжку получишь. Вот и подумай сам, какой резон мне тебе задарма идеи и факты отдавать.

— Сколько же вы хотите?

— Тысяч тридцать. С моей скромностью этих денег надолго хватит.

— Это почти тысяча долларов.

— Доллары у нас не в почете. Мы в них ничего не смыслим.

— Но у меня нет рублей, разве что на обратную дорогу.

— Возьму долларами. Как-нибудь обменяю.

— А вы уверены, что ваша история стоит того, чтобы за нее платить такие деньги?

— Хозяин – барин. Я ведь не принуждаю.

— Хорошо.

Метелкин достал бумажник и отсчитал десять стодолларовых купюр. Положив их на стол, он вопросительно посмотрел на старика.

— Нормально,— кивнул хозяин.— Пусть лежат. Когда я тебе расскажу, что помню, тогда и возьму деньги.

— Хорошо. В одном вы правы: ваш адрес мне раздобыли по линии ФСБ, но сделали они это по просьбе отставного генерала, бывшего резидента в Германии, а ныне историка. От него я и услышал про архив СС и о том, как в послевоенное время немцы засылали агентов в район Смоленска. О вас он тоже упоминал.

— Кто он?

— Скворцов Никанор Евдокимович.

— Может быть, вспомню. Шесть десятилетий прошло с тех пор. Мы так сделаем. Все названия я буду упоминать вымышленные, чтобы не напрягать память. А потом уточним, если понадобится. Сейчас нет смысла отвлекаться от главного.

— Как вам будет удобно.

Метелкин умолчал о том, что у него в сумке лежала карта местности того самого времени, о котором пойдет речь.

— Отец мой был немцем, — начал рассказ старик. — Он попал в плен еще в первую мировую, а потом так и остался в России, женившись на русской девушке из дворянской семьи. После революции примкнул к большевикам и стал убежденным коммунистом. Жили мы в достатке, отец добился определенных высот в партийной иерархии. От отца я научился немецкому языку и владел им свободно. Мать знала несколько языков. Она окончила Смольный институт благородных девиц. Жили в Питере, а потом отца направили в Смоленск руководить обкомом. Его арестовали перед началом войны, когда я учился в Москве в университете. Следом арестовали мать, а до меня не добрались. Мне тогда шел двадцать второй годочек.

В начале июня после сдачи экзаменов я вернулся в Смоленск, где осталась моя тетка. Она мне все и рассказала. А тут началась война. На учете я состоял в Москве, и в Смоленске не знали, что я вернулся. В городе творилась неразбериха и хаос. Молодежь шла в военкоматы без повесток, а я не пошел. Слишком был обижен на советскую власть за произвол и несправедливость. А когда в город пришли немцы, то никакого сопротивления не оказывал. Меня арестовали на третий день. После выяснения подробностей комендатура передала меня в гестапо, а потом со мной захотел познакомиться сам Хоффман. Ему

подчинялись все подразделения СС, включая гестапо, СД и разведку. Услышав мою немецкую речь, Хоффман оставил меня при себе личным переводчиком.

Был там еще один человек, хорошо знающий немецкий язык. Кличка его была Агроном. Бывший белогвардейский офицер, ярый враг советского строя, некий Григорий Амодестович Антонов, руководил так называемым русским отделом. Головорез высшего класса. Он никому не верил, а мне как сыну партийного руководителя тем более. Будь его воля — он, не задумываясь, поставил бы меня к стенке, но Хоффман мне доверял, очевидно потому, что я ничем не интересовался и не совал свой нос куда не следует. Переводил листовки, печатал приказы и указы для русского населения, присутствовал на допросах, ко-торые вел сам Хоффман, а спустя год он перевел меня на работу в свой архив. Там составлялись досье на всех предателей не только Смоленска, но и всех западных территорий, включая Украину и Белоруссию. Получился некий центр по сбору информации.

Может быть, Хоффману и не доверили бы такую ответственную работу, но его патронировал сам группенфюрер Груббер — человек, имевший неограниченную власть на западных территориях страны. Ни одной стратегической задачи Груббер не решал без Хоффмана. Так к архиву стали приобщаться документы по разработке военных операций, засылке агентов и контрразведки, куда попадали и немецкие офицеры. Вскоре Груббер распорядился, чтобы под надзор Хоффмана попадали и особо ценные реквизированные и конфискованные вещи в виде золота высокой пробы, драгоценные камни, антиквариат, а также наградное оружие и ордена погибших эсэсовцев.

Нам уже требовались дополнительные помещения. Помимо архива был устроен склад. Несмотря на то что я сам лично занимался описью, я не смогу вам дать истинную оценку награбленного. К нам привозили картины из музеев и частных коллекций, а это Рембрандт, Гойя, Эль Греко. У Груббера была страсть к произведениям искусства, в то время как Хоффман все переводил на дойчмарки. Он только к оружию оставался неравнодушным и мог часами разглядывать какую-нибудь саблю украинского гетмана, где в большей степени его интересовал сам клинок, чем укращенный алмазами и сапфирами эфес.

Что же случилось дальше? Они так непоколебимо верили в свою победу, что до последнего момента не осознавали приближающегося краха. Вот и дотянули до критической точки, когда стекла сыпались из окон от пушечной канонады наступавшей русской армии.

Вот тут и началась горячка, срочная эвакуация. Хоффман лично отвечал перед Груббером за сохранность архивов и ценностей. Он понимал, что его ждет, если он упустит такой груз, еще хуже, если груз попадет в руки противника. Бог с ним, с золотом и картинами, но документы — все без исключения — носили гриф «Совершенно секретно». Этот гриф и на сегодняшний день не потерял своей актуальности. Правда, времена изменились, все устаревает, кроме золота, и чаша весов на сегодняшний день склонилась в сторону драгоценностей, но это дело вкуса. Кого что интересует. Не могу не отдать должного Хоффману в его хозяйственности, дальновидности и уму. Этот человек не зря носил свой высокий чин.

Специальные кофры из нержавеющей стали с особыми замками были заготовлены заранее. Так или иначе, но архив в любом случае должен был найти свое постоянное место где-нибудь в Германии или другом месте. Дюжина отборных офицеров, я и Агроном упаковали архив за сутки. Ящики и впрямь были сделаны на совесть с немецкой педантичностью. Вовнутрь даже воздух не проникал —

полностью герметичны и недоступны. Ночью мы погрузили архив на грузовики и тронулись к границе. Вооружили всех до зубов, и меня в том числе. Когда в пятьдесят шестом меня взяли под Смоленском, я сказал, что был отправлен отдельно, с войсками, но это не так. Передвигаться по чужой вражеской территории, где параллельно идут войска противника, а леса полны партизан, и с паршивыми картами не так просто. А без знаний языка и вовсе никуда не годится. Агронома можно не считать. Ему прострелило щеку, выбило зубы и повредило язык. Бывшему белогвардейцу пришлось играть в молчанку. У Хоффмана не оставалось выхода, как только брать меня с собой.

Вокруг разрывались бомбы, дважды мы напарывались на партизанские засады и ловушки, но эсэсовцы дрались отчаянно, не жалея сил и жизни. И мы пробивались вперед. Хоффман проявил себя отличным стратегом, все его приказы были точны и понятны, в итоге мы не потеряли ни одного человека, оставив за собой гору трупов. Передвигались мы быстро, петляя по проселочным дорогам и захватывая в деревнях проводников. Один нас провожал от деревни до села, его убивали, в селе брали следующего. Так что свидетелей нашего маршрута не оставалось. Одному Богу известно, куда бы мы дошли, если бы не препятствие, которое с помощью стратегии и ума не преодолеть. Мы уперлись в реку. Широкая река и взорванные партизанами мосты. Слева Красная Армия, справа партизаны. Так мы оказались в тупике. Сами мы могли бы уйти по плотине, но как быть с машинами? Хоффман и не думал бросать архив. Такой вопрос просто не возникал.

Выход нашелся. В полукилометре от реки в болотистой низине стоял особняк столетней давности. Добротная постройка, принадлежавшая какому-то бывшему графу.

Там раскинулся небольшой госпиталь. За полчаса ни одного живого человека в этом госпитале не осталось. Эсэсовцы перебили всех, даже собак. В подвале особняка находился склеп — графская усыпальница — площадка метров пятьдесят, может, чуть больше, вход через стальной герметичный люк. Во время бомбежки туда спускались раненые и врачи. Стены выложены гранитом, а пол черным мрамором. Никакая бомба не достанет, там даже бомбежки не было слышно. В этом склепе и решил Хоффман устроить свой склад. Я не мог понять его тактики. Ведь красные все равно найдут усыпальницу. Но Хоффман знал, что делает. Мы перегрузили все кофры в подвал. Немцы его заминировали. Правда, я не думаю, что хоть один ящик пострадал бы от взрыва. Взлетят на воздух первопроходцы, но войдут другие.

Потом мы сожгли наши машины и отправились к реке. Вот тут мне стал понятен план Хоффмана. Он все уже рассчитал заранее. Плотина была взорвана. Вода хлынула в низину и уже через час накрыла крышу особняка. Образовалось озеро, река превратилась в ручей. Водная стихия бурлила с таким шумом, что мы не слышали гула самолетов. Ни госпиталя ни архива — все исчезло под водной гладью. Хоффман остался доволен. И опять нам повезло. Какой-то военный катер сел на мель. Вода в реке начала вновь прибывать, но эсэсовцам хватило времени, чтобы уничтожить всю команду, состоявшую из десяти человек. Трупы выбросили за борт, а немцы переоделись в русскую морскую форму. Эсэсовские мундиры затопили, оставив при себе только оружие и награды.

Когда река вошла в свои берега, мы тронулись на катере прямо в тыл к русским. Дерзости Хоффмана не было предела. Он, как разъяренный зверь, рвался из капкана на волю. Вскоре после полутора часов пути мы заметили огни на поле, что раскинулось по правому берегу. Это был

небольшой аэродром. Военных самолетов мы там не увидели, несколько транспортников под десант и тройка истребителей, ни штурмовиков, ни бомбардировщиков. Тут мы и причалили. Я бы не назвал это боем. Ночь, рассвет едва задевал горизонт. Охрану сняли в считанные минуты. Палатки со спавшими бойцами расстреливались и поджигались. Истребители вывели из строя, закинув гранаты в кабины. Двух летчиков оставили живыми и усадили за штурвал транспортника. Обеспечили себя парашютами. Не прошло и получаса, как самолет взлетел. Никто не стал бы расстреливать собственный самолет. Летели на запад, пока хватило керосина, и в общем-то нам удалось вырваться из плотного окружения, мы десантировались на линии фронта — там, где проходили леса. Я прыгал предпоследним, после меня Хоффман. Перед прыжком он зашел в кабину к пилотам и застрелил их. Самолет тут же потерял управление, и мы едва успели спрыгнуть.

Когда взошло солнце, мы выбрались на шоссе, по которому отступала немецкая армия. В ходе операции погиб только один офицер. Через три дня мы все собрались в Берлине. Груббер лично надел каждому из нас железный крест. Так наша эпопея и закончилась. Если вспоминать ее с подробностями, то вполне могла бы получиться интересная книга. Но вы же писатель, молодой человек, остальное дофантазируйте сами. Надеюсь, я отработал свои деньги?

— Конечно. Так, значит, архив остался в Советском Союзе?

— Думаю, и сейчас ни один листок не пожелтел от времени. Архив хранится в вакуумной оболочке.

— Вас засылали сюда в пятьдесят шестом году, чтобы вы его нашли?

— Угадали, но я не успел. Знаю только, что я не первый и не последний, кто засылался с той же целью.

Слишком велик соблазн добраться до столь необычного клада. Пока я отбывал срок, мечта найти сокровища помогала мне выжить. И надо сказать, я сделал такую попытку после освобождения, примерно через год. Поехал, осмотрелся и понял, что моей жизни уже не хватит, чтобы найти то место. Озеро давно превратилось в болото, старый особняк затянуло тиной, а чтобы добраться до склепа, нужны фантастические условия и годы работы. В одиночку с этим никто не справится.

Метелкин достал из сумки карту и разложил ее на столе.

— Можете указать место, где захоронен архив?

Старик долго изучал карту, потом сказал:

— Могу, но в радиусе пяти километров. Только по этой карте вы ничего не найдете, а с современной она не имеет ничего общего. Тут надо поэтапно собрать все карты с интервалом пять лет максимум.

— И где эта точка?

Старик рассмеялся.

— Так ты писатель или кладоискатель?

— Мне очень хочется побывать в тех местах, где происходили события.

— Вопрос решается просто: клади на стол остальные деньги — и узнаешь, где зарыт клад. Вряд ли ты сумеешь его достать, но ты сможешь продать информацию, а она дорого стоит.

Метелкин достал бумажник и выпотрошил содержимое на стол. Там оказалось еще тысяча триста долларов.

— Это все, больше у меня ничего нет.

— Верю.

Старик указал точку на карте.

— Здесь.

— А вам верить можно?

— Мне можно. Наивный Хоффман рассчитывал на реванш. Он верил, что скоро они вернутся. Верил в это и Агроном. Фанатики! Я уже тогда понимал, что фашизму настал конец. Мне просто деваться было некуда, безвыходное положение. Но всегда знал, что вернусь домой. И если найду архив, то немцам его не отдам. Оставлю себе горсть бриллиантов, остальное сдам в НКВД, авось простят. Ни Хоффман и никто это место не найдет, а у меня свой секрет имеется.

Когда мы кофры разгружали в склеп, я обратил внимание на особнячок. Там герб из лепнины сохранился и вензель «ВВ». Война кончилась, меня по свету долго мотало, потом преподавал в спецшколе для диверсантов, учил их правильному русскому языку. Ну а по ходу дела увлекался историей Государства Российского. Нашел я тот самый герб. Принадлежал он графам Воронцовым. Изучил их генеалогическую ветвь и нашел нужного. У Василия Воронцова было имение в Смоленской губернии в селе Копытове. Его-то мне и надо искать. Это и был мой ориентир, когда меня заслали в Союз в пятьдесят шестом. Только обратно я возвращаться не собирался. Место я нашел быстро — старожилы помогли. Кто-то помнил имение Воронцово, кто-то старое название Копытово. Так я и вышел к озеру. Даже место определил, где усадьба находится. Только реки там уже не было. Ей новое русло определили, плотинами застроили. Пусти сейчас по старому следу тех, кто участвовал в операции — ни за что не найдут. В этом вся штука. Но ты парень молодой — если полжизни на раскопки затратишь, то пенсия тебе не понадобится. Твои правнуки за всю жизнь всего не растратят.

— А кто-нибудь из живых остался?

— Вряд ли, я самым молодым был. Остальным уже за тридцать в те времена перевалило, а теперь, стало быть, за девяносто. Хоффмана видел. Это он меня в школу определил, потом в разведку взял. Он и засылал меня в пятьдесят шестом. Агронома в разведшколе тоже видел, за год до заброски сюда. С сынишкой трехлетним приходил. «Вот, — говорит, — я сдохну, а мой Юрка в свободной России жить будет!» Так и сдох фанатиком. Но все это давно происходило. И еще: запомни — на месте старого устья реки идет глубокий овраг. От оврага к востоку пятьсот метров. Это я хорошо помню, но от какой точки считать, не знаю. От плотины и следов не осталось. Озеро в болото превратилось с аэродром величиной, а по краям лесом поросло. Ломай теперь голову сам, парень. Все, что знал, рассказал.

Старик встал, забрал деньги и кинул их в ящик комода.

— Пора трапезничать. В печи щи застоялись. Ночь переночуешь, а утром я тебя до реки провожу, на плотах до Дудинки мужики тебя доставят, а там сам разберешься.

— Спасибо за радушный прием, Зиновий Карлович.

Метелкин с тоской посмотрел на опустевший бумажник, валявшийся на столе.

8. Смоленская область

Крылов шаг за шагом приближался к своей цели. Проверка окрестностей Ховрина показала, что беглецы выбрали для себя другую точку. В сопровождении своих боевиков он отправился в Курнаково. И вновь лакомый кусочек проскочил под его носом, и он не смог его схватить своими острыми клыками. Крылов считался одним из лучших оперативников в спецслужбах, но даром ясновидения не обладал. В то время как его «джип» на высокой скорости мчался на запад, в обратном направлении на обычном рейсовом автобусе ехала Настя. На отметке

«сто восьмой километр» они сблизились на расстоянии протянутой руки. Доля секунды — и они вновь начали удаляться друг от друга. Настя ехала в Ховрино, а Крылов по следам бежевой «волги».

Настя со своими спутниками остановилась в деревне Копытино. Хозяин уступил им лучшую половину дома, а сам с сыном перебрался на другую. Дачники осенью явление редкое. В этих местах и летом особого наплыва нет, так что старик был на седьмом небе от счастья. Тут привыкли считать каждую копейку.

Накануне изучали карту, ходили по деревням, расспрашивали людей, пытаясь узнать, где и какие ведутся строительные работы. Многого узнать не удалось, но коечто выяснили. Полученные сведения казались слишком расплывчатыми, и стало ясно, что только собственными усилиями можно добиться успеха. В итоге они приняли самое простое решение: Настя отправляется на разведку в Ховрино, а Вадим с Наташей обследуют местность в округе Курнакова. Так и сделали. Из дому вышли рано утром и разошлись в разные стороны.

Ховрино больше походило на небольшой городок, чем на поселок. Каким методом искать местных старожилов, Настя определила просто. Она подошла к одному из винных магазинов и поговорила с пьянчужками, вечно собиравшими мелочь на выпивку.

— Ну что, соколики? Поди, неймется, вам бы по стакану пора принять, а вы природой любуетесь.

Четверо помятых мужичков сразу оживились.

— А ты, сестренка, никак, угостить нас хочешь?

— Я денег на ветер не бросаю. Заработайте и получите.

— Мебель на этаж заносить? — спросил самый щуплый.— Так с похмелья силов нет. Мотор не потянет. Нужна заправка.

— Да уж, такому Илье Муромцу без заправки не обойтись. Нет, мебель мне таскать не надо. Меня интересуют старики, которые прожили в селе всю войну и помнят, что здесь происходило в годы оккупации. Найдите мне таких— и каждый получит по бутылке.

Тут начались споры, крики, битье себя в грудь и прочая неразбериха. Успокоились минут через пять, пока не пришли к общему знаменателю.

— Есть такой мужичок в нашем городишке,– выступил вперед самый боевой из неопохмеленных.– Зовут его Матвеем Захарычем, живет на Пушкинской. Во время войны он мальчишкой был, связником у партизан. Заслуженный человек, орденов и медалей целая шкатулка.

— Кто меня к нему проводит?– спросила Настя.

И снова в разговор встрял щуплый, окрещенный девушкой Ильей Муромцем.

— Хорошо бы авансик... Одну бутылочку для поддержания равновесия. Мы ее за минуту оприходуем, так что без задержек.

Настя протянула ему полсотни, и он со скоростью пули влетел в магазин. Еще минута — и бутылка упала на газон без единой капли водки.

К старику отправились всем стадом. Надежды себя оправдали. Герой войны, которого все звали уважительно Захарыч, оказался не таким уж старым. Жил герой убого, в старом домишке барачного типа, где занимал комнату размером с грузовой лифт с низкими потолками и крошечным окошком. Здесь и одному тесновато, а уж целой делегации и соваться нечего.

Настя представилась как журналистка, сунула мужичкам деньги, и тех как ветром сдуло.

— И что вам, милочка, от меня надо?– строго спросил хозяин, включая электрический чайник.

Грозный вид – это напускное, решила Настя, чувствуя, что им придется вместе чаевничать. Вот только не догадалась она купить чего-нибудь к столу. Здесь больше подошла бы колбаса и масло, чем торты да печенье.

— Вы хорошо помните годы оккупации, Матвей Захарыч?

— А почему нет? Память мне не отшибло. Я человек тверезый, не то что эти водкохлебы. К вечеру уже не помнят, с кем утром здоровались. Да ты садись к столу-то. Сушки с чаем похрумкаем.

Настя села. Над высокой железной кроватью с горкой подушек висели фотографии в рамках. Полный иконостас всех родных и близких, на дальних родственников стены не хватило.

— О партизанах писать хотите? — спросил Захарыч, разливая чай в чашки.

— Нет, об оккупантах. Меня интересует, что здесь делали немцы и куда они ушли при наступлении наших, был ли у них здесь штаб и кто им руководил.

— Штаб был. Здесь одно время квартировала эсэсовская дивизия «Мертвая голова», элитные войска вермахта. Частенько заезжал сам группенфюрер Груббер. Мы на него несколько раз готовили покушение, да только впустую. Хитер шакал! Это только в кино немцев дураками выставляют, а дисциплина у них была идеальная. Мощный кулак сосредоточился в наших местах. Когда наши подошли к селу, основные части фрицев отступили, а здесь осталась рота эсэсовцев — смертники. Шесть суток дивизия генерала Потемкина не могла взять село, пока всех до единого не перебили. Зверски воевали, грамотно, не щадя живота. А главное — своим дали уйти. За шесть дней можно до Берлина дойти на хорошей технике. Наши понадеялись их силой взять и всех разом накрыть, но не тут-то было — промахнулись. Немцев надо было в кольцо брать, окружить со всех сторон и добивать, как бешеных псов, а мы им коридор оставили. Вот они и ушли без особых проблем и торопливости.

— А через какие районы проходил этот самый коридор?

Ветеран почесал затылок.

— Через районы болот, где наши осмелевшие ребята уже не хотели ноги мочить, между двух огней — слева армия шла на запад, справа партизаны, а немцы между ними. Только передвигались они быстрее и привалов себе не устраивали. Прошли Балаханово, потом Курнаково и вышли к Орше, там наши стояли, так они через тыл их полукругом обошли, потом соединились со своими и отступали уже общей группой, несколькими дивизиями.

— Скажите, Матвей Захарыч, а немецкий штаб нам удалось захватить?

— Немцы после себя ничего не оставляли. Все сжигали, а что могли — вывозили. Кроме руин, нашим ничего не досталось.

— А могли они что-нибудь спрятать? Закопать то, что нельзя увезти и уничтожить?

— Слухи такие ходили, будто один из высоких чинов решил схоронить в наших местах крупный архив с особо важными документами. Здесь, неподалеку, у деревеньки Радищево. Искали после войны, но ничего не нашли. Правда, и не особо старались, но если бы и пытались, то впустую. Там сейчас какое-то строительство ведут, болото осушили, котлованы роют, но ничего не откопали.

— Туда можно попасть?

Хозяин усмехнулся и покачал головой.

— Всё колючей проволокой обнесли. Вроде как частная собственность. Мне не приходилось слышать, чтобы в России землей торговали, но ведь законы законами, а деньги деньгами. Ходил я как-то в военкомат за справ-

кой и видел одного из владельцев этих земель. Понял только, что он нерусский. А сопровождал его сам начальник областного УВД. Стелился перед иностранцем, двери в кабинеты открывал. Приходили за техникой. Солдатам тоже деньги нужны. Что уж там говорить, если они милицию и военных купили, а земли здесь навалом, и вся она мертвая. Хоть задаром забирай. Только кто возьмет-то?

— Однако взяли.

— Нам, здешним, невдомек. У них, видать, не так мозги повернуты.

— Тут напрашивается еще один вопрос, Матвей Захарыч. Работы иностранцы ведут обширные, используют тяжелую технику. Сельские угодья в ваших местах, скажем прямо, паршивые. Пара фабрик и один заводишко всех желающих работой не обеспечат. Наверняка кто-то из здешних пытался устроиться к иностранцам на работу. Вы что-нибудь слышали об этом?

— Конечно, но они отказали ребятам: мол, своих девать некуда.

— Глупо возить с собой рабочую силу. Их же жильем обеспечивать надо. К тому же местные мужики дешевле стоят.

Ответа Настя не услышала, ветеран лишь пожал плечами. Она заметила в его глазах разочарование. Он-то небось думал, речь пойдет о его подвигах, а журналистка интересовалась немцами и сегодняшним положением местного населения. Настя решила исправить положение и перевела разговор на военную тему, расспрашивая о партизанском движении. Тут Захарыч воспрял духом и сел на любимого конька. И куда нынешние писатели смотрят! Самый страшный момент попал на конец войны, когда немцы отступали. Тогда семнадцатилетний Матвей лежал в госпитале с ранением в ногу. Тут на лазарет напали эсэсовцы. Расстреляли всех живых. Матвею удалось спрятаться на чердаке, и он единственный, кто остался в живых. Через час немцы ушли. Матвей хотел найти хоть одного живого, рыскал по госпиталю, как вдруг раздался взрыв. Фашисты взорвали плотину, и в низину, где размещался госпиталь, хлынула вода. Через полчаса на этом месте образовалось озеро, и Матвей выбирался из ловушки вплавь, пока не достиг суши. С годами озеро превратилось в топкое болото, похоронившее под собой погибших солдат от зверской акции взбесившихся эсэсовцев.

Визит к ветерану оставил у Насти неизгладимое впечатление. Она думала о нем всю дорогу, возвращаясь назад. Впечатлений хватало, есть чем поделиться с ребятами. Интересно узнать, что им удалось выяснить. Вряд ли поход в лес оставит столько же впечатлений, сколько получила она. Но на этом ее приключения не кончились. В деревне ее ждал неприятный сюрприз.

9. Болота

К полудню они вышли к заданному квадрату. Небольшое поле, заросшее бурьяном, а за ним черная полоса леса. Над землей стелился туман, словно серое покрывало из пуха, в котором утопали щиколотки ног. Сырой воздух и висевшие над головой черные тучи. Малоприятное удовольствие гулять по такой погоде в таких местах. До поселка рукой подать, километра три, не больше, а здесь безлюдье и гробовая тишина, будто они забрались на чужую планету в зону отчуждения.

— Похоже, мы заблудились,— сделал вывод Журавлев.

Наташа достала из рюкзака карту и компас. Она долго делала свои сложные расчеты, потом покачала головой.

— Нет, мы идем правильно. Судя по всему, нам надо пересечь лес. Я не думаю, что он глубокий. Километра полтора, не больше, и мы попадем на объект.

— Ладно, пойдем. Ничего не поделаешь.

Они вышли к опушке, вдоль которой шла проселочная дорога с примятой гусеницами тракторов почвой.

— Видишь?– спросила девушка.– Обычная машина здесь не пройдет, завязнет, а тракторы ходят. Тут на несколько верст ничего не высаживают. В такой почве, кроме репейника, ничего расти не может. Тогда что здесь делать тракторам? Ответ простой — за лесом идут какие-то строительные работы. Ты глянь на дорогу. Она вся исполосована гусеничными следами и вмятинами от большегрузных машин — «КамАЗов», самосвалов. Тут работа идет полным ходом.

— Значит, через лес есть дорога, ведущая к объекту. Она нас и выведет куда надо.

— Ишь какой ты прыткий! Ты думаешь, эту дорожку не охраняют? Нам только не хватает в лапы к Крылову попасть. Надо понимать, что значит для Шефнера и его банды их объекты. Они ведь не клюквой на зиму запасаются.

— Ты права, осторожность нам не повредит. Преследовать своих преследователей дело рискованное, особенно таких, как Крылов.

Они прошли вдоль опушки, подыскивая более удобное место, где можно пройти, минуя колючий кустарник. Но как только такое место было найдено, они наткнулись на столб с табличкой: «В лес не заходить! Непроходимая топь! Змеи!»

— Хорошая страшилка,– усмехнулся Вадим.

— А кого они ею пугать будут? Местных? Так тех не напугаешь, они здесь каждый куст знают.

— Однако мы ни одной живой души не встретили, а сейчас самое время урожай грибов собирать и упомянутой тобой клюквы. Местная публика живет подножным кормом.

— Ладно, не будем разводить философию. Идти в любом случае надо,– решительно заявила Наташа и, перепрыгнув через канаву, направилась к лесу.

Вадиму ничего не оставалось, как последовать за ней. Ноги проваливались в мягкую, поросшую высокой травой почву, под подошвами резиновых сапог хлюпала густая зеленая жижа.

— Держись ближе к деревьям, там суше! – крикнул девушке вслед Вадим.– И не торопись так. Мы никуда не опаздываем.

Они прошли еще полсотни метров, и тишину разорвал кошмарный вопль. Оба застыли на месте.

— Что это?– испуганно спросила Наташа.

— Кто-то угодил в трясину. А ты говоришь, что мы здесь одни. Нашлись и другие психи.

— Я даже не поняла, кто кричал — мужчина или женщина. А ты как думаешь?

— Я не думаю. Вопль страха не имеет пола. Надо обломать орешник и сделать трости. С хорошей палкой идти спокойней и легче. И почву прощупывай, прежде чем ступать.

— Он кричал где-то рядом.

— Так кажется. Эхо. Километра два отсюда.

Вадим принялся обламывать орешник. Наташа наблюдала за ним и чувствовала, как сильно колотится ее сердце. Она старалась отгонять от себя страх и не думать об опасности. Все будет хорошо. С ними ничего не должно случиться. Это несправедливо.

Вадим подал ей двухметровую палку.

— Вооружайся, Натали. Теперь тебе и медведь не страшен. И не скачи по кочкам, как коза. Идем тихо и спокойно.

И они пошли. Следующий сюрприз их ждал через три сотни метров, когда лес сгустился, кустарник пропал, а трава стала ниже. На сей раз вскрикнула Наташа. Пусть не так отчаянно и страшно, но Вадим вздрогнул. Он глянул на девушку и увидел ее бледное лицо и глаза, полные ужаса.

Он проследил за ее взглядом, и по его телу пробежала дрожь. Зрелище было отвратительным. На земле, прислонившись к дереву, сидел скелет в порванном ватнике. Рядом находилась огромная муравьиная гора, и желтые прожорливые твари ползали по обглоданным костям в поисках остатков былого пиршества.

Наташа стояла не двигаясь, будто завороженная, и не могла оторвать взгляда от страшной картины. Вадим взял ее под руку и отвел в сторону. Он чувствовал, как девушку трясет, словно через нее пропустили электрический ток. Оказавшись в стороне, она уперлась рукой в дерево, и ее вырвало.

— Пойдем-ка домой, голуба,– сказал Вадим.– На первый раз хватит. Чует мое сердце, дело кончится бедой. Чем дальше в лес, тем больше дров. Но Наташа выдернула руку.

— Мы пойдем до конца! – в ее голосе звучала твердость.– Второй раз меня сюда на аркане не затащишь.

— Откровенное признание. А ты хочешь с первого захода выйти на место, откопать архив, рассовать его по карманам и под фанфары вернуться домой победительницей, так? В лучшем случае мы увидим с тобой обычную стройплощадку, охраняемую со всех сторон вооруженными людьми. Посмотришь ты на все это в бинокль и сразу дашь точный диагноз: «Тут будет город заложен!» Черта с два! Слишком мы торопимся. Надо выработать четкий план действий, просчитать все возможные варианты, а потом выносить решение. А мы, как слепцы, гуляем по краю пропасти в поисках счастья.

Наташа оставалась непоколебимой.

— Ничего мы не просчитаем и не составим, потому что мы ничего не знаем. И не будем знать, пока гадаем на кофейной гуще. Лучше один раз увидеть, чем сто раз строить предположения. Нам нужны факты.

— Хорошо, уговорила. Только не ной и не ори на весь лес. Идем. Я готов.

И они вновь пошли, прощупывая шестами лужи, обходя камышовые участки и небольшие озерца. Наташа следила за компасом и поглядывала на часы.

— Мы идем уже сорок минут. С учетом остановок за полчаса мы могли углубиться километра на полтора. Ты со мной согласен?

Вдруг она почувствовала, как ее схватили за шиворот и отбросили назад. Наташа отлетела на пару метров и, упав, оказалась в луже. Вадим остался стоять на месте.

— Ты что, спятил? Я же не щенок и не котенок.

Вадим не отвечал. Он замер и не шевелился. Девушка приподнялась и зажала себе рот рукой, чтобы не вскрикнуть.

На том месте, откуда ее отшвырнули, появилась голова змеи. Это была огромная кобра. Она поднималась из травы, издавая кошмарное шипение, дергая своим раздвоенным языком. Ее голова поднималась все выше и выше. Вадим находился от нее в полутора метрах. Выпад этой гигантской гадины вполне мог достать его.

— Бей ее палкой! – крикнула Наташа.

— Не шевелись! – рявкнул Вадим.

Соревноваться в реакции со змеей то же самое, что увернуться от пули. Девушка успела сообразить: спастись

можно только одним способом. Кобру необходимо отвлечь. Но как? Палку она выронила при падении, и сама находилась за спиной Вадима. Вот если бы в стороне...

Раздался выстрел. Пуля снесла голову кобре, словно ее срубили. Кто? Где? Как?

Спаситель стоял метрах в шести слева. Высокий, долговязый мужик в телогрейке, рыбачьих сапогах, скрывавших колени, серой кепке. В руках он держал обрез винтовки, из отпиленного ствола шел черный дымок.

На вид ему было около шестидесяти, вроде деревенский, однако лицо больше походило на городского интеллигента.

— Хороший выстрел,– выдавливая улыбку, пробормотал Журавлев.

— Постреляй с мое — и сам научишься. Веселое местечко выбрали для прогулок. Вижу, не с каторги бежите, а по своей воле в дебри забрались.

Спаситель сунул обрез под телогрейку, поднял с земли мешок и палку и подошел к путешественникам.

— Давайте знакомиться. Меня зовут Дмитрий.

— Спасибо, Дмитрий. Я Вадим, а моя подружка Наташа. Отпуск проводим в здешних местах, да вот заблудились.

— Похоже на то, пойдем, я вас выведу. Удивительно, как вы еще сумели углубиться на такое расстояние. Тут змей больше, чем червей.

— А вы как умудрились?– спросила Наташа, отряхивая промокшие джинсы.

Дмитрий потряс мешком.

— У меня тут есть экземплярчики пострашнее индийской кобры. Я змеелов. Это моя работа. А вот для прогулок тут место не подходящее. Идите за мной след в след и смотрите под ноги. Есть тут и «дрофы». Так те нападают на свои жертвы с деревьев. Обовьет вокруг шеи, задушит, а потом кровь высасывает. Так просто ее не увидишь. Она на вид от сучка не отличается. Замрет и ждет. Как правило, их жертвами становятся лисы и мелкое зверье. Но есть особи крупного размера. Такая и на человека нападет, и на оленя. Силища у них неимоверная. Чуть замешкаешься — и хана, кости, позвонки захрустят, и бывай здоров.

— Где же такие водятся?

— В Южной Америке, в джунглях Амазонки.

Змеелов шел свободно и даже беспечно, в то время как его спутники пугливо поглядывали по сторонам.

— А как же все эти твари оказались в смоленских лесах?– удивилась Наташа.

— Старая история. Произошло это в начале шестидесятых. Тогда я, еще совсем молодой зоолог, проходил практику в Средней Азии. Там и научился искусству змеелова. Мы вылавливали змей для опытов и добычи яда для фармацевтических лабораторий. Змея — это не просто ползающая тварь, я могу о змеях говорить бесконечно, но для такой темы трудно найти слушателя. Так вот, в те далекие шестидесятые то ли из Германии, то ли Швейцарии к нам в Россию отправили змеиный террариум с более чем двумястами особями особо ценных пород змеиного поголовья. В основном для зоопарков и ученых. Везли их на машинах. Удивительно, что не поездом. Самолеты змеи переносят плохо, могут погибнуть от перепадов давления. Но почему на машинах, мне непонятно. В результате где-то в этих местах произошла крупная автокатастрофа. Машины сильно побились, несколько человек погибли, а змеи уцелели и расползлись по местности. Их везли под стеклом, что неправильно. Для транспортировки ядовитых змей существуют специальные корзины с крепкими защелками. Но и это не самое удивительное. Все змеи разводились в Европе и были приспособлены к среднему климату. Если вы сейчас привезете из Индии

кобру и бросите ее в лесу, то она не перезимует и погибнет. А те были адаптированы к нашим условиям. Вот почему они выжили и начали плодиться. Побывав тогда в Москве в институте, я просмотрел списки тех змей, которых мы с нетерпением ждали. Тридцать наименований уникальнейших, редчайших экземпляров. У меня слезы на глаза навернулись. Это сейчас мы можем махнуть в Южную Африку и посмотреть там на живую катангу, а тогда никто и мечтать об этом не мог.

На секунду Дмитрий остановился и проделал несколько странных движений палкой. Когда он ее приподнял, то на ней висела пятнистая змея, не менее полутора метра длинной и в руку шириной. Он сделал резкое движение, и змея отлетела в сторону метров на десять.

— Бог мой! – вздохнула Наташа.– Какая страшная мерзость.

— Это не мерзость, а южноазиатская эфа. От ее укуса спастись еще можно, если успеешь высосать яд, а вот от черной гюрзы – уже нет. От ее яда тут же кровь свертывается.

— Почему же вы ее не убили?

— Я убиваю змей, если они грозят человеку. Она нам не мешала.

— А почему вы не бросили ее в мешок?– спросил Вадим.

— Этих особей у меня много, а места мало. Прошли те времена, когда я хватал всех подряд. Теперь я беру только уникальные экземпляры, но их найти непросто. За день встретишь пару сотен змей, а домой возвращаешься пустым. Приходится проводить тщательный отбор. У меня три сарая на участке, около тысячи змей. Их же кормить надо, содержать, ухаживать за ними. Вот и приходится делать тщательный отбор.

Пока они добрались до опушки, Дмитрий раскидал по сторонам еще нескольких змей.

— Странно! – протянул Вадим.– В центре России в смоленских землях существует змеиное царство, и власти не предпринимают никаких мер. Ведь тут наверняка погибло немало людей.

Змеелов усмехнулся.

— Мы никогда свой народ особо не щадим. Человеческая жизнь для нас ничего не значит. Нас приучили к этому. Сталин, наша медицина и наш гуманный суд. Небрежное отношение к личности впиталось нам в кровь. Подумаешь — взяли и послали наших ребят подыхать в Афганистан. Подумаешь — устроили мясорубку в Чечне. Воюем, умираем на операционном столе при удалении аппендикса или сдыхаем от чахотки в лагерях и тюрьмах. Таков порядок вещей. Кто же станет змей вылавливать в лесах! Никому же не приходит в голову перестрелять всех волков или уссурийских тигров, а они не менее опасны. К тому же змей не так просто выловить. Они умнее человека. У нас по городам бегают тысячи зараженных бешенством собак, а вы говорите о лесе.

— Мы слышали крики в лесу. Почему бы не запретить людям ходить сюда?– спросила Наташа.– И скелет человека видели.

— Скелетов и черепов здесь хватает... Беглые каторжане. Они не заходят в лес, а пытаются из него выбраться.

— Как это?– удивилась девушка.

— Вы в село? Идемте, я вас провожу и расскажу про один случай. — Они выбрались на дорогу, и змеелов продолжил: — Попался мне однажды парень в лесу, как и вы, но того успела ужалить гадюка. Не такая уж страшная змея. Я распорол ему ножом рану. Высосал яд и отволок к себе домой. Наложил повязку с мазью, сделал укол сыво-

ротки. За пару дней поставил парня на ноги. Вот он мне и поведал о своих приключениях. А дело было так.

Сидел он в колонии строгого режима, что возле Сафонова. Срок немалый, до свободы маяться на нарах пяток лет оставалось. Вот один зэк ему и предложил: мол, есть выход, причем без риска, а с ведома охраны и тюремных начальников. Бывают в зоне вербовщики. Кто и откуда, никто не знает, только если ты согласен, то тебя возьмут на работы, где год за три идет. Даешь подписку — и вперед. Он согласился. Обещали через полтора года выпустить подчистую и паспорт без пометок выдать. О таком никто и мечтать не смел. Но вот приехал за ними воронок, загрузили туда десяток добровольцев — и вперед. Куда везли, никто не знал. Охранники в штатском и оружие у них иностранное. Через полдня привезли на место. С машин спрыгнули и прямо в болоте по уши погрязли. Машины там по деревянным помостам ходят. Сараюшки, в которых они жили, на сваях стояли — метра два над землей. Каждый такой сарайчик на четырех человек рассчитан, а забираться на него по веревочной лестнице приходилось. И таких скворечников вдоль всего болота не счесть.

Собрали их всех в кучу, и пришел прораб. Имен не спрашивал, списки не проверял. Сказал просто: «Будем осушать болото, а потом рыть котлован. Вскоре здесь будет крупный комбинат построен. Наше дело — подготовить площадку под строительство. Работаем по двенадцать часов, жратва два раза в день до отвала. Кто захочет бежать, скатертью дорожка. Охрану мы не выставляем. Лесная полоса два с половиной километра. Живым ее еще никто не пересекал. Змей здесь больше, чем травы. Кто год с усердием проработает, того вывезем на волю и отпустим на все четыре стороны. Дорога здесь только одна, но там на всех стволов хватит. Желающим попытать счастье совет: уж лучше от пули сдохнуть, чем от ползучей твари».

С тем прораб и ушел. Наш зек верил в торжество справедливости и хотел попасть на волю с чистым паспортом. Но постепенно вера превратилась в отчаяние. Ему везло больше, чем другим. Он прожил восемь месяцев. За это время в его скворечнике сотня человек поменялась. Кого на болота только не возили! В основном попадались шабашники из ближнего зарубежья, охотники заработать деньгу в России. Приезжали нелегалы с Украины и Молдавии. Им обещали златые горы, а вместо денег они находили свою смерть. Если тебя не засосала трясина, значит, ты сдохнешь от змеиного укуса. Никто из беглых не возвращался и до свободы не добирался. Змеиную границу никому перейти не удавалось. Случались и налеты на охрану, но ни к чему хорошему это не приводило. Дорога проходит по мосту через овраг. В овраге змеи, а через мост две каменные башни с бойницами, а там пулеметы. На мосту не спрячешься. Ты весь как на ладони. Очередь из трассирующих пуль все равно тебя достанет. Гиблое дело. Оставалось только вкалывать и надеяться. Но надежда сквозь пальцы как вода просачивалась и вся вытекла. Никто живым еще не покинул треклятую каторгу. Попавший туда человек исчезал навечно. А главное — искать тебя некому. Нелегалов вербовали прямо на вокзалах. Их родня понятия не имеет, куда они делись. Россия велика. А родственникам зеков отписку делали. Мол, сбежал ваш родимый муженек или сынок. Ищите сами.

Болота они осушили, начали котлован рыть, а тут змеи из лесов повыползали, на солнышке погреться решили. Вскоре в котловане от них проходу не стало. Резиновые сапоги от кобры не спасали. Не выдержал наш зек каторжной жизни и рванул наутек. Уж лучше смерть с надеждой, чем впустую. Ему повезло — на меня нарвался. Что с ним теперь, не ведаю. Но чистого паспорта он не дождался, и никто бы ему его не дал.

— Похоже на страшную сказку,– прошептала Наташа.

— Это не сказка. Ходил я на ту сторону леса, сам все своими глазами видел.

— А куда же смотрят власти?– поразился Вадим.– Мы же живем в цивилизованном государстве. Самая что ни на есть каторга под носом у столицы.

— Насчет цивилизованного государства я ничего не слышал, и видеть мне его не приходилось, а насчет властей вопрос просто решается. Какая-то крупная фирма арендовала эти земли под невероятное мифическое строительство. Места здесь гиблые, безнадзорные, мертвая зона. Какая же власть откажется деньги получать ни за что ни про что. Им сунули по куску в зубы и сказали: «Теперь я тут хозяин, и нос свой в мои дела не суйте!» Вот вам и вся власть. Их еще и техникой обеспечили. Тут правду искать, что пальмы на болотах. Все кругом одной веревкой повязаны. Только я в толк никак взять не могу, какому дураку в голову втемяшилась мысль болота осушать? И что с этого проку? А денег на это дело немало ушло. Два года вкалывают каторжане без сна и отдыха. Что они ищут? Может, там под землей изумрудный город расцвел и сказочные персонажи живут? Ведь чтобы такую работу проделать, надо иметь цель. Одержимую цель, а не просто так, дурью маяться.

— Вы правы, Дмитрий,– поддержал змеелова Вадим.– Цель у них есть, и очень серьезная. Готов с вами обсудить этот вопрос, если вы согласитесь проводить нас на ту сторону леса.

Змеелов остановился и с удивлением глянул на своих спутников.

— Вы это серьезно, ребята?

— Вполне, причем мы вам готовы заплатить за путешествие. Вы же нуждаетесь в деньгах?

На лице Дмитрия появилась кривая ухмылка.

— Я сразу понял, что вы неспроста отправились в лес. Случайные люди сюда не захаживают, а охотники за грибами имеют привычку ходить с тарой для грибов. Что скажете?

— А чтобы вы хотели услышать?– спросила Наташа.

— Тайна болота меня и самого давненько интересует. Баш на баш. Вы мне раскрываете свои карты, а я вас проведу на ту сторону.

— Хорошо,– не задумываясь, ответила девушка.

— Тогда милости просим ко мне в гости. Я вам покажу свою коллекцию змей и потолкуем о предстоящем походе.

Дом змеелова находился на окраине деревни Симашки, цивилизация не тронула забытый уголок земли. Местные жители привыкли сами о себе заботиться. Электричество они провели от проходившей в километре высоковольтной линии, остальное их не интересовало. Пятнадцать дворов — не очень много, но люди здесь жили разные. Старожилы — всего несколько стариков, остальные пришлые. Не будем вдаваться в подробности. О ком надо, змеелов сам нам расскажет, а пока вернемся к нашей компании.

Во время чаепития Наташа вкратце рассказала историю с немецким архивом и о том, что эти земли приобрела немецкая фирма. Вывод напрашивался сам собой. Выслушав гостей, Дмитрий почесал небритый подбородок и, подумав, сказал:

— То, что немцы посылали своих агентов на поиски, вполне понятно. И теперь, как мне кажется, я нашел объяснение той самой истории с автокатастрофой, когда змеи расползлись по здешним местам. Теперь мне понятно, что авария была спланированным актом.

Вадим рассмеялся.

— Вы фантазер, Дмитрий! До такого и я бы не додумался. При чем здесь змеи?!

— А при том. Они лучше любых сторожевых собак. Собака, волк, тигр – враги открытые. Стоит вам взять в руки ружье — и вы уже сильнее слона. А змея — враг невидимый, умный, непредсказуемый. Идея сама по себе гениальна. Если кто-то из немцев точно знал место захоронения архива, то лучший способ оградить этот участок от посягательств извне — это выставить надежную охрану, долговечную и смертоносную. Подумайте сами. В начале шестидесятых, когда Хрущев всех пугал кузькиной матерью, немцы уже не рассчитывали на скорый реванш. Но и сдавать архив в руки врагу тоже не собирались. В те времена были живы все те, кто значился в архивах, — предатели, свидетели, агенты, секретные материалы, тысячи имен. Может быть, для Московской области такой ход и не стал бы актуальным, но Смоленская область никогда не имела лакомых кусочков и не привлекала к себе внимания властей, государства, а сегодня и бизнесменов. Достаточно выставить пугало — и сюда еще сто лет никто носа не сунет.

А теперь посмотрим на некоторые факты с точки зрения предложенной мною теории. Помните, я вам рассказывал о том, что в Московском НИИ зоологии знакомился со списком, точнее, с каталогом змей, который нам отправили из Европы. Все мы с большим нетерпением ждали прихода автопоезда в Москву. Как вам уже известно, он так и не пришел, а сопровождавший груз известный зоолог профессор Вернер Грюнталь сгорел в кабине одного из грузовиков, когда несколько машин вспыхнули. Но об этом чуть позже.

Когда я попал в здешние места, то был крайне удивлен, поймав в свой мешок гюрзу. Азиатских змей в каталоге не было. Потом мне попалась дальневосточная гадюка и гремучая змея, которых также в реестре не значилось. О чем это говорило? О том, что сюда отправили весь ассортимент, имевшийся в наличии. Многие пресмыкающиеся могли не выдержать сурового климата, и, чтобы не рисковать, ассортимент расширили по всем диапазонам. Они даже нашли щитомордника. Эта красотка водится только на нашей территории. Я долго ходил в догадках, но в конце концов смирился и перестал об этом думать.

Теперь вспомним великолепного немецкого зоолога Вернера Грюнталя. В автокатастрофе погибли три человека, в том числе и он. Три машины врезались одна в другую, шофер четвертой, где ехал профессор, успел увернуться, выкрутил руль и съехал в кювет. А там их поджидал крепкий дуб. Удар — они потеряли сознание, бензин вспыхнул, и все сгорело, но о катастрофе мы подробностей не знали. Я краем уха слышал, что делом интересовался КГБ. Оно понятно — погибли иностранцы. Результаты аварии, и к чему она привела, мы знаем. Но тут есть одна загадка, которая мне не по зубам.

Я достаточно серьезно отношусь к своей работе и отслеживаю все научные открытия и исследования, выписывал кучу журналов из-за рубежа и не один день просидел в читальных залах. В семьдесят пятом году я наткнулся на очень интересную статью о питонах и анакондах в одном из немецких журналов. Но больше всего меня поразил тот факт, что автором статьи был не кто иной, как Вернер Грюнталь. Двух исследователей такого масштаба с одним именем не существует. В такое совпадение поверить невозможно. Я написал письмо профессору и, как ни странно, получил от него ответ. Он никогда не бывал в Советском Союзе и об отправке уникальной коллекции чешуйчатых пресмыкающихся ничего не слышал. Вопрос на засыпку: кто остался на трубе? Кто погиб в аварии? Теперь, по истечении стольких лет, мы об этом уже не узнаем. Вот такая у нас вырисовывается картинка.

Некоторое время в комнате стояла тишина.

— Беру свои слова обратно,– промычал Вадим.— Вы не фантазер, а прекрасный аналитик. Такой талант в глуши погибает!

Дмитрий улыбнулся.

— Нет, я не погибаю. Я занимаюсь любимым делом и пишу научные статьи. Но в нашей деревне есть люди, которые действительно зарывают свой талант в землю. Тимоха Кулибин. Кулибиным мы его прозвали за изобретательность. Часы вручную собирает, солнечные батареи делает, на огороде полная автоматика — сам себя поливает, птиц отпугивает и с клещами борется. Есть и свой генерал. Это он мне обрез соорудил из выкопанной на огороде трехлинейки времен войны. В оружии спец. Страшный народ здесь живет, и каждого своя причина загнала в эту глушь. У нас не принято лезть друг к другу с расспросами. Мы живем сегодняшним днем, а на прошлое оглядываться не любим.

Но хочу еще пару слов сказать о Тимохе. Сделал он для меня один аппарат наподобие миноискателя — палка с блинообразной антенной. Принес ко мне в террариум и продемонстрировал. Так мои любимчики чуть с ума не сошли. Хитрая штука получилась. Мне она без надобности, а в походе пригодится. Аппарат издает ультразвук, который наши уши не слышат, но змеи от него бегут. Стоит его включить — и на десяток метров вокруг вас ни одной змеи не будет. Интересно, кого тогда я ловить стану?! Конечно, я поблагодарил Тимофея за медвежью услугу и закинул чудо-пугало в сарай. А теперь, как видно, оно нам пригодится.

— Когда пойдем?– спросила Наташа.

— Хоть завтра. Приходите пораньше с утречка и двинем. Вы где обитаете?

— В деревне Копытово, целые хоромы сняли.

— Тут рядом, километра четыре, не более. Только оденьтесь не так пестро. «Дрофы», живущие на деревьях, любят яркие цвета. А сапоги я вам подберу. В ваших ботинках по болоту гулять опасно.

— Хорошо. Мы, пожалуй, пойдем, пока не стемнело, а то заблудимся.

Гости встали. Глядя на змеелова, Вадим не сомневался, что нашел достойного партнера, он видел, как горят глаза у Дмитрия. Впрочем, если человек занимается такой профессией, то наверняка не равнодушен к приключениям. Главное — человека зажечь идеей, а змеелов уже полыхал, как факел.

10. Ховрино

Никто и никогда не видел Ингрид без макияжа. Николай проснулся, когда ее уже в постели не было. Он встал и отправился в кухню готовить завтрак. Изнеженная дама не привыкла стоять у плиты. К тому же для нее приходилось делать особый завтрак, на обычную яичницу она и смотреть не станет. К приему своей любовницы Николай готовился загодя и продукты заказывал в ресторанах.

Ингрид вышла из ванной и направилась в гостиную. Выглядела она безукоризненно. Такую дамочку не возьмешь в охапку и не бросишь на постель. Простецкие мужицкие страсти приходилось сдерживать, а ему очень хотелось порвать на ней одежду и повалить на ковер.

Завтрак ждал ее на столе. Они сели, и строгая красавица завела серьезный разговор, которого ему удалось избежать вчерашним вечером.

— Ты уверен, что мы добрались до цели?– спросила Ингрид, намазывая тост маслом.

— Да, здание не пострадало под толщей болотного ила. Меня смущает фундамент. Мы уже добрались до под-

вала. Замурован намертво. Уверен, что туда даже вода не просочилась. Вакуум. Но вскрывать я его не решаюсь — ты говорила, что вход заминирован. Если изнутри, то взрыва не избежать, если снаружи, то мина не сработает. Пятьдесят лет под водой... Впрочем, не знаю.

— Гюнтер видел подвал?

— Пока нет. Он приезжает нечасто, но со дня на день появится.

— Вот пусть он и вскрывает подвал. Если Гюнтер взлетит на воздух, то ты станешь хозяином объекта.

— Гюнтер может приказать мне вскрывать двери. Он начальник.

— Откажись, найди причины. Он тебя не уволит и не уничтожит. От него ничего не останется.

— А если бомба не сработает? Он вскроет подвал и увидит архив первым. Через час об этом будет знать Шефнер.

— Сколько у тебя своих людей на объекте?

— Человек пять — надежные ребята. А у Гюнтера внешняя охрана, не меньше полусотни бойцов, вооруженных до зубов. Я могу дать своим мужикам оружие, но тогда они выйдут из-под моего контроля, захотят на свободу. И где гарантия того, как они среагируют на то, что увидят в подвалах?

— Там лежат обычные стальные ящики с номерами. Они очень тяжелые, и их не так просто открыть. Вряд ли полуголодных уголовников сможет заинтересовать такая находка. Хочешь ты того или нет, но план у нас только один. Гюнтера придется уничтожить, охрану снять, а вся банда работяг может бежать на все четыре стороны.

— Твоя идея мне понятна. Однако, во-первых, объект останется без охраны, во-вторых, на свободу вырвутся более двухсот головорезов. По всей округе начнется резня.

Последствия непредсказуемы. А если десяток из них возьмут и допросят, то наружу выплывет такое, что нам всем не поздоровится.

Ингрид ела икру, пила кофе и думала.

— Нужен бунт. Ближайший населенный пункт находится в восьми километрах от зоны. Выстрелы никто не услышит. Надо столкнуть лбами рабов и охранников. Четверо безоружных на одного вооруженного – это примерно равные шансы. Чем больше их подохнет, тем легче будет нам. Такой вариант тоже имеет право на существование. Очистить объект от скверны, а подвал мы сами вскроем. У меня есть в Смоленске надежные люди, человек десять. Машины я тоже достану. Это не проблема. Мы опустошаем объект, тут же грузим архив и вывозим в район Орши. Там у меня заготовлено место под хранение, небольшой особнячок в три этажа. Как пересылочный пункт вполне сойдет.

Теперь задумался Николай.

— План красивый, но не просчитанный. Слишком много дыр. Ты предлагаешь устроить полигон с кровавой бойней, где полягут три сотни человек, и при этом хочешь, чтобы об этом никто не узнал хотя бы в течение суток, пока мы не подгоним машины и не загрузим архив, а потом беспрепятственно переправим его в Оршу. Выполнять такую операцию без страховки глупо. Пятьдесят лет поисков, два года непрерывной работы, и в один миг пустить все труды и годы кошке под хвост. А милиция? А Шефнер? И наконец, Крылов.

— Милиция куплена, на нее есть кому надавить. Шефнер далеко. У него сейчас появились новые проблемы, и скоро он в них погрязнет с головой. Им интересуются органы в связи с исчезновением жены. Эту проблему я ему навязала, и мой план сработал. Шефнер уже не противник. Он выбыл из игры. Крылов? Да, это серьез-

ная проблема. Опасный конкурент. Но у него здесь не больше шести боевиков. С Крылова и следует начать. Его надо убрать первым. Сообрази, как это сделать лучше. Используй уголовников. Дай им свободу в обмен на жизнь Крылова и его охранников.

— Для этого я их должен выпустить на свободу, чтобы они нашли Крылова и уничтожили. Но, оказавшись на воле, они могут проигнорировать наш договор, и ищи ветра в поле.

— Мы их проконтролируем. В Смоленске живет один очень серьезный авторитет. Я связана с ним через антиквариат. Эстетствующий бандит. Своих людей под пули он подставлять не будет, но проконтролировать других согласится. Так что твои уголовнички будут под контролем и оставят их в покое только после того, как они выполнят задание. Думай, Николаша. Я предложила тебе тридцать процентов добычи. В этой стране на такие деньги могут прожить несколько поколений. Но такое состояние так просто в руки не дается, его заработать надо. И не обычным трудом с киркой и лопатой, а с риском и кровью.

— Только что я буду делать со своей долей? Ходить по рынкам и торговать бриллиантами или оружием, инкрустированным золотом и изумрудами?

— А я для чего? Постепенно я выкуплю у тебя каждую булавку. Но ты слишком рано начал думать о том, чего у тебя нет. Сейчас надо сконцентрировать все силы на главном. Пора форсировать события. Мы уже у дверей, за которыми будущее, цель достигнута, а мы оказались не готовыми и растерянными. Стоим и пожимаем плечами, когда надо предпринимать самые активные действия.

— Ты права, моя королева. Давай-ка обсудим детали и прикинем наши возможности.

Завтрак закончился, они убрали со стола, разложили карту и принялись за работу.

11. Деревенька с сюрпризом

Настя вздрогнула.

— Мир тесен, любезная Анастасия Викторовна. Рад видеть вас вновь.

За ее спиной закрылась дверь, и на пороге выросли двое рослых парней в строгих черных костюмах. Она их узнала, как только оглянулась назад. Это они сопровождали в поезде Наташу. А за столом сидел их главный вожак, с которым она разговаривала через балкон. Дик предупреждал ее, что Крылов очень опасный тип. Такому в когти лучше не попадаться. Однако Настя умела держать себя в руках.

— Пожаловали в гости? Чем вас угощать? Чаем?

— Спасибо, но лучше мы дождемся остальных и тогда уж подумаем, чем нам заняться.

Настя скинула куртку, бросила ее на кровать, села на стул возле окна и закурила.

— Зачем вам нужна Наташа?– спросил Крылов, перебирая четки в руках.– Устроили похищение в поезде, привезли ее в эту дыру, рискуете жизнью. Ради чего? Вас кто-то нанял? Кто? Ведь вы далеки от профессионалов. Следите повсюду. Ну кто же приезжает на заметной машине в глухую деревню, снимает дачу в мертвый сезон? Надо в палатках жить в лесу и носа не высовывать. Или привычка к столичному комфорту вам не позволяет жить в спартанских условиях?

— Но вы-то наверняка не пешком сюда пришли, и не на самосвале приехали.

— Вы правы. Однако моей машины вы не видели, а потом: в моем появлении важную роль играет фактор неожиданности. Вы же на сто процентов уверены, что вышли из-под нашего контроля. Может быть, так и получилось бы, но вы, Настенька, оставили следы от кроссовок,

в которых сейчас сидите, под окнами на балконе. А мне оставалось только выяснить, что вы могли услышать, находясь в засаде. Женщина произнесла вслух три названия поселков и этим определила ваши последующие действия. Обычная ловушка.

— Мне очень трудно вам отвечать. Я абсолютно не понимаю, о чем идет речь. И даже переубеждать вас не стану. Человек с навязчивой идеей в глазах переубеждению не поддается. Считайте так, как вам кажется, но к действительности это не имеет никакого отношения. Я приехала сюда с мужем отдыхать.

— Почему же вы отпустили мужа с другой женщиной? Ведь мы уже пообщались с хозяином. Они сейчас в сарае отдыхают.

— Я приехала с сестрой. Они скоро вернутся, сами увидите. Вас ждет разочарование. Вы попусту тратите время.

— Жизнь коротка, Настя. Я не из тех людей, которые разбрасываются своим временем. В моей игре проигравших не бывает.

Настя засмеялась.

— Как же так? Вы уже потеряли какую-то Наташу, а теперь тратите время на ее поиски, да еще методом тыка — авось повезет. Нет, вы делаете что-то не так. Слишком самонадеянны. С таким подходом вы обречены на провал.

Настя просто болтала всякую чепуху, обдумывая варианты, как ей предупредить Журавлева об опасности, не подозревая, что в ее словах имелся здравый смысл.

Вадим почуял неладное за километр от деревни, когда они с Наташей вышли на прямую дорогу — единственную, ведущую к селению.

— Не торопись, дорогуша.

— Не могу больше. Меня уже ноги не держат. Я сейчас упаду.

Вадим присел на корточки и начал разглядывать пыльный грунт.

— В сторону деревни проехала машина. Утром этих следов не было. Скорее всего «джип». Широкие протекторы, глубокие. Машина большая, тяжелая. Либо «шевроле», либо «линкольн-навигатор» или «тойота». Обратно машина не уезжала. Нам лучше сойти с дороги и пойти лесом. Если машина стоит на виду в деревне, это полбеды, но если ее нет, то это плохо.

— Может быть, не рисковать, а вернуться к змеелову?

Вадим с удивлением посмотрел на девушку.

— Там Настя.

— И что из этого? Она их не интересует. Их интересую я.

— Конечно, но я не могу ее оставить на съедение волкам. Если они нас не дождутся, то начнут давить на нее. А Крылов умеет это делать.

— Мне это известно лучше, чем тебе.

— Согласен. Найдешь дорогу назад?

— Одна?

— Иди опушкой и не выходи на открытое пространство.

Наташа фыркнула, повернулась и пошла в обратом направлении. Дамочка с характером, подумал Журавлев. Ее интересует только собственная цель, а остальное подождет.

Он сошел с дороги и углубился в кустарник. Деревня лежала в степи как на ладони и просматривалась со всех сторон. Высматривать машину Журавлев не стал, он уже понял, что ее загнали в лес. Так и оказалось. Он не ошибся, это был «линкольн-навигатор», за рулем которого сидел один из приспешников Крылова и читал журнал. В такой танк могут вместиться человек семь. Одно место оставлено для Наташи, второе занимал водитель, значит,

в поселке их максимум пятеро. Здесь следовало сделать сноску. Крылов десятерых стоит, а это уже боевой взвод. Вот тут и решай стратегические задачки.

Журавлев осмотрелся. Местечко неплохое, вот только руки голые. Кроме сигарет и спичек, в кармане ничего нет. Приличную оглоблю он отыскал быстро и ползком подобрался к задней дверце машины. Подобрав с земли камешек, он перебросил его через машину, и тот брякнулся о капот. Реакция водителя была предсказуема. Он вышел из машины и начал оглядываться по сторонам. Ничего подозрительного не заметив, он хотел сесть на место, но передумал и отправился к березке избавиться от накопившейся в организме жидкости.

Дело серьезное — и Вадим позволил шоферу закончить важный процесс. Как только парень обернулся, ему в лоб врезалась увесистая оглобля. Лоб оказался крепким и не пострадал, дубина треснула. Парень качнулся и повалился назад, как срубленное дерево. Костюм был испорчен мочой. Журавлев обследовал машину. Импортный пластичный трос его вполне устроил. Не дожидаясь, пока громила очухается, Вадим надежно привязал его к дереву, после чего проверил карманы поверженного гладиатора. Коротковолновая рация, нож с откидывающимся лезвием, блокнот, удостоверение МВД, удостоверение помощника депутата, права, деньги и пистолет за поясом.

Пистолет и нож пришлось конфисковать, рацию Вадим тоже прихватил — вещь полезная. Теперь ему предстоял путь в деревню. Перед уходом он проколол у «джипа» оба задних колеса, чем исключил погоню. Чтобы не нарваться на случайности, он пошел задами. Отдельные открытые участки приходилось проползать на брюхе, в данном случае риск себя не оправдывал.

На свой участок он проник через сад и по-пластунски добрался до сарая. Развалюха загораживала дом, и тут он смог встать в полный рост. Дверь сарая находилась с другой стороны и хорошо просматривалась из окон дома. К счастью, с тыла имелось окошко и ему удалось заглянуть вовнутрь. Увидев лежавших на полу двух мужчин, он не удивился. Хозяин и его сын были связаны бельевой веревкой по рукам и ногам. Чтобы не создавать лишнего шума, Журавлев отогнул ножом гвозди и вынул стекла, затем снял раму и протиснулся в окошко. Предусмотрительные налетчики даже кляпы в рот своим жертвам воткнули.

— Так, мужички, только тихо, ни звука.

Журавлев развязал хозяина и его двадцатилетнего сына. Наконец они смогли принять нормальное положение и начали растирать затекшие конечности.

— Сколько их, Василич?

Пожилой коренастый мужик скинул со лба прядь седых волос и, осмотревшись по сторонам, тихо прошептал:

— В доме трое и один возле калитки пасется.

— И давно вы здесь обосновались?

— Минут через сорок после вашего ухода.

— Понятно, значит, они здесь целый день маются. Бдительность притупилась. Как можно попасть в дом?

— Через крышу. Стремянка лежит за террасой. Люк в сени выходит.

— Жаль, что не в комнату.

— А в вашу комнату дверь есть с моей стороны.

— Я не видел там никакой двери.

— А мы ее ковриком с лебедями завесили и кровать придвинули. Но створка открывается в мою сторону, а ключ на комоде в шкатулке.

— Уже лучше. Мужиков на деревне много?

— С дюжину наберется, староваты только. Яшка один молодой. Из города приехал мать хоронить, а она все никак не умрет.

— Оружие есть?

— Тут все охотники, а оружие с войны еще осталось. При желании и пулемет найти можно. А кто эти люди?

— Бандюки московские. По Наташкину душу приехали. Долгая история. Люди они опасные и вооружены до зубов. Ныряй, Василич, в окно и дуй в деревню народ собирать. Тут хитрость нужна. Их нахрапом не возьмешь. Через дверь пойдут четверо. Мол, ты им должен стулья дать для свадьбы, иначе их в комнату вовсе не пустят. Самого смекалистого направь в свою каморку. Пусть тихонько дверь в стене откроет и ждет сигнала за ковром. Только сначала ему придется окна закрыть, чтобы сквозняк ковер не трепал. Остальные будут ждать сигнала во дворе. Того, что у калитки пасется, приласкайте прикладом. А ты, Кешка, лезь на чердак. Открой люк в сени и запасись чем-нибудь увесистым. У них заложница. Настя — баба находчивая, но против силы ничего не сделаешь.– Вадим перевел взгляд на хозяина.– Среди них есть тип в шляпе?

— Есть, он распоряжается.

— Серьезный товарищ. Предупреди людей, чтобы к нему ближе чем на три шага не подходили. Ножом работает виртуозно да и пистолет в руках держать умеет. Сигнал подам я. Брошу камень в стекло. Окно я на себя возьму. Давай, Василий,— полный вперед. И без спешки, каждому дай свою задачу.

Через минуту в сарае никого не осталось.

Настя продолжала сидеть у окна и с ужасом думала о том, что произойдет, когда вернется Вадим. Ей так и не удалось найти способ предупредить его. Окошко выглядело слишком маленьким, между рамами не проскочишь, даже если выбить стекло головой, нырнув в окно рыбкой, открыть раму она не успеет.

На секунду ей показалось, будто в правом нижнем углу окна появилась веточка и тут же исчезла. Через несколько секунд все повторилось, словно ветер качал кустарник, и ветка то появлялась то исчезала. Но она-то знала, что под окнами ничего не растет. Настя взглянула на своих гостей. Крылов сидел, как мумия, словно крокодил в засаде, ожидавший беспечную жертву-ротозейку, а его холуи сняли ведра с водой с лавки у дверей и сидели, клевали носом.

Крылов понял, что он ничего не добьется от пленницы, и не тратил сил на уговоры и запугивания. В конце концов, она его не интересовала. Он ждал Наташу с уверенностью на сто процентов, что она скоро появится.

В дверь постучали. Все встрепенулись. Охранники вскочили на ноги и сунули руки под полы пиджаков. Дверь распахнулась, и в комнату бесцеремонно ввалились четверо мужиков. Так, старая рухлядь, а не серьезный противник.

— Доброго здоровьичка, люди добрые. А где Василич?

— Его нет,– холодно ответил Крылов.– На охоту с сыном ушел. Приходите вечером.

— Ну да ладно. Мы ведь по договоренности. Вечера ждать не могем. Свадьба у нас. Вот табуретки по деревне собираем, гостей сажать не на что. Так что извини, любезный, но стульчаки мы заберем, а вы уж на кровати посидите.

Крылов не хотел обострять ситуацию. Шум мог спугнуть Наташу. Они должны быть где-то рядом — уже темнело.

— Забирайте, раз надо.– Он встал.

Настя тоже встала и глянула в окно. Теперь она его увидела. Вадим лежал на земле и манил ее пальцем, а потом вдруг махнул рукой, и о стекло ударился камешек. Настя рванулась вперед, выбивая плечом раму, и вылетела вместе с ней во двор. Вадим резко оттолкнул ее в сторону и выхватил пистолет. Старики тоже не мешкали,

а выхватили из-под ватников обрезы. Тут еще ковер со стены слетел, и в проеме появилась фигура парня с немецким «шмайсером» в руках.

Крылов пригнулся, ударил головой в живот одного из пришельцев, сбил его с ног, сам перевернулся через голову, ударил ногами в дверь и выкатился в сени. Вся сцена длилась не больше полминуты. Если напарники Крылова оцепенели от прыти местных дедов, то те в свою очередь обалдели от феноменального трюка Крылова, проделанного у них на глазах. Но, как говорится в русской пословице «против лома — нет приема». Не успел Крылов вскочить на ноги, как ему на голову свалилось ведро, наполненное песком. Оно упало из открытого люка в потолке и попало в цель. Шляпа потеряла свой товарный вид, а голова под ней растеряла все мысли и выключила сознание.

Жорж успел воспользоваться неразберихой. Он быстро понял, что старики стрелять по живым мишеням не станут, и выскочил из комнаты следом за шефом, который прекратил движение и валялся на полу. Перепрыгнув через Крылова, Жорж выскочил на улицу, выхватывая на ходу пистолет.

Однако на этом его пыл сошел на нет. Во дворе стояли шестеро или семеро мужиков с двустволками в руках, а Красавчик, дежуривший у ворот, мирно сидел у яблони, обмотанный веревками. Та же участь ожидала и Жоржа.

— Отлично сработано! – воскликнул Журавлев, подходя к своему хозяину.

— Народ у нас больно ленивый, но если надо, то за дело постоять может. А что нам с этими-то делать?

— Отпусти их, Василич. Не сразу, а когда совсем стемнеет. Больше они сюда не сунутся. А мне с Настей надо уходить. Деньги оставь себе. Ты не виноват, что я не прожил у тебя весь отпуск. Часа за два мы далеко уйдем. А им еще до утра со своей машиной придется копошиться.

— Доброго вам пути. Но если где-нибудь в деревеньке остановитесь, то вас все равно найдут. У нас народ простецкий, секретов не любит и на любой вопрос отвечает правдой. Мы тут все так живем.

— Учту, Василич.

— Да, тут еще одна новость. Чуть было не забыл.

Василич достал из кармана мятый листок бумаги.

— Это телеграмма. Утром почтальон принес.

Журавлев развернул листок. «Ждите с новостями. Выезжаю. Вечный раб случая, Метелкин».

— Дружок приехать хочет.

— Такой же, как эти?

— Нет, мирный парень. Метелкиным зовут. Ты отошли его в Симашки. Скорее всего, мы там на пару дней задержимся.

— Договорились. Сын его проводит. Будьте осторожны, там места болотистые, змеиные. В лес не ходите. Из него еще никто живым не выбирался.

Они собрали вещи, простились с сельчанами, не забыв сказать слова благодарности, и ушли. Настя даже спрашивать не стала, куда подевалась Наташа. Она догадывалась. Та ей с первого взгляда не понравилась. Глаза в сторону отводит, будто украла что-то.

— А я и не сомневалась, Квазимодушка, что ты меня выручишь,— весело сказала Настя.

— Иначе нельзя. Это же я тебя заманил в роковое путешествие.

— Только больше никого не заманивай, рыцарь. А то одной обещал защиту, вторую вовлек в свою аферу, у тебя времени не хватит всех из болота вытаскивать.

— Насчет болота ты права. Страшная штука.

12. Смоленский авторитет

Даму принимали на должном уровне. Встреча состоялась на дому. Лагорин Марк Феоктистович слыл известным коллекционером старины, отдавал предпочтение живописцам XIX века. Особую слабость он питал к Айвазовскому. С него начиналась его коллекция, и собирать мастера морского пейзажа было проще в связи с плодовитостью гениального мариниста. Среди коллекционеров Лагорин считался одним из самых преуспевающих в Смоленске и пользовался заслуженным авторитетом. Среди братвы его знали как Маркушу-всеядного и тоже уважали. Свою галерею Марк Феоктистович показывал не всем и не всю. Многие картины числились в розыске, но для такой гостьи, как Ингрид, он открыл свои запасники. Они оба сделали друг для друга немало. Марк выполнял заказы Ингрид и переправлял антиквариат в Германию, ворованный, конечно, а Ингрид щедро оплачивала работу известного вора в законе. Бизнес есть бизнес, в детали никто не углублялся. Главное в таком деле — взаимопонимание, доверие и четкое соблюдение сроков и неписаных правил.

Сегодня Ингрид пришла с необычным предложением, и Марк об этом догадывался. После охов и ахов над шедеврами старых мастеров они уселись пить чай из кузнецовского фарфора и перешли к цели визита необычайной гостьи.

— Мне нужна твоя помощь, Марк. Надеюсь, ты мне не откажешь.

— Весь внимание, Ингрид. Все, чем располагаю, у твоих ног. Тут ведь что важно: любое дело требует взаимного интереса.

— О цене сговоримся. Сейчас речь пойдет о надежности. Разобьем мой план на несколько частей. Часть первая. Мне нужно убрать одного человека и его охрану, примерно шесть единиц. Исполнители у меня есть, но они не надежны и требуют контроля. Мне понадобятся человек пять опытных ребят с двумя машинами. Пусть они возьмут киллеров в узду и держат их на мушке, пока те не сделают свою работу. Потом их можно отпустить. Мой клиент не политик и не крупная шишка. Если киллеров возьмут, меня это не трогает.

— Кто клиент?

— Телохранитель моего компаньона из Германии. Он мешает моим интересам. Его надо убрать вместе с его прихвостнями. Не скрою: речь идет об очень опытном боевике, и мальчики, на него работающие, тоже не лыком шиты. А главное — они имеют особую подготовку и опыт. С крыши таких не постреляешь. Тут нужно брать нахрапом, автоматной очередью или бомбой.

— Хорошо, я тебе дам надежных людей. Они и подстраховать смогут в случае провала. Что еще?

— Примерно через недельку мне необходим автопоезд из десяти бортовых грузовиков с брезентом. Нужно перевезти склад из района Курнакова в Оршу. Машины должны быть чистыми — с легальными документами, путевками, а шоферы надежными.

— Понятно. И это не проблема.

— Вот и все, Марк. Запрашивай цену.

— Три Айвазовского за первое дело и одного за второе, за неимением оного согласен на замену в соответствующем эквиваленте. Тебя устраивает такой расклад?

— Ты имеешь в виду раннего Айвазовского?

— Конечно, средней оценки. Авансов не прошу, твою надежность знаю. Со временем тоже не тороплю. Мне на подбор людей и инструкции понадобится один день. План у тебя есть?

— Очень приблизительный.

— Готов дать консультацию. Бесплатно, по дружбе. Мне не хотелось бы подвергать своих людей риску и действовать по сырому плану. Я не люблю недоработок и нежданчиков. В таких делах мелочей не бывает.

— Ты прав. Нам надо обсудить мою задумку, а ты ее откорректируешь.

Приятно смотреть на людей, так хорошо понимающих друг друга. В зоне люди не хотели ничего понимать, они думали только об одном — как им выжить.

* * *

Николай стоял на каменных плитах вычищенного подвала и смотрел на стальной кованый люк в полу. За его спиной переминались с ноги на ногу еще трое мужчин — бывшие зеки, отборные головорезы, убийцы, люди, не имеющие понятия о чести и душе, прожившие свою жизнь по бандитским законам.

Николай Гаврилюк, главный прораб в Курнакове, решал внутренние вопросы самостоятельно. Командовать оравой уголовников, бомжей и заезжих шабашников дело непростое. Он поступил иначе: окружил себя авторитетами из блатных и создал для них приемлемые условия для существования, сделав их своими помощниками и телохранителями, а те в свою очередь следили за порядком, дисциплиной и выполнением необходимых работ.

— Жутко подумать! Высушили болото, откопали четырехэтажный особняк, вычистили, вот только полы не помыли и стекла в рамы не вставили.

— Ты чего, Микола, на люк косишься?– спросил самый рослый бугай, стоявший по правую руку.– Кроме дохлых крыс, там ничего нет.

— Хорошо сделано, на совесть. Вот люди строили в XIX веке! Полсотни лет эти стены в воде простояли — и ничего. Почисть, покрась и живи.

— Тут уже пожили,– усмехнулся крепыш с азиатской физиономией.– Черепов нашли больше, чем кирпичей в здании.

— Ладно, пойдем на воздух, тут задохнуться можно.

Николай в сопровождении свиты выбрался из подвала и вышел на крыльцо фасадного входа, украшенного колоннами.

Огромную рабочую площадку, изрытую котлованом, окружала черная, затянутая туманом лесная полоса. На этом месте вполне мог бы разместиться аэропорт со всеми службами. Как кресты на кладбище, пространство левой стороны котлована покрывали деревянные сараюшки, стоявшие на бревенчатых сваях в полутора метрах над землей. Эту систему безопасности придумал какой-то молдавский архитектор. Правда, эта его предосторожность от нашествия змей не спасла, а сам он утонул в болоте. Плененные шабашники соорудили пятьдесят таких, как их здесь называли, скворечников, и разместили их подальше от леса кучками по шесть штук в ряд. В каждой такой каморке жили по четыре раба — так они называли себя сами.

Работы велись с рассвета до заката летом, а зимой устанавливали прожектора. Один раз в квартал привозили пополнение из двадцати человек. Именно такое количество погибало за этот отрезок времени. Чаще всего бежали. Погони тут не устраивали. Все знали, что лес пройти невозможно. Змеи и по котловану ползали в избытке, а про лес и говорить не приходилось. Наиболее ловкие научились ловить змей, это их спасало от смерти и давало прибавку к скудному пайку. Здесь научились готовить из змей деликатесные блюда, вымачивая мясо в травяных

настоях и жаря его на самодельных противнях. Существовали по законам джунглей — выживал сильнейший. Тут и поножовщины хватало. Уголовники особо не церемонились с теми, кто им не нравился, кодексов и законов никто не чтил и лишнего срока не набавляли.

Болото до полной просушки тоже свое взяло. Не одну душу загубило и всосало в свою ненасытную утробу. Человеческая жизнь в зоне ничего не стоила. Во время просушки болот сюда пригоняли солдат на тяжелой технике, и ребята работали с автоматами наизготове, а целая рота стояла в охране, чтобы никому неповадно было напасть на экскаваторщика или бульдозериста с целью завладения оружием. Тут нож стоил дороже золота. Единственной защитой служили палки с гвоздями на обоих концах. Вот так и жили — ни на что не надеясь, кроме милости Божьей и собственной изворотливости. Любой преступник, получивший срок, знал, что этот срок кончится и он обретет свободу. Тут сроков не существовало и колючей проволоки тоже. Тут царствовали страх и отчаяние.

Николай прошел к бетонным сваям, сваленным возле котлована, присел на одну из них и достал из сумки две бутылочки водки, закуску и пластиковые стаканы, чем очень удивил своих сатрапов. Никогда еще прораб не приносил водку в зону. Правда, его об этом никто не просил. Тут люди не любили расслабляться. Каждый шаг требовал особого внимания, бдительности и осторожности. Пять-шесть часов сна могли немного снять напряжение, но, открыв глаза, ты снова собирался в кулак и жил, как канатоходец над пропастью.

— Выпьем по стаканчику, и я отправлю вас спать. Я уеду на целый день, и вы мне не понадобитесь. На работы можно наплевать. Сегодня инспекции не будет. Давай, Кореец, разливай.

Крепыш с азиатской физиономией принялся за дело.

— Пора нам о будущем подумать. Я к вам уже привык, и мне не наплевать, что ждет вас в ближайшее время. Но начнем все по порядку.

Взяв полный стакан, прораб выпил. То же сделали и остальные. Занюхав рукавом кожаной куртки, Николай продолжил:

— Мне нужно пятеро надежных мокрушников. Я их вывезу за зону, дам оружие, и они уберут нескольких моих недругов. Взамен получат свободу.

— А зачем далеко ходить?– подал голос рыжий мужик с лицом, похожим на обтянутый кожей череп.– Или ты нам не доверяешь?

— Доверяю и хочу сохранить вам жизнь. Мокрушники будут работать под контролем. Сделают дело и сами подохнут, а менты потом найдут пять неопознанных трупов. Такую пирамиду им не разобрать, в тупик попадут, и дело зависнет.

— Хорошо, Микола, — вступил в разговор самый грозный из команды,– мы своих корешей подставим, а что ты нам взамен дашь? Ведь ты мамой клялся, будто не можешь вытащить никого из зоны, а теперь готов пятерых вывести.

— Мне это дорого стоить будет. Я ведь человек маленький, за выход кого-либо из зоны мне придется последние штаны с себя снять. А с вами мы иначе сделаем. Мутите народ. Если всю ораву на мост бросим, то прорвемся. Другого пути нет. Слухи до меня дошли, что эту зону замораживают. Через неделю сюда армейские части придут, усадят всех в воронки и на новые разработки отправят, а там все с самого начала — непроходимые топи, леса с капканами, овчарки да колючка. Но меня туда не берут. Там своих прорабов хватает. Кому вы в руки попадете, никто не знает.

— Бунт поднять хочешь?– спросил Кореец.– Мост простреливается, как мишень в тире. Пятьдесят метров под огнем никто не пробежит.

— Другого выхода не вижу. Тут только массой их задавить можно. Придется рискнуть. Соберите стальные щиты от заваленного крана. Клепки повыбивать нетрудно, но от дурной пули спасти смогут, хоть грудь прикроют. Побег нужно устраивать ночью, когда большая часть охраны спит. Важную роль сыграет фактор неожиданности и натиск, резкий марш-бросок. А там и оружие, и свобода. Только бы на деревни кидаться не начали с голодухи. А посему надо склад с продуктовыми припасами вычистить. Он стоит следом за зданием охраны. Жратвы там на неделю вперед припасено, всем хватит. На волю выскочат — и врассыпную. До железки девять верст, а там ищи ветра в поле.

Для вас троих я ксивы подготовлю. Пару недель в Смоленске перекантуетесь, а потом ваше дело. Но пока мы не уберем тех, кого надо, надежду на бунт можно похерить. Ведь я не за себя пекусь. Тот самый тип, некоронованный барон здешних болот, так просто уйти из зоны не даст — вы ему принадлежите со всеми потрохами. Убрав его, можно и охраной заняться. Тогда им некого будет на подмогу звать.

— Складно поешь, генерал,– проворчал рыжий.– Будь по-твоему. Людишек мы тебе подберем. Тебе мы верим. Ты нас вниманием не обделял.

— Вот и ладненько. Людишек мне к завтрашнему дню подготовьте и собирайте шоблу. Самых оголтелых на первый план выставляйте. Последними вы пойдете с надежными ребятами, чтобы не дать им отступить. Дня два на подготовку. Как только барона уберут, в ту же ночь и жахнем по охране. Рабы к этому времени должны быть готовы. Для вас троих я оружие привезу. Охрана меня не проверяет, я у них давно в доверии.

Водку допили и проводили Николая до моста. Широкий, метров в десять, деревянный мост проходил через глубокий, поросший камышом овраг. Тот, кто рисковал в него спуститься, обратно не возвращался. По другую сторону моста по краям стояли две каменные будки с бойницами под пулеметы. Шесть человек в униформе с автоматами дежурили у шлагбаума, а чуть дальше — четырехэтажная кирпичная казарма с боевыми отрядами общей численностью в полсотни ружей. Народ сюда нанимали из дембелей внутренних войск, имевших опыт зонной охраны, и отставных офицеров из сокращенных, которым некуда было деваться. Служба необременительная, харчи сносные, казарма оборудована всем необходимым, жаловаться не приходилось.

Начальник охраны, бывший майор из зоны, некогда ходивший в кумах, привык к тихой жизни, и его все устраивало. Командовал объектом немец, человек сугубо штатский, деликатный, в дела охраны не лез и баловал майора сувенирами. Сидор Погорелов воспитывался в детском доме, потом армия, служил в зоне, начиная с сержанта, а закончил майором после офицерских курсов и, что такое свобода, знал только из телевизора, но его на вольные хлеба не тянуло. Он боялся городов, машин и людей. Там его, как муху, раздавят, а здесь он король, сам себе хозяин.

Погорелов дремал у телевизора, когда к нему зашел Коля Гаврилюк. Они нередко баловались водочкой и говорили о политике, в которой ничего не смыслили. Плохой премьер или президент, значит, ему одна дорога. «Пусть его ко мне пришлют, я из него сделаю человека, он у меня поймет службу!» —так звучал самый страшный приговор любому политику из уст бывшего майора. Бабы и футбол занимали следующую нишу в разговорах. Женщин Сидор любил, но постоянной не имелось. Ни одна баба не захо-

чет жить в лесу со змеями. В этом вопросе Коля шел приятелю навстречу и пару раз в месяц привозил из города девочек, не нуждавшихся в долгих уговорах. Тоже своего рода свет в окошке. Много ли надо одичавшему зоновскому куму, который учился разговаривать и понимать остальных у телевизионных дикторов и журналистов.

— Ты чего, Коля? Раненько еще ханку жрать. Гюнтер приехать может, а он запах за версту чует.

— Сегодня он не приедет. Обещался в пятницу.

— Точно знаешь?

— Вчера его видел. Гостей ждет из Москвы. Не до зоны ему.

Сидор встал с кровати, открыл холодильник и достал закуску. Его десятиметровая комната вмещала в себя все, что нужно и не нужно, одних только плейеров валялось штук пять. Гюнтер забывал, что дарил главному охраннику, и дублировал подарки. А Сидор был человеком прижимистым и ничего никогда не передаривал. Даже на день рождения к своим заместителям приходил с пустыми руками, а когда приглашал на свой, то развертывал каждый пакет и оценивал размах души принесшего ту или иную безделушку.

Сели за стол, выпили по рюмке, и Николай заговорил на наболевшую тему.

— Я тут домик покосившийся прикупил неподалеку в деревушке. Поправить бы надо, участок прополоть и пропахать. Работенки хватит. Вот у меня идейка родилась. А почему бы мне с зоны не взять мужичков? Штук пять. Пропустишь?

Сидор с удивлением посмотрел на прораба.

— Хочешь меня работы лишить?

— Кроме нас с тобой, счет рабам никто не ведет. На змей спишем. А потом: скоро новых привезут — вербовщики уже отправились в зону и на вокзалы.

— И что ты с ними делать будешь? Они же тебе в первый день черепушку расколют и в бега подадутся.

— На то у меня собаки есть. Четыре сторожевика ростом со слона. Ты пропусти, остальное моя забота.

— Хитришь, парень. Туфту мелешь. Говори, что задумал?

— Давай так, Сидор. Деньги тебя не интересуют, но обмен я тебе все же предложу. Получишь взамен молодую телку со смачной попкой. Неделю с нее слезать не будешь. Качество гарантирую. В твоем вкусе. Дней десять она здесь поживет. Такой расклад тебя устраивает?

У Погорелова загорелись глаза.

— И сколько рабов ты хочешь забрать?

— Пять рыл. Я сам подберу тех, что попокладистее. И воронок свой пригоню. Тебе только шлагбаум открыть и псов своих отогнать подальше.

— Ладно, Коля, но телку вперед.

— Одновременно. Я ее привезу на воронке, а рабов вывезу. По рукам?

Они ударили по рукам.

13. Зона

Если Наташа не рискнула идти в деревню спасать Настю, то в поход через лес она рвалась, как в бой. Рисковать всем вместе не имело смысла, к тому же не было стопроцентной уверенности, что данный объект тот самый, который они ищут. Настя решила продолжить начатое дело и вновь отправилась в Ховрино, а Вадим с Наташей в сопровождении змеелова пошли по старому маршруту. Теперь, когда они знали, что собой представляет опасная зона, у путешественников подрагивали колени, и захватывало дух. Им встретилась на дороге крытая ма-

шина, так называемая зекоперевозка. Она шла из зоны к шоссе. Вадим глянул ей в след и сказал:

— Неужели все, что рассказывал спасенный тобой раб, правда? И это в наше время! В центре России!

Дмитрий пожал плечами.

— Какая разница где. Ты уже не удивляешься тому, что в смоленских лесах водятся кобры и гремучие змеи. В государстве, где каждый живет для себя, все возможно. Если нам вслух озвучивают, что бывший премьер имеет состояние больше миллиарда долларов и это воспринимается как должное, что же говорить о населении.

Они двинулись дальше.

— Куда же их повезли, интересно?– спросила Наташа.

— Похоже, машина доставила им пополнение,– ответил змеелов.– Если рабочую силу нанимали на вокзале из шабашников с ближнего зарубежья, то их там сажают в автобус как полагается, а потом завозят в лес, где их поджидает вооруженный конвой вот с такой перевозкой, ну а зеков из зоны сразу запихивают в воронок. С теми церемониться не станут.

Черная полоса леса приближалась и превращалась в высоченную стену. Жутковатое зрелище.

— Вот видите дорогу? Это тот самый единственный безопасный путь, ведущий в мрачное государство с первобытно-общинным строем. Они даже дорожный знак поставили: «Тупик». Очень актуально. Из этого тупика нет выхода. Мы пройдем еще метров триста вдоль опушки и зайдем в лес.

Вадим с надеждой посмотрел на чехол в руках Дмитрия, где находилось устройство, отпугивавшее змей. С этой штукой, похожей на штатив, они могли сойти за геодезистов. Вот только по-воровски бегавшие глаза Наташи выдавали в ней беспокойство и нервозность. Моросил мелкий дождик. Первые метры, пройденные по лесу, никакой опасности не предвещали. Кто бы мог подумать, что здесь затаилась смерть, ждущая свою очередную жертву!

Дмитрий собрал аппарат, похожий на миноискатель, и включил его. Работал он бесшумно, ультразвук человеческим ухом не слышен, но шелестение травы услышали все. Вокруг них затряслись зеленые и уже пожелтевшие побеги, словно ожила земля, и ветерок всколыхнул ее мохнатую голову.

— Боже! Сколько их! – воскликнула Наташа.

— Они не так опасны, как кажется,– улыбнулся Дмитрий. — В погоню не пускаются, это не гепарды. Если вы змею не тревожите, то, скорее всего, она сама отползет в сторону. Попадаются, конечно, агрессивные особи, вот их стоит обходить стороной. Я уже нарывался на таких и старался не связываться с ними. Это означает, что вы приблизились к ее гнезду, где отложены яйца.

— Я слышала, будто мангусты лихо справляются с этими тварями. Почему бы их здесь не разводить?

— Мангусты не перенесут нашего климата. В природе много зверья, способного истреблять змей. Но кто будет устраивать у нас инкубаторы по их разведению? Сплошные убытки.

Они медленно углубились в лес.

— Обходите глубокие воронки. Тут их с войны осталось в немереном количестве. На дне воронок сырость и безветрие. Змеи обожают ямы. Не дай Бог завалиться в одну из них. И поглядывайте на низкие ветви деревьев. «Дрофу» ультразвук не спугнет. Она глухая, но имеет обостренное чутье на тепло, излучаемое телом человека или животного.

Не успел он это сказать, как темно-коричневая ветка обрушилась на голову Вадима. В долю секунды она обвила его шею, превратившись в спираль. Журавлев упал на

землю и сам начал извиваться, подобно змее. Дмитрий бросился к нему, выхватывая из ножен длинный, острый штык. Действовал он так быстро и ловко, будто акробат в цирке, а не медлительный пожилой человек, любивший размеренный шаг и монотонную, нудную болтовню. Первым делом он схватил скользкую голову твари и отмахнул ее ножом, будто ветку срубил, после чего протиснул руку между кадыком терявшего сознание Вадима и чешуйчатой лентой и начал ее разжимать. Из тела змеи пульсирующими струйками вытекала почти черная жидкость. Наконец змея потеряла свою силу и превратилась в переливавшуюся темными пятнами веревку, легко поддававшуюся раскрутке. Мерзкий узел был снят и отброшен в сторону. Дмитрий разжал зубы потерпевшему и начал делать искусственное дыхание.

— Возьми аппарат в руки и стой рядом! – крикнул он растерянной девушке, с ужасом смотревшей на происходившее.

Наташа очнулась от сковавшего ее страха и, схватив с земли аппарат, подбежала к дереву, под которым все и происходило. Вадим начал приходить в себя.

— Ничего, парень, не дрейфь. Ты у нас еще сто лет проживешь. Мы тебя в обиду не дадим.

— Что со мной?– прохрипел Журавлев сдавленным голосом.

— Ничего страшного, поскользнулся и треснулся головой. Сейчас все пройдет.

Змеелов снял с пояса флягу с водой и дал спасенному сделать несколько глотков.

— Фу, горечь какая!

— Не горечь, а полезные травы. Сейчас тебе станет лучше.

Через несколько минут Вадим стоял на ногах.

— Лихой ты парень, Митя,– пробормотал Журавлев.

— Ладно, забудем. Наше дело смотреть вперед, а не оглядываться назад. Как в песне поется, только смелым покоряются моря. Вперед, ребята.

Наташа окончательно замкнулась в себе. Вадим старался держать себя в руках, и только Дмитрий не умолкал. Змеи по дороге не попадались, чудо-аппарат работал исправно, но скелетов и разложившихся трупов они встретили немало. Ни зверья ни птиц, только шелест листьев на макушках берез и лип и моросивший дождь, пеленой закрывавший перспективу.

Им понадобилось два с половиной часа пути до того места, где лес стал редеть и впереди появился просвет. Они выбрались на опушку и осмотрелись. Перед ними расстилался гигантский котлован глубиной в семьдесять метров. Глинистое дно, покрытое трещинами, и бескрайний горизонт.

— Когда-то здесь было озеро, так говорят старики. Я застал только болото, но теперь и его нет,– комментировал змеелов, доставая из рюкзака бинокль.

Осмотрев территорию, он передал бинокль Вадиму.

— Смотри влево. Метрах в пятистах идут работы. Там и шалаши на сваях.

Вадим направил окуляры в сторону стройки.

— Людишек немного, бульдозеры, тракторы, землечерпалки, какие-то курятники на сваях, как избушки на курьих ножках. Тут даже церковь есть... Что-то они откопали. Похоже на дворец...

Наташа вырвала у него бинокль и прильнула к стеклам.

— Где дворец?

— Ишь как оживилась! – воскликнул Вадим.– Неужто нашли? Вот так просто, через несколько дней — и у цели?

— Я ничего не знаю, — пробурчала Наташа.– Надо подойти ближе и все увидеть своими глазами.

— Не так это просто,– заявил Дмитрий.– Подумай сама, откуда там может появиться женщина? Попадешься на глаза охранников — полбеды, а если угодишь в лапы рабам? Они годами не видели женщин. На клочья разорвут.

— Что же, по-вашему, мы зря перлись в такую даль, отдавливая змеям хвосты? Я должна убедиться, что мы попали туда, куда надо. А если нет, то нечего здесь торчать. Будем искать в другом месте. Может быть, Настя права, и архив находится в Ховрине. Или в Балаханове, где мы вовсе не были.

— В Ховрине ничего нет, там шли бои,– с уверенностью заявил Вадим. — А вот те, кто из Ховрина ушел под прикрытием эсэсовцев, тот имел время, чтобы притормозить в Балаханово или здесь. Вспомни рассказ ветерана, у которого побывала Настя.

— Тогда зачем она туда поехала?

— Хочет пройти дорогой отступления от Ховрина до Балаханова. Двадцать верст пути. Она девушка выносливая, задумала – сделает.

— Я не уйду отсюда, пока не удостоверюсь в результатах их раскопок. Еще на один поход у меня духу не хватит. И что толку сюда ходить? Смотреть в бинокль? Ну посмотрели. А что это нам дало? Нужно подойти ближе, прямо к отрытому особняку. Больше здесь искать негде. Они все перекопали.

— Может быть, ты и права,– заявил Журавлев.– Ладно, на разведку пойду я. В телогрейке и в кепочке сойду за рабочего. Вряд ли они с таким потоком живой силы знают всех в лицо. Потопчусь немного и вернусь.

Наташа приняла предложение партнера как должное, а Дмитрий забеспокоился.

— Не позже чем в четыре часа мы должны уходить. Лес надо пройти до темноты. Иначе я не гарантирую безопасности. Иди и запомни это место. Твой ориентир — три сухие сосны. В котлован спуститься нетрудно, но обратно не взберешься. Тут либо лопата нужна ступени вырубать, либо веревка с якорем. Веревкой я запасся. Вещь полезная, тонкий прочный капрон. Троих выдержит. Двадцать пять метров. Один конец я привяжу к дереву за неимением якоря, второй сброшу вниз. По ней спустишься, по ней и поднимешься.

Так они и сделали. Через десять минут Вадим очутился в котловане. Здесь он понял, что без веревки на стену десятиметровой высоты ему не взобраться, даже с его опытом альпиниста. Но отчаянные головы взбирались. Это он понял, двигаясь вперед вдоль стен. Не одному Мите пришла в голову идея делать ступени. Их здесь хватало. Правда, они были неровными и делали их не лопатой, а чем придется, может быть, и зубами.

К центру котлована Вадим не решался подходить — слишком открытое место. Пусть он выглядел муравьем в пустыне, но не один же змеелов имел при себе бинокль. Черная движущаяся точка непременно привлечет к себе внимание, если кто-то ее заметит.

И его заметили. Он и не предполагал, что по территории ездят открытые «УАЗики» с охраной. Пятеро крепких ребятишек в пятнистой униформе с автоматами наперевес ехали ему навстречу вдоль той же стены. Бежать и прятаться тут некуда и негде, со дна пропасти на вершину не запрыгнешь. Пришлось идти дальше как ни в чем не бывало. Машина остановилась у него перед носом.

— Заблудился, соколик?— хмыкнул один из охранников, соскакивая со ступенек на землю.— Или сортир искал? Садись, подвезем.

Его впихнули в машину и повезли назад. Одно радовало: пешком идти не надо. С доставкой прямо к тому ме-

сту, куда он шел. Возле особняка стояли человек восемь. Тут его и сгрузили. Охранник крикнул:

— Заблудшая овца. Лазейку искал.

Все оглянулись. Один из главных, судя по цивильной одежде, глянул на Журавлева и что-то шепнул коренастому мужику с азиатской физиономией. Тот подошел к Вадиму и коротко сказал:

— Будь возле меня, не то перо в ребра.

Пришлось приклеиться к бугру, и Вадим присоединился к общей компании. Шестеро в телогрейках стояли молча. Только сейчас Журавлев заметил нашивки с номерами, налепленные на левой поле ватников и на правом рукаве у каждого, кто их носил. У него нашивок не имелось, и, очевидно, этим он и привлек к себе внимание.

Разговаривали двое, и из их разговора можно было догадаться, что эти люди здесь занимают не последнее место. Один говорил чисто, второй с акцентом, похоже с немецким. Определить нетрудно, зная, что объекты принадлежат им.

— Я хочу осмотреть все здание. В последний раз я видел только два верхних этажа, а вы уже вычистили подвалы,— говорил немец.

Русский ему возражал:

— Рискованно, Гюнтер, стены сгнили, перекрытия не держатся. Мы сделаем опоры, тогда и посмотришь. Потерпи пару дней.

— Не спорь со мной, Николай. Тут я решаю, что делать, чего не делать. Эти стены пушкой не пробьешь. Иди и показывай. Сегодня вечером я должен докладывать обстановку Москве. Он на днях приезжает. Я должен знать все, что здесь делается.

— Твоя воля.

Они направились в облезлое серое здание. Бригада работяг потянулась следом. Журавлеву тоже пришлось идти. Азиат изредка косился на него, но понятно было, что сейчас им не до него.

Толпа во главе с русским начальником ходила сквозь анфилады дворца и в конце концов спустилась на самый нижний этаж, ниже уровня окон. Потолок поддерживали сводчатые колонны, между которыми уцелели каменные гробницы, изъеденные водой и временем.

— Дальше копать не имеет смысла,– суетился Николай.– Это усыпальница, склеп.

— Тут должен быть люк,– твердо заявил Гюнтер.

— Есть люк, но мы его вскрывать не стали. Замурован намертво. Вот он.

В центре подвала среди каменных плит выделялся стальной кованый люк с огромными заклепками, но без ручек.

— Вскрывайте! – приказал Гюнтер.

— Чем? Его же не подцепишь. Даже лом не просунешь.

— Вскрывайте! – повторил немец.

— Как скажешь.

Николай подошел к рабочим, среди которых находился и Журавлев.

— Гусь! Отправь мужиков за инструментом, пусть начинают. А ты, Кореец и Дылда, отойдите подальше, в случае чего — разом на землю и за колонну. И этого мне сохраните,– он кивнул на Журавлева.– Чует моя печенка — у нас найдется тема для разговора.

Гусь, самый здоровенный среди всех, лишних вопросов не задавал. Он отдал приказ, и четверо человек отправились за инструментом. Сам он остался на месте, а с ним Кореец, опекавший чужака, и долговязый, сутуловатый, рыжий тип с колючими глазками.

Журавлев понял, что попал с корабля на бал. Тут начиналось самое интересное. Только сумеет ли он кому-нибудь рассказать о том, что видел, вызывало у него сомнение. Наташа бы за такое зрелище полжизни не пожалела.

Рабочие вернулись со сварочным аппаратом и отбойными молотками, тянули кабели, закатывали баллоны с газом и кислородом, притащили компрессор. Подготовка заняла полчаса. Наконец техника заработала, взвилась пыль поднялся и шум. Гусь отвел своих людей назад, и они встали за огромную колонну. Николай также отошел подальше. Гюнтер даже не обратил на него внимания, он с нетерпением следил за продвижением работы.

У люка не было петель и замков. С какого боку начинать, никто не знал. Долбили как придется. Работы продлились не больше десяти минут, после чего грянул мощный взрыв. Тот, кто был предупрежден, упал на землю, остальных разорвало в клочья. От Гюнтера осталась только щиколотка ноги в ботинке, от остальных только кровь на стенах и потолке.

Когда пыль улеглась и дым рассеялся, оставшиеся в живых поднялись на ноги. В ушах стоял такой звон, что разговаривать не имело смысла — никто ничего не слышал. Медленно ступая по осколкам, со всех сторон к центру сходились счастливчики. В том месте, где находился люк, образовалась черная дыра диаметром метра в два. Николай поднял руку, останавливая движение, и указал на выход.

Приблизиться к люку так никому и не удалось.

Даже свет тусклого дождливого дня показался после подвала слишком ярким, а воздух слишком чистым. Звон в ушах затих.

— За что боролся, но то и напоролся,– многозначительно сказал начальник. Взглянув на Гуся, он отдал распоряжение: – К люку не подходить. За столько лет там скопились ядовитые газы. Сунешь нос — и тут же отравишься. Возьми десяток рыл, и пусть они спустят вниз бетонную плиту. Прикройте люк, но оставьте щель сантиметров в двадцать, так чтобы голова не пролезала. Пусть из ямы газы выветриваются. Что делать с ней, потом решать будем. Ну а ты, Кореец, веди нашего гостя ко мне в контору. Пора бы узнать нам, с чем он пожаловал в зону и как ухитрился пройти через змеиное царство.

Кореец толкнул Вадима в спину.

— Шевелись.

Его доставили под конвоем в отдаленный барак, прикрытый со всех сторон частоколом высотой в три метра. Калитка находилась на уровне четырех ступеней, обсыпанных каким-то едким порошком. Видимо, таким образом местный начальник спасался от змеиного нашествия и недоброжелателей из числа рабочих.

Журавлева привели в комнату с идеально гладкими стенами, полом и потолком. Кроме стола, сейфа и пяти стульев, тут ничего не было. Попади сюда ядовитая тварь — она и спрятаться не сможет.

Николай выпроводил своих телохранителей во двор и остался с гостем один на одни. Разумеется, его перед этим обыскали, но, кроме фонаря и сигарет, ничего не нашли.

— Садись, парень. Как тебя кличут?

— Называй как хочешь.

— Ладно, чужак, ты сам все расскажешь или тебя подвергнуть первичной обработке? Мои молодцы умеют это делать.

— Толку что? Змеи меня не трогают. Как пришел, так и уйду, если ты меня не придушишь. Я для тебя интереса не представляю. Ты для меня тоже. Слух прошел в Сафонове, будто моего кореша сюда завербовали, вот я его и решил навестить. Хотел вывести из твоих клещей.

— Стало быть, ты с сафоновского изолятора? Морда у тебя подходящая. А как кореша звали?

— Данила Фокин.

— Когда завербован?

— Полтора года назад.

Гаврилюк залез в свой сейф, в котором даже ключей не было, достал из кучи общую тетрадь и пролистал ее. Остановившись на одной странице, он просмотрел ее и сказал:

— Был у нас такой. Полгода назад ушел в змеиную зону. Царствие ему небесное. Долго он у нас продержался, восемь месяцев. Припоминаю я его. У меня ведь память на ваши фотки хорошая. Тебя увидел и сразу понял, что чужой и нашивок нет. — Начальник бросил тетрадку обратно в сейф. — Пальчики у тебя музыкальные. Из щипачей будешь?

— Угадал. Карманник от Бога.

— Однако сел.

— Дружка выручал.

— Ладно, душить я тебя не буду, а новое лицо мне на днях понадобится. Пока твою рожу конвой еще не видел, то ты мне службу сослужишь. Взамен свободу получишь. Ну а если не хочешь, то милости просим: я тебя в отряд сдам, нам лишние руки не помешают. Лопат у нас на всех хватит.

— И взрывчатки тоже?

— Вон ты о чем... Со взрывами здесь покончено. Это мы поначалу топь рвали и тину сгоняли, а теперь здесь все чисто.

— Ты меня за лоха не держи. Хочешь меня использовать — говори, что делать. Я нахрапом не работаю. Я думать привык и каждый шаг свой размерять. Это ты своим блатным лапшу вешай, а со мной совет держать надо.

— А ты, браток, наглец. Стоит мне пальцем щелкнуть — и от тебя перышка не останется. Не понял еще, куда попал?

— И понимать не хочу. Только вижу, что ты задумку имеешь, а как ее выполнить, мозгов не хватает. Твои холуи на голову туговаты будут, вот и маешься. Прав я или нет?

Гаврилюк долго и внимательно разглядывал пленника, и в его глазах читалось какое-то смятение.

— Чую, неспроста ты здесь появился, парень. Ну да ладно. Раньше времени тебе отсюда не выйти, а посему ты мне вреда не доставишь, а вот насчет пользы мы еще подумаем. Может быть, и впрямь у тебя голова кумекает. А сейчас я тебя в хоромы свои направлю. Денек посидишь, подумаешь, а понадобишься – вызову. Мне не резон тебя людям показывать.

Николай подошел к двери, открыл ее и крикнул:

— Гусь, иди сюда.

В избу ввалился детина с лунообразной мордой.

— Отправь нашего гостя на чердак, пусть отдыхает. И замок повесить не забудь. Может случиться — он для нашего дела сгодится. Шустро мыслит и в штаны не кладет, а потом видно будет.

Надежда на возвращение растаяла, как лед на сковородке. Не дождутся его сегодня змеелов с Наташей.

Да, они не дождались. Перед уходом Дмитрий сбросил веревку в котлован, а на конец привязал свой штык и записку: мол, сам в лес не ступай, я за тобой приду. Наверху оставили флягу с водой, сухари и спички. Большего они сделать не могли.

Наташа никаких угрызений совести не испытывала, настояв на разведке. Подвела Дика к рискованному решению, а Дмитрий жалел, что согласился вести их через лес. Однажды он одну душу спас, а теперь другую погубил. Из таких капканов сами не выбираются.

По лесу шли молча. Наташа прижималась к спутнику и думала о своем. Как же ей теперь установить: в какой из трех точек находится архив?

14. Охотники

Совещание длилось недолго. Поначалу Крылов хотел выслушать всех своих помощников, но этого не потребовалось. Оказалось достаточно доклада Кота — так звали одного из охранников фирмы. Крылов не любил русских имен и фамилий, он предпочитал присваивать своим сотрудникам клички. Самыми надежными в его бригаде считались Жорж и Красавчик. Кот, Филон, Акробат и Додж работали на подхвате. Все ребята прошли хорошую выучку и промахов в работе не допускали, но Крылов, как и все начальники, всегда выделял лучших и допускал их к себе на шаг ближе. В народе таких людей принято называть любимчиками либо правой рукой. Сегодня отличился тот, кто не числился среди особо приближенных.

— Я допустил одну ошибку,– докладывал Кот.– В этих местах нет никаких дорожных указателей, щитов, а на домах даже номеров не ставят. Название деревни можно узнать только у местных. Деревенька пустовала, словно вымерла, а потом мне уже не до того было. Я их увидел. И опять с ними был тот самый брюнет с дутыми щеками и лошадиными зубами. Они вышли из крайней избы втроем — Наташа, брюнет и, вероятно, хозяин, крепкий мужик лет шестидесяти. За плечами он нес чехол. Похоже на ружье. Все с рюкзаками и в телогрейках. Местность там открытая, мне пришлось держать большую дистанцию, чтобы оставаться незамеченным. Они прошли километра три или четыре и зашли в лес. Дальше идти не имело смысла, но деревню я найду.

— Так или иначе, но их интересует район Курнакова. Ни Ховрино ни Балаханово, а именно Курнаково. Сбежав из одной деревни, они далеко уходить не стали, а устроились поблизости. Зная, что на них идет охота, они тем не менее продолжают играть с нами в кошки-мышки. Значит, игра стоит свеч, и риск себя оправдывает.

— Во всяком случае, брать в деревне их нельзя. Мы уже научены горьким опытом,– заметил Красавчик.

— Нет, конечно,– согласился Крылов.– Нам нужна Наташа, а остальных придется убрать. Я бы и ее не пощадил, но у меня есть предчувствие, что она знает больше, чем Шефнер мог себе представить. То, что она игнорирует остальные зоны и делает ставку на Курнаково, о чем-то говорит. Ее надо взять живой, вытряхнуть из нее все сведения, а потом стереть с лица земли. Облаву на них надо устраивать на дороге. Одной разведкой им не обойтись. В лес они будут ходить не один день. Мы их перехватим на обратном пути.

— Лучше наоборот,– предложил Кот.– Мы не знаем точно, из какого места в лесу они выйдут, а потом дорога идет через степь, открытое место. Гораздо проще ждать их со стороны леса, когда они туда направляются. Метров за триста их уже будет видно, и мы сумеем занять удобные позиции. И машину можно загнать в кустарник.

— Резонно.– Крылов глянул на часы.– Четверть первого ночи. Если мы сейчас поедем, то с учетом поисков к четырем будем на месте. Светает около шести.

— В это время они и выходят,– добавил Кот.– Я их встретил в четверть седьмого. Ночь переночевал в машине. Хорошо, что оставил ее в лесу и пошел в деревню пешком: все как полагается — в ватнике, сапогах, корзиной с грибами, которую купил на рынке. Вид у меня был соответствующий, но в любом случае я мог пустить пыль в глаза только заезжим гастролерам. Местные друг друга знают по всей округе. Чужака тут же заприметят. Увидев с ними деревенского, я не стал приближаться. К тому же я не имел инструкций от вас, шеф. Мне ничего не стоило перестрелять всех и схватить жену Шефнера в охапку.

Крылов криво усмехнулся.

— Вот пока мы будем такими самонадеянными, у нас ничего не получится. Этот брюнет уже научил нас оглядываться. Ловок, как покойный Журавлев. Таких силой взять невозможно. Этих людей бьют из-за угла, а не в лоб, либо хитростью, но в этом ему равных нет.

Тут подал голос сидевший у окна Жорж.

— Извините, шеф, но вам не кажется, что мы очень долго занимаемся женой Шефнера? Пора с этим кончать и заняться объектами. В конечном счете именно они являются главной стратегической задачей.

— Я держу связь с Гюнтером, Гельмутом и Германом. Работы ведутся под их руководством. И если хоть на одном из них будет что-то обнаружено, сообщение тут же уйдет в Москву. Шефнер моментально среагирует на сигнал и вылетит в Смоленск. Вот тогда мы и примемся за работу вплотную.

— А Шефнер?– спросил Счастливчик.

— Он нам не помеха. Весь его расчет строится на МВД, другой силы он не имеет. Однако МВД мною давно перекуплено. Полковник Чепурин ждет своей доли. От Шефнера он ничего не получит — он не верит немцам,— а мне верит. Я сумел найти с ним общий язык.

— Это еще не все,– продолжил Жорж.– Нельзя забывать об Ингрид. Вы почему-то не уделяете ей должного внимания, шеф. А вам известно, что она пропала? Ее нет в Смоленске, она не появлялась в Ховрине, и ни один из ставленников Шефнера ее так и не видел. Я разговаривал с Гюнтером, Германом и Гельмутом. Они в курсе, что мы приехали, и ждут с нами встречи, но о появлении в Смоленске Ингрид им ничего не известно.

Крылов с удивлением глянул на своего любимчика.

— Неизвестно? Но к ней в гостиницу приезжал курьер от Гюнтера, и она намеревалась ехать к нему в Ховрино.

— Гюнтер не посылал никакого курьера в Смоленск. А что за курьер был у Ингрид, никто не знает. Думаю, Ингрид имеет свои интересы. Не стоит забывать о том, что Шефнер ей всегда доверял больше, чем кому-либо из своих сотрудников, и на протяжении двух лет она неоднократно выезжала на объекты одна. К тому же Ингрид непосредственно занималась строительством четырех особняков в районе Орши. Мы до сих пор не знаем, где они расположены. Документация попадала непосредственно в руки Шефнеру.

— Особняки нас не интересуют. Груз никогда туда не попадет. Мы его возьмем первыми, и у нас для него зафрахтован железнодорожный состав и свои склады. Этот вопрос решен. Что ж, исчезновение Ингрид для меня новость не из приятных. Она достойный противник, не чета Шефнеру. Гораздо спокойнее мы сможем себя чувствовать, если эта дамочка будет у нас на виду. Закончим с женой Шефнера и займемся Ингрид. При нынешней ситуации такие вещи в долгий ящик откладывать не следует.

Крылов посмотрел на часы.

— Пора. Все документы и лишние предметы — вон из карманов. Берем с собой только оружие. За руль сядет Кот. Найдешь дорогу ночью?

— Найду. Мне ведь пришлось возвращаться за машиной в лес, а потом еще восемь километров проехать до шоссе, так что дорога мне стала как родная.

— Хорошо, проверим.

Через пять минут снятая под штаб квартира в одном из тихих районов Смоленска опустела. Ночь стояла светлая, звездная. Яркая луна освещала двор, похожий на колодец, превращая мокрый асфальт в серое зеркало. Посреди двора стояло несколько металлических гаражей, пара «ракушек» и машин пять ночевало под открытым небом.

«Линкольн-навигатор» стоял в десяти метрах от подъезда. Все началось, когда все шестеро вышли из дому и прошли вперед метров пять. Теперь они оказались между подъездом и машиной на открытой площадке. Двое выскочили из «жигулей», стоявших у тротуара за их спинами. Еще двое вышли из-за гаражей, один прятался за «линкольном», к которому направлялась группа Крылова. Возле ворот в темном углу стояла иномарка, сливавшаяся с темнотой. Неожиданно ее фары вспыхнули. Люди Крылова попали под яркое освещение. Вспыхнувший свет стал сигналом для действий. В руках налетчиков появились автоматы «калашников», и тут же по мишеням открылся шквальный огонь с трех сторон.

Кота и Доджа убили сразу, прошив их десятками пуль. Один из них шел первым, другой последним. Остальные успели упасть на землю раньше, чем их задело. На первом этаже здания посыпались стекла. Град пуль выбивал бетонные осколки из панелей. Обложенные со всех сторон люди Крылова открыли ответный огонь. Крылов сориентировался мгновенно. Первым же выстрелом он уложил одиночного стрелка у «линкольна» и тем освободил тыл от натиска огня. Перескочив через тело Кота, он прикрылся им, как щитом. Жорж спрятался за телом Доджа и стрелял в тех, кто прятался за «жигулями». Крылов палил по гаражам. Он сделал три выстрела, и одна горевшая точка погасла. У гаража остался еще один. Жорж снял стрелка у «жигулей». Вскрикнул Акробат. Пуля оторвала ему ухо. Он выронил оружие, и тут же град свинца превратил его череп в расколотое яйцо с разлившимся желтком.

Филон подбил второго стрелка у «жигулей», и тот рухнул на капот, но в эту секунду Филона задела очередь, выпущенная от гаража, и ему оторвало левую руку. Следующую очередь стрелку сделать не удалось — его настигла пуля Крылова, который стрелял прицельно и не тратил впустую патроны. Пальба прекратилась, налетчики были уничтожены. Иномарка выключила фары и, сорвавшись, выскочила со двора, покорябав крыло о каменный выступ арки.

— Лежать, не вставать! – приказал Крылов.

— Мы с тобой вдвоем остались, шеф,– ответил Жорж.– Филону руку отрубило, истекает кровью.

— Добей его и отползай к стене дома, чтобы никто не понял, что есть живые.

Раздался одиночный выстрел, и голова Филона дернулась, как мячик. Стон прекратился. Оба оставшихся в живых проползли по газону и прижались к стене дома. Где-то неподалеку выли сирены.

— Уйти мы не сможем. Возвращаемся в квартиру. Незаметно. Сейчас сотни глаз следят из окон за двором. Они должны понять, что живых нет.

Им удалось вернуться к подъезду незамеченными. Они скрылись за дверью в тот самый момент, когда во двор вбегал отряд ОМОНа в касках и со щитами. Спустя несколько минут они, как сотни других любопытных, следили за событиями из окна квартиры. Свет решили не включать и на звонки не отвечать.

— Долго мы здесь находиться не сможем. Такой скандал не замнешь,– рассуждал Жорж.– Все равно они опросят всех жильцов. Кто-то опознает Красавчика. Это он снимал квартиру, и хозяин знает его в лицо.

— Мелочи жизни. Мы оставим их документы здесь на видном месте. Нас с тобой сегодня здесь не было. Я сам завтра же пойду в Управление прямо к Чепурину и заявлю, что на моих людей совершено бандитское нападение. А заодно выясню, кто это сделал.

— Исполнители ничего не значат. Заказчик сидел в иномарке, которая освещала нас фарами.

— Параллели всегда провести можно.

— Агентство «Сириус»?

— Исключено. Если бы они хотели нас уничтожить, то могли сделать это в деревне, где мы попались в капкан, как простачки. Устроили им ловушку и сами в ней оказались. Тут работает кто-то покруче.

Они наблюдали, как во дворе собиралась толпа зевак. Милиционеров не хватало оттеснять всех любопытных. Маленький двор окружало четыре шестиэтажных дома. Если это количество умножить на количество квартир и проживающих в них жильцов, то двор будет тесноват и всех не вместит.

— Наших четверо и их пятеро. Девять трупов. Хороший урожай. Шуму будет немало.– Жорж глянул на Крылова.– Может быть, не стоит, шеф, идти к ментам? Мы привлечем к себе внимание, а нам сейчас это ни к чему.

— Возможно, ты и прав, но во дворе осталась наша машина. Она зарегистрирована на фирму, и у нее московские номера.

— Об этом можно подумать потом, а сейчас самый удобный момент тихо и незаметно уйти. Гляньте, что там творится! Настоящая демонстрация. Смешаемся с толпой и тихо выскользнем.

— Ладно, попробуем. Собери все документы в доме и уходим. Если не идти в милицию, значит, придется навестить хозяина квартиры. Свидетели нам не нужны.

Они спустились во двор. К подъезду с трудом подъехали две машины «скорой помощи». Жертв оказалось значительно больше, чем они насчитали. Трое самых любопытных из жильцов первого этажа, услышав стрельбу, подбежали к окнам и были убиты шальными пулями — старик, женщина, ждавшая загулявшего мужа, и мальчик десяти лет. Еще четверо получили ранения разной степени тяжести.

Милиция не справлялась с объемом работ, а вновь прибывавшее пополнение только мешалось под ногами.

Никто еще не взял управление операцией в свои руки. Ждали следователя прокуратуры и начальство из главка. Даже место происшествия не успели оцепить.

Крылов и Жорж благополучно покинули дом. Теперь их осталось двое, а к существующим проблемам прибавилась еще одна — неизвестные охотники.

15. Затишье

Приезд Метелкина ничего изменить не мог. Бывший репортер, а ныне опальный сыщик и порнофотограф появился с радостной улыбкой на лице. Радость его длилась недолго. Встретила Евгения только Настя.

— Черт! А как выяснилось, я привязчивая натура и даже умею скучать. Зрелость преломляется в старость, и меня обуревают всплески сентиментальности.

Он осмотрел светлую огромную комнату с русской печью посредине, деревянную самодельную мебель и оценил чистоту и порядок.

— Сразу чувствуется, что есть женщины в доме. Вполне сносное жилье. Экзотика! Но признайся, Настя, тебе здесь не хватает джакузи, биде и роскошной квадратной кровати.

— Мне здесь всего хватает. А чего тебе в Москве не хватало? На природу потянуло?

— Я привез хорошие новости, но только сначала покорми меня, я умираю с голоду. Шесть часов добирался до вас от Смоленска на перекладных, а попал в итоге не в ту деревню. Хорошо, там хозяйский сын взялся меня проводить до вас. Историю с Крыловым я уже слышал. Лихо вы ему нос натерли!

— Это только так кажется. Если Крылов что-то задумал — он не отступится. Садись к столу, в печи свежие щи томятся.

Метелкин бросил рюкзак на скамью у дверей и прошел к огромному столу.

— А где же Дик? Где Наташа?

— С этого и надо было начинать. Дик в ловушке, и, как его из нее вытаскивать, мы не знаем. У нас нет с ним связи и наладить ее невозможно. А что касается фрау Шефнер, то эта кошка гуляет сама по себе. После того как Дика взяли, она решила, что ей здесь делать нечего. Украла одну хитрую штуковину, способную отпугивать змей, и ночью смылась. Мне на нее наплевать, это Дик носился с ней как с писаной торбой. Долго на свободе не погуляет, длинная клешня Крылова ее быстро накроет и обласкает.

— Хреново. Трудно поверить, что Дик попал в капкан. Он парень осторожный, с обостренным чутьем. Как это случилось? Где?

Настя рассказала все, что знала.

— Есть карта местности?– спросил Метелкин.

Девушка взяла карту и расстелила на столе, Женя достал свою и положил рядом.

— Как называется эта деревня?

— Симашки. На карте деревень нет, они слишком маленькие. Мы сами обозначили их точками. Мы находимся здесь.

Настя указала на красную точку.

— В том-то и дело, что на современных картах деревень нет, а на старой военной они есть. Могу уверить тебя: чутье вас не подвело.

Он взял карандаш и начал показывать точки на старой карте.

— Вот Симашки, вот лес, здесь когда-то протекала река. За лесом находилось имение Воронцовых. Во время войны там был госпиталь. При отступлении немцы расстреляли всех раненых и медперсонал. В живых никого не осталось...

— Остался один. Я была у него. Он прятался на чердаке и уцелел. Потом немцы взорвали плотину, и усадьбу затопило. Парню все же удалось спастись, и он вплавь добрался до леса.

— И больше он ничего не видел?

— С чердака? Да он нос боялся высунуть. А тем временем в подвал госпиталя сгружали архив. Подвал заминировали. И судя по всему, Дик попал туда, куда надо. Они видели в бинокль отрытый особняк. Это мне Митя рассказывал.

— Кто такой Митя?

— Наш хозяин, змеелов, он сейчас у Кулибина, они делают новый аппарат. Через лес пройти невозможно, там царствуют змеи, гадюки, кобры, гремучки.

— Кобры? Здесь?

— Чего тут только нет! Жирафов не хватает. Но об этом ты лучше его спроси, он скоро вернется.

— Если особняк откопали, значит, основные события начнутся со дня на день. Тот, кто первым сунет нос в подвал, взлетит на воздух. Архив при этом не пострадает. Его заберут те, кто останется в живых.

— Но это будем не мы.

— А нам он и не нужен. Важно его захватить и сдать кому следует, а за находку клада тебе полагается двадцать пять процентов его стоимости.

— Чего могут стоить старые пожелтевшие бумажки?

— Там не только бумажки, там золото, алмазы, оружие, антиквариат. Одних картин хватит на новую Третьяковскую галерею. Ты думаешь, Шефнер и его хозяева тратили бешеные деньги от безделья? В этом склепе каждый найдет то, что ему надо, но Шефнер должен иметь план вывоза архива из зоны.

— А как же Дик?

— Я найду его там.

— Хочешь сунуть голову в тот же капкан?

— Вдвоем веселей.

— Мы подготовили ему все для отхода, но он же об этом не знает. Сейчас местный Самоделкин делает два устройства против змей. Одно мы хотим оставить на другой стороне леса. Если он будет об этом знать, то найдет способ добраться до нужного места. Ориентиры он знает, но лучше их поменять. Я не доверяю жене Шефнера. К тому же теперь она может сама пройти через змеиный поток. У нее есть аппарат. Одному Богу известно, что у этой бабы на уме.

— Она такая же охотница, как и все остальные, а сколько их, этих охотников, мы пока не знаем. Нам нужно составить свой план действий. С нашими силами мы не способны противостоять таким мощным монстрам, как Шефнер, а он не один. Есть еще и скрытые фигуры. Так что мы должны исходить от обратного. Груз надо взять в пути, а не вытаскивать его из склепа и перевозить ящики на «жигулях».

— Ты сумасшедший, Метелкин. Все вы с ума посходили. Тебе денег не хватает?!

— Хватает. Меня Дик заразил своими алыми парусами.

— Заговариваешься. Боюсь, он заразил тебя шизофренией. Вы одержимы навязчивой идеей.

— Вот это как раз и есть нормальное состояние человека. Иначе зачем мы живем?! Пить водку, смотреть футбол пс ящику, ходить на работу и приносить зарплату домой? Что там говорить: ты и сама такая, а то бы не поехала с Диком в смоленскую глушь.

Они еще долго спорили и рассуждали, забыв о щах в печи.

* * *

Гаврилюк включил фонарь и просунул его в щель. Для того чтобы имелась возможность хоть что-то увидеть, ему пришлось лечь на бетонный пол. Черное пространство пробил яркий луч света. Там, внизу, на глубине пяти-шести метров, стояли стальные ящики. Сталь сверкала в лучах света, будто ящики только что сделали. Хватало одного взгляда, чтобы понять, что такую махину человеку сдвинуть не под силу, а о том, чтобы поднять ее наверх, и речи быть не могло. Каменная лестница, ведущая от люка в склеп, превратилась в осколки с торчащей арматурой. Считать стальные короба он не стал. Какой смысл — все здесь и никуда не денутся.

Николай встал и отряхнулся.

— Ну что там, шеф?– спросил Кореец, стоявший рядом с плитой.

— Гробы. А что еще может быть в склепе? Но спуститься нам туда придется. Взрывом оторвало лестницу. От нее только осколки остались. Нужно набрать бригаду крепких мужиков и сделать в потолке надежный кронштейн с лебедкой. По типу подъемника с четырьмя тросами и крюками. Длина тросов метров по десять. Лебедка должна быть достаточно мощной.

— Идея понятна, хозяин, но для этого нам землечерпалку придется разобрать, а тросы мы с подъемного крана снимем. Щиты мы уже с него сняли.

Гаврилюк внимательно посмотрел на Корейца.

— Значит, подготовка идет полным ходом?

— Сто сорок рыл готовы к прорыву. Из стальных пластин сделали тридцать панцирей. Пуля не прошибет. Это точно. Наденем их на первые ряды. Весь мост они, конечно, не пройдут. Голова и ноги не защищены, но они при-

кроют вторые и третьи ряды и до половины дороги орава пройдет под прикрытием. А там как Бог на душу положит.

Николай взял сигарету, закурил и сел на камень. Внезапно он напрягся.

— Тихо, Кореец. Подними лопату с полу и подай мне.

Тот все понял.

— Она сзади, метрах в трех.

Кореец осторожно пригнулся, поднял лопату и протянул начальнику.

— Резко не двигайся. Сделай шаг влево. Отвлеки ее. Потом развернись и обойди ее полукругом.

Огромная кобра встала в стойку и раздула воротник. Кореец держался на почтительном расстоянии и начал медленно описывать круг. Голова змеи поворачивалась следом за ним. Когда Кореец описал полукруг, Николай увидел знаменитые «очки» чудовища. Сейчас кобра его не видела. Кореец дразнил ее и отвлекал внимание на себя.

Гаврилюк перехватил ручку штыковой острой лопаты, превратив ее в копье. Несколько секунд он примерялся, затем метнул снаряд одним резким порывистым движением. Лопата просвистела в воздухе и попала точно в цель, срезав голову змее, как кусок мягкого масла ножом. Опасность миновала. Безголовое тело упало, сложившись в спираль.

— Не меньше четырех метров,— облегченно вздохнув, сказал Кореец.

— Нигде от них покою нет.

— Тут сыровато, вот они ползут. К тому же змеи любят камень, а в лесу их мало. У себя на родине они яйца под камнями откладывают — так безопасней. Вот инстинкт и срабатывает.

— Ладно, черт с ними. Как там наш чужак себя чувствует?

— Нормально. Странный тип, ничего не просит, молчит. Валяется на топчане и плюет в потолок.

— А что он, по-твоему, должен делать? Плясать от радости? Этот тип трезво оценивает обстановку. Он знает, что через частокол ему не перепрыгнуть. Ждет случая, и мы его ему дадим.

— Зачем он тебе, хозяин? У нас и без него забот хватает.

— Тебе скажу, а остальные узнают в последний момент. Этот парень прошел через лес. Он знает лазейку. Тут сомнений нет.

— В лесу нет лазеек! Не вешай мне лапшу на уши.

— Тогда как он сюда попал? И ведет он себя уверенно, слишком уверенно. Он нас четверых отсюда и выведет. Тебя, меня, Гуся и Дылду.

— Ты хочешь сказать, что мы не пойдем со всеми?

— Нет, и никто отсюда не уйдет. Нам нужно освободить зону от людей, а потом мы вернемся сюда и воспользуемся той лебедкой, которую ты сегодня сделаешь, а завтра ночью устроим побег. В стычке половина поляжет. Остальные захватят оружие, припасы и рванут на волю. Что из этого получится, ты сам понимаешь. Половину Смоленской области перережут. В район стянут войска, всю ментуру, ФСБ. Обложат весь округ. В воздух поднимут вертолеты. Вот тогда мы уже не сумеем пригнать сюда машины и забрать из склепа то, ради чего мы тут два года маялись.

— Но ты их не остановишь!

— Дорога будет заминирована. Живыми через мост пройдут три-четыре десятка рабов. Они не дойдут до конца. Три километра дорог будут начинены взрывчаткой, а в лес они не свернут. Мы обойдем их с помощью чужака и встретим уцелевших с другой стороны плотным автоматным огнем. Ни одна сволочь не должна выйти живой из зоны.

— И ты хочешь, чтобы о такой бойне никто не узнал?

— Я уже предупредил милицию, что мы следующей ночью будем взрывать карьеры. Взрывчатку мы получили от воинских частей по официальным бумагам и соответствующим ценам. Каждый мало-мальский начальник получил мзду на карман. Так что взрывы никого не удивят.

Кореец прищурил свои и без того узкие глазки.

— Что в склепе? Колись, Микола.

— На всех хватит. До конца жизни в шампанском купаться будешь. Только сработать надо быстро, пока начальнички с той стороны не поняли, что к чему.

Гаврилюк бросил сигарету и закурил новую.

— Ладно, допустим, я тебе поверил. Нас дурить у тебя резона нет, но как ты сюда машины пригонишь за гробами, если единственную дорогу на воздух пустишь? Рабов уничтожишь, но и дорогу не пощадишь.

Николай усмехнулся.

— У нас в зоне пять тракторов. Машины мы сюда загонять не будем. Оставим их по ту сторону леса. Ящики волоком вытащим на тросах. Трактора вытянут. Пусть кувыркаются. С ними ничего не сделается, они бронированные. Нас пятеро, и тракторов пять, и машин будет пять.

— А пятым ты чужака посчитал?

— Под нашим присмотром он быстро своим станет, а участие в мокрухе поставит его на свое место. Когда груз вывезем в безопасное место, его уберем.

— Хитро задумано. А ты сам-то веришь своим куплетам? Такую кашу заварить хочешь, что тут Чечня курортом покажется. Двести рыл рабов, полсотни охранников, и нас пятеро...

— Не так страшен черт, как его малюют. А теперь проводи меня к чужаку. Я хочу его пощупать.

Вадим встретил гостя равнодушно, словно муха залетела в окно.

— Жалобы есть?– спросил Гаврилюк, подставляя табуретку к топчану, на котором валялся пленник.– Кормят нормально?

— Плохо. Заказываю одно, приносят другое. Я привык к кухне из «Националя», а мне из «Метрополя» тащат.

— Давай-ка, дружок, о деле поговорим. Ты ведь мне здесь не нужен. Проще всего тебя в канаву под мостом сбросить. Скажу прямо: если ты сможешь четверых человек из зоны через лес вывести, то получишь свободу и сохранишь жизнь. Если не можешь, то и говорить не о чем.

— Когда?

— Завтра ночью.

— Ночью опасно, но попробовать можно.

— Проба жизни стоит.

— А я тебя за собой не тащу.

— Как ты собираешься пересекать лес?

— Это мое дело, но для начала я должен провести разведку. Нужно проверить места. У меня там кое-что припасено. Ступеньки нарубить из котлована на опушку, фонарями запастись. Ты что думаешь: все так просто? Взял и пошел? Тут подготовка нужна, страховка.

— Не уговаривай, верю. Сам займусь с тобой приготовлениями. Завтра утром и приступим. Будут тебе и ступени, и веревки, и фонари. Но учти: мы тебя на мушке держать будем.

— Давай-давай, начальник, только памперсы подложи, а то штаны обгадишь.

Гаврилюк усмехнулся.

После визита к пленнику Николай решил навестить начальника охраны, старого друга Сидора, который наслаждался обществом Вальки-разбойницы. За выход пя-

терых зеков он получил обещанную награду. Валька умеет ублажать мужиков. Пусть парень порадуется перед смертью. Недолго ему осталось.

Планов на сегодня у Миколы Гаврилюка хватало. К вечеру он должен приехать к Ингрид, доложить обстановку, выяснить, как обстоят дела с машинами и ее конкурентами. Справились его головорезы с заданием или нет? Но главный вопрос касался транспорта: он должен быть на месте уже к вечеру завтрашнего дня.

Николай не прекращал думать о предстоящей операции ни на минуту. Тут каждый нюанс имел значение. Одна заноза — и все планы могут рухнуть. Нервозность, страх и напряжение сойдут только тогда, когда он один на один останется с кладом в надежном месте. Вот только тогда он будет диктовать условия, и больше никто. Есть ради чего идти на риск. Почти шестьдесят лет жизни брошено кошке под хвост, хоть остатки надо прожить достойно, в свое удовольствие. Николай бросил сигарету и ступил на деревянный настил моста.

16. Пасьянсы

Встреча состоялась в скромном ресторанчике на окраине Смоленска. Заместитель начальника областного УВД полковник Чепурин приехал в штатском. Крылов уже сидел за столиком и сделал заказ.

— Рад вас видеть, Родион Сергееич.– Крылов встал и пожал руку полковнику.– Давненько не виделись.

Без мундира Чепурин походил больше на скромного работягу из жилищной конторы — слишком угловат и невзрачен. Вот только начальственный взгляд и самоуверенный вид могли натолкнуть человека на мысль, что этот тип привык больше командовать, чем подчиняться.

Они сели за стол, и Крылов принялся разливать водку.

— Будете уходить, Родион Сергеич, не забудьте взять портфельчик из-под стола. Там наши взаиморасчеты. Надеюсь, вы останетесь довольны.

— Хорошо, что не забываете. Крыша для ваших объектов стоит недешево. Порой прикрывать вас удается с большим трудом. На днях пришлось добывать взрывчатку для курнаковской точки. Опять что-то взрывать собираются. Население волнуется.

— Три-четыре деревушки в радиусе двадцати километров по пять дворов в каждой это еще не население. Не стоит преувеличивать, господин полковник. Расскажите лучше, что вам удалось узнать в Главном управлении города.

— Смоленская милиция на ушах стоит. Такой бойни в центре города давно не помнят. На стрелку не похоже. Для разборок существуют другие места. Тут явный заказ. Сыщики поработали неплохо, ничего не скажешь, но уперлись в тупик. И вряд ли они на этом успокоятся. Ниточек очень много осталось, и они их будут отрабатывать. Скажу откровенно: если у них хватит ума попросить помощи из Москвы, то дело может принять плохой оборот.

— Вы не на коллегии МВД, Родион Сергеич. Давайте к делу. Меня интересуют только факты.

— Проблема в том, что одного из ваших опознали. Визуально, конечно. Жильцы дома указали на одного из убитых и сказали, что, мол, этот молодой человек снимал квартиру номер девять в третьем подъезде. Начали искать хозяина и нашли его у дочери, которая уехала с мужем на отдых в Сочи. Старик висел на крюке люстры в петле. Руки на себя наложил. Повесился. Но только в самоубийство никто не поверил. Правда, следов насильственной смерти обнаружить не удалось, но и причин для само-

убийства также не имелось. У него в столе нашли незаконченное письмо дочери на курорт. Старик пишет, что у него все в порядке, на здоровье не жалуется, а тут еще и деньжата подвернулись. Сдал квартиру на месяц за большие деньги и к их возвращению готовит шикарный прием. При обыске и деньги нашли, и ценности дочери. Версия с ограблением отпала. Старик ждал дочь и готовился к ее приезду, а вместо шикарного приема взял и повесился на люстре в ее квартире. Хорошенький сюрприз.

— Да, тут есть над чем голову поломать. Но если убит жилец квартиры и хозяин, то есть другая зацепка. Ведь сыщики уже догадались, что убийство жильца носило заказной характер. А если сделать предположение, что киллеры искали свою жертву и узнали адрес от хозяина квартиры, а потом его убрали как ненужного свидетеля.

— Вы правы, Юрий Иваныч. Вам бы в следователи идти надо. Но только эта версия очень быстро лопнула. И причин тут несколько. Причина первая и главная. Медэксперты установили, что смерть старика наступила на три часа позже, чем гибель киллеров.

— И что из этого? Ведь никто не знает точного количества налетчиков. Может, их было десять человек. В перестрелке погибли не все. Выполнив задание, оставшиеся в живых могли поехать к старику и отомстить ему за потери. Порыв гнева!

Полковник взял рюмку, выпил водку, кинул в рот маслину и продолжил:

— И тут неувязочка получается — та самая, которая может далеко завести следователей. Пятеро убитых налетчиков, как вы их называете, опознаны. С них сняли отпечатки пальцев. Дактилоскопия показала, что все они занесены, что называется, в «красную книгу». Первостепенные головорезы, каждый из них имел не по одной отсидке. Вот тут и раскрылись самые невероятные подробности.

Все пятеро должны были находиться в сафоновском ИТК № 16. Все имели длительные сроки заключения, и на свободе ни один из них в ближайшие пять лет появиться не мог. Начали копать — сплошные чудеса. Двое из них сбежали год назад и находятся в федеральном розыске. Тут все как бы естественно. Правда, непонятно, зачем им околачиваться возле зоны. Россия велика, есть и более удобные места, где можно затеряться. Но трое других числятся среди умерших. Волки-одиночки, не имеющие родственников, каждый из них умер в зоне по разным причинам и был кремирован. На сей счет имеются все необходимые документы — подпись врача, копии, подпись начальника колонии, акт о кремации, свидетельство о смерти, причины и так далее. Все трое умерли в течение последних восьми месяцев. Когда проверили всю документацию колонии, то выяснилось, что за последние два года в ИТК-16 умерло сто восемьдесят человек и тридцать четыре сбежали.

И тут есть характерная черта: умирали те, у кого нет родственников, и трупы не были востребованы. Бежали те, у кого есть матери и жены. Но ни один не был пойман и никто из них не давал о себе знать близким. Сейчас начальник ИТК и врач сидят в предвариловке и из них выбивают показания. Если они заговорят, то дело приобретет совсем другие масштабы, но об этом позже. Вернемся к событиям сегодняшнего дня.

Убийство хозяина квартиры невозможно связать с киллерами-уголовниками. Если бы они повесили старика, то никаких ценностей в квартире дочери милиция не нашла бы. В серванте за стеклом на видном месте стояла шкатулка с золотыми изделиями. В шкафу под бельем найдено шесть тысяч рублей и двести долларов США, а о мелочах и говорить не приходится. Теплая одежда мужа хозяйки им могла пригодиться. На дворе осень, а у него

одних свитеров штук десять. Семья жила не бедно. Однако все осталось на своих местах.

— Что думают в Управлении о жертвах налета? Удалось только установить, что один из погибших снимал квартиру.

— Боюсь, они сделали правильный вывод. Четверо погибших вышли из подъезда и свернули влево. Двор имеет только одни ворота, выходящие на улицу, но арка находится справа. Слева ничего нет, там дом. Однако кроме дома у обочины стояла единственная машина «линкольн-навигатор» с московскими номерами, принадлежащая фирме «Градиент», которой руководит господин Шефнер из Германии. Я ему уже звонил и предупредил его. Без подробностей, конечно. Надеюсь, вы это сделаете сами. Господин Шефнер попросил меня, чтобы я поставил машину на розыск, будто ее угнали у фирмы. ГИБДД мою заявку приняла, но я обязан в трехдневный срок переслать им заявление потерпевшего, а у меня его нет. Причем этот человек должен быть сотрудником фирмы Шефнера.

— Хорошо, такое заявление у вас будет к завтрашнему утру. У вас есть список погибших уголовников?

Полковник достал листок бумаги, свернутый вчетверо, и положил его под тарелку с закуской.

— Что вам это даст?

— Я хочу знать, с какого объекта они бежали.

Полковник усмехнулся.

— Юрий Иванович, не держите меня за мальчика. Я в органах тридцать четвертый год. У вас здесь три объекта, руководят ими Гюнтер, Гельмут и Герман. Сбежать оттуда никто не может. Их могут только выпустить на определенных условиях. Например, для того, чтобы вас убрать с дороги. И уверяю вас, что такие головорезы приказам какого-то там Гельмута подчиняться не будут. Зачем им рисковать собственной шкурой? Очутившись на свободе, они уйдут. А это значит, что работали бандиты под серьезным контролем.

Эти списки ничего не дадут. Если вас решил убрать Герман, то он скажет, что таких людей в его зоне нет и не было. А если вы сунетесь в зону с проверкой, то там и останетесь. Вас решили убрать, и они доведут дело до конца. Первая попытка сорвалась. Второй промашки они не допустят. Только вы и без меня знаете, что Гюнтер, Гельмут и Герман сами по себе ничего не значат. Они пешки. Если кто-то из них пошел на такой шаг, то делал это не по собственной прихоти, а по приказу хозяина. Все они находятся на службе у Шефнера и преданы ему, как сторожевые псы. А такие люди лишены самостоятельной инициативы. Выводы делайте сами. Под топором ходите.

Крылов внимательно посмотрел на полковника, долго изучал его угреватое лицо, будто хотел запомнить, потом спросил:

— Мне кажется, у вас есть ко мне какое-то предложение.

— Возможно, я человек недалекий и необразованный, но у меня огромный опыт за спиной. Я не верю в то, что немцы будут вкладывать огромные средства в строительство заводов для изготовления запчастей к швейным машинкам и телевизорам. Осушение болот и два года работ никакие запчасти не окупят. К тому же их надо везти в Москву. В Смоленске народ бедный, покупает отечественную технику. Думаю, что и нефти, угля и золота под Смоленском нет. Зачем же Шефнер купил эти земли? Не арендовал, а купил, я это подчеркиваю. Точнее, купила его фирма, пользуясь прорехами в законах. Губернатор на этой сделке себе пятиэтажный особняк построил и в ваши дела носа не сует. Вот и возникает вопрос: а что господину Шефнеру надо на болотах? И что вам там надо?

Если Шефнер решил вас убрать, значит, он вас боится. Вы фигура самостоятельная, сильная, и я не поверю, чтобы такой человек, как вы, ходил у кого-то в холуях. Нет, у вас тут свой интерес, и Шефнер вам не компаньон, а конкурент.

— Послушайте, полковник, вы получаете от нас хорошие деньги. Вполне можете построить себе особняк не хуже губернаторского. Чего вам еще надо?

— Мне скоро идти на пенсию. Ваши подношения меня устраивают, но подачек надолго не хватит. Я хочу получить долю. Обстановка такова, что Шефнер начал размахивать метлой, а это значит: работы подходят к концу. Где-то рядом вбит кол с победным флажком. Давайте обойдемся без Шефнера. Ведь вас лишили силы, вы остались один, а в одиночку много не сделаешь. Против вас армия. Шефнер все еще хозяин положения. Предлагаю вам сотрудничество. У меня сил не меньше, чем у Шефнера, и я здесь на родной земле. Допустим, меня не интересуют подробности. В бизнесе я ничего не смыслю. Мне нужно знать конкретно, какова будет моя доля и что я должен делать, какие силы подряжать на операцию и каков четкий план действий. Вы стратег, я исполнитель. А сил у меня хватит сломать хребет всем, кто встанет у нас на пути. Подумайте над моим предложением. Завтра утром принесете мне заявление для гаишников об угоне «линкольна» и заодно дадите конкретный ответ. Если мы сторгуемся, то хорошо бы иметь план действий. Мое чутье редко меня подводит, события могут начаться не сегодня, так завтра. Позвоните Шефнеру. Вам ответят, что его в Москве нет. Я так думаю — он уже на пути в Смоленск.

Полковник встал, достал из-под стола дипломат и, кивнув на прощанье, ушел.

Молодой человек, сидевший через столик, встал со своего места и сел за столик Крылова.

— Ну что, Жорж, какие новости? – холодно спросил Крылов.

— Ничего утешительного. «Линкольна» во дворе нет.

— Придется тебе составить заявление об угоне задним числом. Машину нам вернут. Она у ментов.

— Ингрид я не нашел. Ее нет ни в одной точке, где она могла бы находиться. Шефнер выехал в Смоленск. Никого из охраны с собой не взял. Наши ребята его прослушивали. Гарри доложил Шефнеру, что звонил Герман. Он сказал шефу, что пропал Гюнтер. Они ищут его вторые сутки, но тот как сквозь землю провалился. Они с Гельмутом ездили на объект Гюнтера, но там им сказали, что Гюнтер не появлялся уже несколько дней.

— Вот оно в чем дело... Похоже, Ингрид перешла в атаку. Покушение на нас — дело ее рук. Здесь только мы могли помешать ее планам. На зоне Гюнтера у нее есть сообщники. Кого-то она там купила. На нас устроили облаву беглые зеки, выпущенные с этой целью с объекта. Работали под контролем. Помнишь ту иномарку, умчавшуюся со двора? Они решили, что полегли все. Если бы мы с тобой подали признаки жизни, нас добили бы контролеры. Теперь Ингрид уверена, что нас не существует. Шефнер для нее не соперник. С ним она церемониться не станет. Это только полковник думает, что у Шефнера есть сила, а он пустышка. И если провести некоторые параллели, то стоит вспомнить, что Наташа со своей командой тоже пасется возле объекта Гюнтера. А она знает больше, чем мы думаем. Нет сомнений: в Курнакове нашли архив. Теперь вся проблема заключается в том, как его вывезти. Охрана подчиняется только Гюнтеру либо самому Шефнеру. Значит, Ингрид нашла себе сообщника из числа охраны. Предположительно, начальника блокпоста. Допустим. И что дальше? Ей нужен транспорт. Машин пять как минимум. Она будет брать только товар, архив ей не нужен.

— Не торопитесь, шеф. Всем известно, что ящики стандартные и маркировки не имеют. Чтобы выяснить, где архив, а где золото, надо их вскрыть, а при сообщниках Ингрид этого не сделает. Стоит кому-нибудь увидеть содержимое — как от Ингрид мокрого места не останется. Там попросту начнется бойня. Не стоит забывать и о рабах. Двести или больше человек. Отпетые убийцы в большинстве. Нет, Ингрид будет брать все.

— Возможно, ты прав. Ясно другое: нам в зону лучше не соваться. Мы должны перехватить архив на выезде из зоны.

— Вдвоем?

— Есть тут один помощничек... Сам напрашивается. Долю просит.

— Может быть, дать?

Крылов усмехнулся.

— Есть вещи, которые на доли не делятся. Они существуют только целиком. Ты сейчас сам об этом говорил. Стоит открыть один ящик — и блеск золота лишит человека разума. Это только фанатики-эсэсовцы копили богатства для процветания Третьего рейха. А в этой стране золотые сережки вместе с головой отрывают.

— Так что же будем делать?

— Думать. У нас есть время до утра.

* * *

Ингрид тоже думала. Николай доложил ей обстановку и разложил все по полочкам. План ей понравился, и она не нашла в нем слабых мест. Но Ингрид ему не верила. Она вообще не верила в людскую преданность и надежность. Человек человеку волк. Эту чисто русскую поговорку женщина не забывала, однако других вариантов у нее не имелось. Кому-то придется доверять — хочешь ты того или нет.

После ухода Николая, у которого забот было больше, чем она могла себе представить, Ингрид собралась и поехала к «антиквару в законе» Марку Лагорину. Антиквар ждал ее. Первым делом он доложил, что операция по ликвидации конкурента прошла удачно. Из своих источников в УВД Лагорин знал, что погибли все пятеро зеков и четверо из команды конкурента. Он также знал со слов Ингрид, что их было шестеро и двое уцелели. Но об этом он решил умолчать, полагая, что два человека погоды не сделают, а, скорее всего, уйдут с дороги сами, не дожидаясь, пока их добьют.

— Не пора ли, голубушка, перейти к откровенному разговору. Я чувствую себя болваном в старом добром преферансе. Карты раздал и сижу смотрю, как играют другие.

— Хорошо, Марк, только ответь мне на несколько вопросов. Ты подготовил машины?

— К сожалению, добыл только семь крытых бортовых «ЗИЛов». Шоферы — люди надежные, но на всякий случай я к каждому из них прикреплю по экспедитору с оружием. Так будет еще надежней.

— А экспедиторы? Им ты доверяешь?

Марк вздохнул.

— Тебе, немке, этого не объяснишь. У нас свои законы. Если я посылаю людей на дело, то они его выполняют. В противном случае они уже не люди, а трупы. Мои приказы не обсуждаются.

— Хорошо, не спорю. К завтрашнему дню ты должен заготовить сорок ящиков, обычных деревянных, в которых перевозят мелкие станки, — полтора метра в длину, по метру в ширину и высоту. Ящики погрузишь в машины и к десяти вечера подашь их туда, куда я скажу. Мы с тобой поедем вместе с автоколонной. Груз придется упаковать в эти ящики.

— Для чего, голуба? До Орши рукой подать. Мы и так их довезем.

— Делай, как я говорю,— и ты получишь миллион долларов, хочешь в долларах, хочешь картинами. Мы будем перевозить военный архив немецкой армии, оставленный здесь более пятидесяти лет назад. Груз специфический. Стальные кофры со свастикой и знаками СС — не лучшее зрелище для случайных ротозеев или, того хуже, дорожной полиции.

— Ты имеешь в виду ГИБДД? Но, черт подери, я никогда не думал, что ты шпионка, я всегда считал тебя антикварным бизнесменом!

— А это и есть бизнес. Есть люди, готовые заплатить за архив хорошие деньги. Шпионы тут ни при чем. Покупая у тебя любовную переписку императрицы Екатерины II, выкраденную тобой из спецхрана в Питере, меня тоже можно было бы обвинить в шпионаже. Старые архивы интересуют только коллекционеров. Я знаю одного фанатика, купившего письмо Гитлера Еве Браун за сто тысяч марок. А тут сорок ящиков — по триста килограммов каждый — набиты подобной макулатурой. У меня есть покупатели на этот хлам, иначе я не взялась бы за подобное дело.

— И во сколько оценивается этот архив?

— Не углубляйся в детали, Марк. Твоя доля составляет большой куш, а работа пустяковая. Только она может осложниться. Архив будут вывозить из зоны с особым режимом. Те, кто его оттуда вывезет, должны будут умереть.

— Вот даже как?

— Так. Миллионы за пустяковую работу не платят.

— Сколько их?

— Человек, может, двадцать, не знаю. Я не верю тому типу, который будет вывозить ящики. Он может выкинуть какой угодно фортель. Любые свидетели и следы нам ни к чему. К тому же к зоне проявляют интерес разные люди. Нам не нужны те, кто что-то знает об архиве или видел ящики своими глазами. Там и без нас намечается бойня. Когда туда доберутся органы правопорядка, они должны найти на месте только трупы, и ничего больше.

— Да-а-а! Кровожадная ты дамочка. Провернуть такую операцию и не оставить следов! Сказка! Надо смотреть на вещи трезво. Раз уж я подписался на это дело, то не в моих правилах сворачивать с полдороги. Но тебе придется набавить еще тысчонок триста. Потому что и шоферов и экспедиторов также придется убрать. А тут без особых хитростей не обойтись. Придется мне нанимать для этого дела людей из другой группировки, а такие приемы дорого стоят.

— Торговаться не буду. Меня интересует результат. Сделаешь все чисто, получишь полтора миллиона. На этом ставлю точку.

Часть III

ЗМЕИНАЯ ЯМА

1. Москва

Сегодня у старого генерала было отличное настроение. Он встретил подполковника Виноградова с широкой улыбкой.

— Ну вот, Олег Петрович, кажется, мы подошли к завершающей стадии операции. Двадцать лет неукоснительного труда не прошли даром.

Виноградов мило улыбнулся.

— Все так, Никанор Евдокимыч, но и мы не стояли в стороне. Как говорится, чем могли... Я так понимаю, вы уже имеете точные данные?

— Да, сегодня я получил от Наташи последний отчет с подтверждением. Но, прежде чем докладывать обстановку, хочу вам напомнить о нашей договоренности. Я лично знакомлюсь со всем архивом от «А» до «Я» и получаю копии тех документов, которые меня заинтересуют, без каких-либо ограничений, купюр и прочей волокиты.

— Этот вопрос мы с вами уже обсуждали. Мое руководство не ограничивает ваш доступ к материалам. Вы кадровый офицер разведки, многие годы работали со сверхсекретными материалами, автор нескольких пособий и учебников для высшей школы ФСБ, писатель, историк, исследователь и консультант отдела Западной Европы. Разумеется, вы должны понимать, что те документы, которые имеют актуальность в сегодняшнее время, не могут быть опубликованы и не подлежат разглашению.

— Об этом вы могли бы мне и не говорить. И второе. Оценка ценностей, акты экспертов, опись содержимого должны будут лечь ко мне на стол для ознакомления. По нашим законам, все еще имеющим свою силу, Наташа должна получить двадцать пять процентов. Я думаю, она заслужила это вознаграждение. Одна только операция по выманиванию — иначе и не скажешь — Шефнера в Россию достойна правительственной награды. Так повелось с начала деятельности ВЧК, когда в Россию выманили Савенкова и Сидни О`Релли. Артузов и Менжинский получили ордена.

— Да, но и фигуры были другого масштаба.

— Дело не в фигурах. Это были политические трупы. Вопрос в том, какую информацию получили чекисты, захватив супертеррористов в свои руки. Уверяю вас: ни один человек в мире не может содержать в своей голове столько сведений, сколько хранится в архиве Хоффмана.

— Не сомневайтесь, Никанор Евдокимыч, Наташа обижена не будет.

— Я вам верю. Верю, потому что вы меня никогда не подводили. Верю потому, что Комитет все еще нуждается в моих консультациях, и верю слову офицера. А теперь прошу подойти к моему столу.

На письменном столе была разложена карта Смоленской области, вся исчерченная красным карандашом.

— Давайте сверим наши данные,— Скворцов указал шариковой ручкой на отмеченную точку. — Это Курнаково. Строго на запад в четырех километрах деревня Симашки. Еще два километра к югу, и через степь лежит единственная дорога к лесу. Глубина лесополосы три километра, и мы попадаем на объект номер один, которым руководит Гюнтер Краузе. Здесь обнаружен архив, и он будет вывезен с базы в ближайшие сутки. Когда вы собираетесь туда выезжать?

— Вылетаю сегодня самолетом. К вечеру буду на месте. Мои люди держат ситуацию под контролем. Просто теперь я сумею сконцентрировать их на одном месте и снять наблюдение с других точек. А это очень важно, потому что людей у меня не очень много.

— В таком случае на объект вы не попадете. Там без силовых методов не обойтись.

— А зачем нам нужно туда проникать? Мы дадим противнику возможность доставить архив в нужную точку и там его перехватим.

— Любопытно. Поделитесь своими планами, Олег Петрович. Может быть, я смогу вам дать полезный совет.

— Обстановка складывается следующим образом. Сегодня Шефнер вылетел в Смоленск, но он уже упустил инициативу из своих рук. Вряд ли сейчас с ним будут считаться его ближайшие компаньоны. Шефнер не имеет реальной силы и не сможет взять ситуацию под контроль. Так что нас он как серьезный противник не интересует. К тому же им занимается МВД. Оставим его на попечение милиции. В любом случае им придется рано или поздно передать Шефнера нам.

Борьба за архив будет вестись двумя кланами. Это Крылов, он же Юрий Антонов, и Ингрид Йордан, она же Ингрид Хоффман. Мы в своей работе делали упор не на поиск места захоронения архива, а на поиск места его дислокации или, если хотите, перевалочного пункта, куда архив будет доставлен после того, как его достанут из тайника. И здесь мы преуспели. В случае, если госпожа Хоффман сумеет обойти своего конкурента и заполучить архив в свои руки, она его отправит в Гольяново. Это элитный поселок коттеджного типа, расположенный не доезжая пятнадцати километров до Орши. Там госпожа Хоффман отстроила четырехэтажный особняк. Почему мы решили, что она отправит архив именно в эту точку? Тут все просто.

Первое. Шефнер имеет три особняка в районе Орши, видимо, построенных с той же целью. О том, что у Ингрид есть свой дом, он не знает, и в списках собственности фирмы его нет. Второе. Она наняла вооруженную охрану из восьми человек, которые живут в доме безвылазно. Причем охрана не местная, а доставлена из Москвы. Некий Кочарин, бывший полковник милиции, открыл охранное бюро в Москве. Ингрид стала его спонсором и дала деньги на обустройство, регистрацию, аренду и найм людей. Пока бюро отбивает вложенные в него средства, Ингрид воспользовалась моментом и взяла восьмерых охранников. Как я догадываюсь, их задача охранять архив на месте, и в дело она этих ребят пускать не будет. Гвардия в бой вступает последней. Ну а для транспортировки женщина воспользуется силами местных авторитетов, мы даже знаем каких.

Ингрид давно уже имеет общие интересы с курьерами, работающими в сфере антиквариата. У нее обширные связи в Москве, Питере, Киеве, Одессе и других городах. Есть такой воротила и в Смоленске — некий Марк Феоктистович Лагорин. Скорее всего она обратится за помощью к нему. У Маркуши, как его называют в тесных криминальных кругах, достаточно мощная группировка по масштабам Смоленска. И здесь она сумеет получить крепкую и сильную поддержку.

Что касается ее противника Крылова, то он оборудовал свою базу на железной дороге. На главной смоленской развязке ему готовы предоставить состав в пять пульмановских вагонов. Куда он хочет отправить поезд, пока неизвестно. Но нам достаточно того, чтобы он загрузил ящики в вагоны, а мы уже разберемся, как он распорядится поездом. Крылова мы возьмем на месте, и у меня уже заготовлен ордер на его арест. У Крылова нет тех сил, какими обладает Ингрид. Даже он не мог предугадать, что его напарница по убийствам женщин в Москве так хорошо подготовилась к завершающему этапу операции. Шефнер и Крылов явно недооценили свою скромную компаньонку.

По сути, только один Шефнер четко выполняет задание разведцентра Запада и преданно и бескорыстно намеревается довести дело до конца. А главная его ошибка заключается в том, что он все еще доверяет своим партнерам. В противном случае он бы затребовал помощи из-за кордона и получил бы ее. Для этого они использовали местные резервы, и мы могли бы выйти на целую сеть работающих на Запад отщепенцев. Вот поэтому, я думаю, нам не стоит торопиться с арестом Шефнера, а с МВД мы сумеем договориться, если те ринутся на него с наручниками.

— А вы не берете в расчет Журавлева и его команду?

— Это смешно, Никанор Евдокимыч. Журавлев отчаянный малый, но один в поле не воин. Против такой мощной машины ему не устоять.

— Но и у вас людей не слишком много.

— Мы официальные представители власти с правом использовать оружие и привлекать на свою сторону правоохранительные органы, местные власти и требовать содействия от организаций и населения. Все это вы и без меня знаете.

Генерал улыбнулся.

— Логично. Ну что же, игра ожидается интересная, на поле выходят сильные команды. За кого вы болеете?

— Я бы поставил на Шефнера. Его победа дала бы нам больше пользы. Вскрыть внутренние резервы западных разведок на нашей территории — вещь немаловажная и серьезная. Но Шефнер упустил свой шанс. Взять Крылова или Ингрид — дело простое, на них есть достаточно материалов и имеются ордера на арест. Но они нас никуда не приведут. Арест агента давно уже не сенсация, а повседневная работа. Но из этих двоих я отдаю предпочтение Крылову. И дело тут не в том, что у него мало сил, дело в опыте, умении четко оценивать ситуацию, предвидеть ход противника и опережать его на крутых виражах. Ингрид опирается на местную шпану. Она окружила себя очень сомнительными компаньонами. В сердцевине ее клана могут возникнуть междусобойчики, а это чревато провалом. Крылов не упустит такого шанса.

— Как же вы поймете, кто из них выиграл первый раунд?

Виноградов взял карандаш и указал место на карте.

— Вот здесь, в этом месте, все станет ясно. Судя по местности, от Курнакова к шоссе идет только одна дорога и по-другому из объекта не выехать. На архив понадобятся не менее пяти машин. Мы будем ждать их на развилке при выезде на шоссе. Придется перевоплотиться в автоинспекторов. Задерживать автопоезд не имеет смысла. Тут и так все станет ясно. Если машины свернут в сторону Смоленска, значит, архив в руках Крылова, если они направляются на Оршу, то победительницей стала фрау Хоффман.

— Но остается еще дорога, а это тоже шанс.

— Мы возьмем дорогу под наблюдение. На это у меня сил хватит. Конечно, проводить захват на шоссе мы не

станем. Чревато авариями и гибелью случайных людей. Мы ставим перед собой задачу не дать другим перехватить груз.

— Что ж, у меня замечаний нет. Вы все спланировали грамотно. Желаю удачи, Олег Петрович, и жду вас с победой в ближайшие дни. Очень ответственный этап. Постарайтесь не споткнуться.

На прощанье они долго жали друг другу руки. После ухода Виноградова Никанор Евдокимович подошел к телефону и попросил соединить его со Смоленском.

* * *

На Петровке также пришли к выводу, что пора приступать к решительным действиям.

Майор Марецкий докладывал полковнику:

— Полученная сводка из Смоленска подтверждает, что события из Москвы перенеслись туда. Сегодня Шефнер вылетел в Смоленск. Нам пора включаться в разработку — иначе мы опоздаем. То, что в разборке с уголовниками, исчезнувшими из ИТК-16, участвовали люди Крылова, нет никаких сомнений. Машина, стоявшая во дворе дома, где происходила перестрелка, принадлежит фирме Шефнера. Мы получили по электронной почте фотографии убитых и навестили Шефнера. Но, увы, опоздали, он уже улетел. В аэропорту нам подтвердили, что Шефнер вылетел девятичасовым рейсом. С помощью ОМОНа мы задержали пятерых сотрудников отдела безопасности фирмы. У нас на них ничего нет, и мы их выпустили, но сам факт задержания стал для Шефнера предупреждением, теперь они начнут форсировать события и наделают глупостей. Охранникам были предъявлены снимки убитых, и они их опознали. Все — сотрудники отдела безопасности. Крылову удалось уйти.

Скороходов постучал пальцами по столу.

— А что известно о бывших компаньонах Крылова?

— Начальник колонии арестован и дает показания. Заключенных он продавал, как товар. Покупателем была некая фирма «Гермес», которая нуждалась в дешевой рабочей силе. «Гермеса» в природе не существует. Смоленским сыщикам удалось установить, что эту фирму создал какой-то иностранец по имени Гюнтер через подставных лиц. Тут есть некоторые параллели. Шефнером закуплены земли в Смоленской области, где он ведет работы по строительству своих филиалов. Руководят работами немцы, и среди них есть некий Гюнтер, но сейчас это не имеет большого значения. На месте все станет ясно. Мне нужно срочно вылететь в Смоленск. Главной задачей на данный момент я считаю арест Крылова и некой Ингрид Йордан. Эти двое и являются убийцами пяти женщин в Москве. Только их арест сможет закрыть дело, расставить все точки и реабилитировать Журавлева как перед законом, так и перед общественностью. Мы обязаны вернуть человеку его имя и лицо, а Шефнером пусть занимается ФСБ.

— Вы что-то выяснили о женщине? Я впервые слышу от вас имя Ингрид Йордан.

— Эта та самая свидетельница, падающая как снег на голову в момент убийства. Эксперты установили по листку из ее телефонной книжки, что один номер принадлежит известному контрабандисту, прославившемуся переброской русского антиквариата на Запад. Сейчас он отбывает срок в колонии. Мы побывали у него в гостях, и он отпираться не стал. Он опознал женщину по фотороботу. Зовут ее Ингрид Йордан, владелица сети антикварных магазинов в Мюнхене. Второй телефон принадлежит московскому коллекционеру изобразительного искусства. Он давно знаком с Ингрид, бывал у нее в Мюнхене, а она бывала у него в Москве. Они обмениваются раритетами либо покупают друг у друга

полотна старых мастеров. Интересный факт: будучи в Мюнхене на одном приеме, устраиваемом Ингрид, наш коллекционер познакомился там с неким Хансом Шефнером. Запомнил он его по одной простой причине: Шефнер разговаривал по-русски без акцента. Вот вам и связь. О темных делишках мадам Йордан с русским антиквариатом можно написать книгу, но сейчас речь идет о другом. Она замешана в убийстве, и мы обязаны ее арестовать.

— Хорошо, майор. Вижу, вы подготовились основательно к завершающей операции по делу московского потрошителя, и я готов вам оказать всяческое содействие.

— Сегодня же я должен вылететь в Смоленск. Главная моя просьба по поводу содействия — свяжитесь с Управлением Смоленска и потребуйте от них оказывать мне содействие. А лучше всего, если они выделят мне отдельную бригаду толковых ребят и помогут провести операцию по задержанию преступников.

— И вы уже знаете, где их искать?

— Знаю, Журавлев не зря поехал в Смоленск. Там же сейчас находится и Метелкин. А главное, они нашли жену Шефнера — Наталию, от которой до сих пор приходят открытки с юга.

— Хорошо, я свяжусь с Главным управлением Смоленска. Они примут вас как родного. Езжай, Степан! И без результатов не возвращайся. С такими данными грех сделать осечку.

Майор встал.

2. Туманный рассвет в зоне

Лебедка стояла надежно, механизм работал безукоризненно. Николай Гаврилюк лично испробовал подъемник. Кореец и Дылда подцепили плиту, загораживавшую лаз в подвал, и Гаврилюк с помощью пульта поднял ее, а потом установил на место.

— Главное, чтобы кронштейн из потолка не вырвало.

— Не вырвет,– твердо заявил Гусь.

— Ладно, поверим. А теперь, мужики, нас ждет самая ответственная работа. Гусь, ты возьмешь бригаду рабов человек в двадцать с носилками и лопатами и натаскаете сюда в подвал песок. Не меньше четырех тонн. Свалите его возле лаза. Ты, Кореец, возьмешь человек пять. За моим бараком стоит прицеп, накрытый брезентом. Под ним мешки из капроновой нити, выкрашенные под дерюгу. Перетащишь все мешки сюда. А ты, Дылда, гони всю ораву рабов на дальний участок, чтобы здесь поблизости никто не болтался. И не забудь напомнить пушечному мясу, что сегодня в полночь начинаем наступление. Пусть работают как обычно и не вызывают подозрений у охраны. И без глупостей. Сегодня промашки быть не должно.

Прораб повернулся и вышел из подвала. Сегодня он был собран, как никогда, и точно понимал, что делает. Весь день, расписанный по минутам, каждое действие продумано и просчитано. Ошибки исключались, на карту поставлена жизнь — или пан или пропал.

Николай вернулся в свою берлогу за частоколом, поднял половую доску под кроватью и достал автомат «калашников». Вставив рожок с патронами, он поднялся на чердак, открыл засов и вошел в помещение. Пленник сидел на табуретке у окна и любовался однообразными просторами котлована.

— Ну что, путешественник, пойдем глянем на то местечко, что ты мне показывал,— теперь мы сможем и наверх подняться. Ступеньки тебе выдолбили царские, и перила не нужны.

— А автомат тебе зачем?– спросил Вадим.

— Мне так спокойнее. Кто тебя знает, что у тебя на уме.

— Значит, без охраны пойдем?

— А кого охранять-то? Тебя или меня? Так я один обоих охранять буду. Ну, вставай и потопали. Времени у меня немного.

Вадим встал и направился к двери. Они вышли за частокол и двинулись на север к ближнему краю котлована, над которым черной стеной стоял лес.

— Не пойму я вас, Николай, не знаю, как по батюшке, но вам-то зачем в эти игры играть? Вы ведь здесь вроде кума, открыто с оружием гуляете. Хочу уйду, хочу приду. На что вам нужны лазейки в лесу?

— Ты прав, я человек свободный, но других вывести не могу. Вот ты мне и поможешь корешей вытащить из этой ямы.

— И много вы с них с этого получите? Нож в спину?

— Чего ты понимаешь, щенок? Здесь один день за год идет. Людишки за свободу жизни кладут не раздумывая, а ты о какой-то мзде рассуждаешь. Ладно, топай вперед и под ноги смотри. Тут этой ползучей твари больше, чем мух над навозной кучей.

Они приближались к тем самым трем соснам, которые были ориентирами для Вадима. Он был уверен, что Настя и змеелов побывали там и оставили ему какой-нибудь знак. Автомат на плече прораба его не пугал. С этим типом он в момент разберется, а что дальше? Его блеф хорош до поры до времени, а в лес идти — что живьем в могилу ложиться.

Журавлев не ошибся. И Настя, и Дмитрий не забыли о нем, мало того: к ним присоединился Метелкин, и они все в эту минуту находились у трех засохших сосен. Метелкин твердо решил идти в зону и искать друга. Если он его найдет, то они уж точно сообразят, как сбежать. Рядом в кустарнике было спрятано все необходимое снаряжение. Еще один «змееотвод», сделанный золотыми руками местного Кулибина, фонари, веревки, ножи, обрезы, патроны, противоядие от змей в виде сыворотки, шприцы, бинты, фляги с водой и высокие рыбацкие резиновые сапоги.

Евгений был готов к спуску в котлован.

— Постой, Женя,– отодвинул его в сторону змеелов. А ну-ка глянь. Тут кто-то на славу поработал. В стене вырублены ступени и боковой поручень сделали. Одному человеку такая работа не по плечу. А уж поручень сделать с крепежами — и того хлеще.

— Дик нигде не пропадет, он и здесь себе напарников нашел. Значит, он готовит побег.

— Навряд ли, мы ведь ему в прошлый раз веревку вниз сбросили. Веревки на месте нет. Стало быть, ее подобрали. А если он ее нашел, то ему ступеньки не понадобились бы.

— Не стоит спорить, господа кавалеры,– прервала их разговор Настя, отрываясь от бинокля.– Дик сам идет нам навстречу.

Оба тут же повернули голову в сторону котлована.

— Идут двое. Как две мухи в тарелке с баландой.

— Что, не подобрал блюда соответствующего цвета, кроме баланды! — рассмеялась Настя.– Дно котлована похоже на жижу горохового супа.

Она вновь прильнула к биноклю.

— Ох, ребятки, рано мы обрадовались. Второй тип с автоматом. И радости на лице Дика я не замечаю.

Метелкин подошел к Насте и взял из ее рук бинокль.

— Точно.

— А я его вспомнила. Этот тип приходил в номер Ингрид в Смоленске, когда я сидела под окном балкона. Похоже, между ними шел серьезный разговор, очень смахивавший на заговор. Зовут его, дай Бог памяти, Николай.

Он все от нее полномочий требовал. Мол, Гюнтер тут командует, а он так, на побегушках.

— Значит, он Дику не партнер, а враг. Что делать будем? Они через минуту здесь будут. Прямиком к лестнице идут.

— Включай аппарат, Настя, и ныряем в кусты. С ходу решения не примешь,— распорядился Дмитрий.— Осторожно возле дерева.

Настя включила «змееотвод», и они скрылись за кустарником. Машина работала бесшумно, и Настя не хотела ее выключать. Если они поднимутся наверх, то хоть на змей не наткнутся — все твари разбежались. И они поднялись. Первым появилась голова Николая, следом вылез из котлована Вадим. Дмитрий достал из-под полы обрез и положил его к себе на колени.

— Ну как?— спросил Гаврилюк.— Удобная лестница? Ребята постарались. Теперь и тебе для них постараться придется. Раз ты у нас такой волшебник, то и пойдешь первым, а мы следом.

— Это без разницы.

— Ну ладно, герой, колись. Какую хитрость ты придумал, что змеи тебя не трогают?

— Да все проще пареной репы. Есть такие порошки, от запаха которого змеи в сторону шарахаются. Шагов на пять не подползают. Но только запах этот через три дня выветривается. Когда я сюда шел, то тропинку этим дустом себе просыпал. Килограмма три ушло на дорогу. А жаль. К завтрашнему утру запах выветрится.

— А сегодня ночью?

— Можно, но не позже.

— Уходить будем в полночь. Найдешь тропинку?

— А я ее по запаху чую. У меня нюх — как у собаки.

Журавлев стоял лицом к лесу, а прораб лицом к котловану. Настя не выдержала и встала в полный рост. Вадим увидел ее не сразу. Он лишь скользнул по ней взглядом, но сумел сдержать эмоции и, чтобы скрыть возможные изменения в лице, пару раз чихнул. Настя вновь скрылась за кустами. Метелкин прикусил себе руку, чтобы не грохнуть со смеху. Фантазия Дика его всегда поражала, но история с дустом превосходила все пределы науки вешания лапши на уши. А когда речь пошла о собачьем чутье, то тут Метелкин сам себе кивнул: что правда, то правда.

— Ночью так ночью, — холодно продолжал Журавлев.– Только про фонари не забудьте. Сколько человек пойдет?

— С тобой пятеро. И учти: без фокусов. У нас свинца хватит.

— А где гарантия, что вы меня не пришьете на том конце леса?

— Ты нам еще понадобишься. Физическая сила нужна. Хорошо поработаешь — хорошо получишь.

— Никак стальные ящики таскать заставишь?

Тут Вадим рисковал головой. Шаг дерзкий и неразумный. Он хотел, чтобы его услышала Настя и, возможно, Наташа, если она здесь. Отрезанный от мира, он не знал о переменах в рядах своей команды.

— О каких ящиках ты говоришь?– спросил прораб, уставившись на Вадима.

— Понятия не имею. Слышал краем уха разговор твоих холуев — Корейца и Дылды, будто в подвале лежат ящики и их придется доставать, а они неподъемные и их очень много.

— Вот оно как. Что ж, раз слышал, то я тебе и доверю эту работу. Моим ребятам лишние руки не помешают. Ладно, спускайся, хватит время терять на болтовню.

Первым спускался Журавлев, следом Гаврилюк. Когда они исчезли, команда спасателей вышла из укрытия.

— Ну что делать будем? – спросил Метелкин.

— Тут и думать нечего, — сказал Дмитрий.– Настю надо отправить в деревню, а нам нужна подмога. До полночи времени хватит. Генерала позову, Кулибин подсобит. Они хоть и не молодые, но калачи тертые, с оружием обращаться умеют и с головой тоже. Мозги не зря в черепушке носят. Этот ублюдок живым Вадима не оставит. Слишком много знает.

— Ты прав, Митя,– согласилась Настя.– Иди за подмогой, но только я в деревню не вернусь. Мы с Женькой здесь останемся. А вдруг Дик вернется? Обхитрит этого козла и вернется. Он же знает, что мы здесь, а если мы уйдем, то как он «змееотвод» найдет?

— Пожалуй, Настя права,– кивнул Метелкин.

— Хорошо, ребята, только сами нос не высовывайте. Дело принимает серьезный оборот. Доставайте из мешка прибор и включайте, а этот я для своих вояк прихвачу.

На том и порешили.

Николай тоже принял решение, и его подсказал ему шедший рядом чужак. То, что он знает или не знает, все равно никому рассказать не успеет. Нечего пленнику баклуши бить. Так пусть попотеет вместе с его подельниками. Работы на всех хватит.

Гаврилюк привел Журавлева в подвал, куда рабы уже натаскали песка, а другая бригада заваливала дальний угол увязанными в брикеты мешками.

— Кореец! Принимай пополнение, и глаз не спускать с этого типа. Он теперь вливается в наш коллектив.

3. Перевербовка

Наташа поднялась на четвертый этаж, прошла по коридору и остановилась возле кабинета с табличкой «Заместитель начальника Управления внутренних дел Смоленской области полковник Чепурин Р. С.».

Она постучала и вошла. Полковника Наташа не увидела, она попала в приемную, а у обитой кожей двери слева стоял стол, за которым восседала грозная секретарша.

— Здравствуйте. Я хотела бы поговорить с Родионом Сергеевичем.

— Вы по повестке? — Секретарша тут же начала смотреть записи в блокноте. — Как ваша фамилия?

— Я по личному вопросу.

Секретарша оторвалась от записей и строго сказала:

— Пятница и понедельник по предварительной записи.

— Меня он примет без записи. Сегодня. Доложите ему, что пришла Наталья Шефнер.

Секретарша прищурила глаза, будто пыталась что-то вспомнить, потом ответила:

— Присядьте. Сейчас он занят. Как освободится, я ему доложу.

Наташа взглянула на настенные часы. Стрелки показывали четверть десятого утра. Она прошла к креслам для посетителей и села.

Ждать пришлось недолго, полковник освободился через полчаса. Дверь открылась, и из кабинета вышел Крылов. Наступило некоторое замешательство. Они увидели друг друга. Секретарша тем временем юркнула в открытую дверь и скрылась в кабинете.

— Надеюсь, в здании милиции вы не будете меня убивать? — с ухмылкой спросила девушка, чувствуя, как дрожат ее колени.

— Я не собираюсь вас убивать, фрау Шефнер, но хочу вас предупредить: если вы начнете предпринимать необдуманные поступки, то вас ничто и никто не спасет. Просто вы должны запомнить, что я всегда нахожусь за вашей спиной. А это самое незащищенное место. Люди не черепахи, у них нет панциря.

Крылов открыл дверь и вышел из приемной. Появилась секретарша.

— Полковник примет вас. Заходите.

Наташа гордой походкой прошла в кабинет. Чепурин встал из-за стола и вышел навстречу молодой, интересной женщине.

— Рад познакомиться с вами, госпожа Шефнер. Как я понимаю, вы супруга известного в наших краях немецкого бизнесмена Ханса Шефнера?

— Не я его супруга, а он мой муж.

— Не вижу разницы в формулировках.

— Ничего, я вам их расшифрую. На это понадобится немного времени.

— Прошу, присаживайтесь.

Полковник изображал из себя саму галантность: выдвинул стул для дамы и, после того как она устроилась, вернулся на свое место.

— Чем могу быть полезен?

— Можете, вы два года приносите пользу. Пришло время познакомиться вам с истинной хозяйкой положения и продолжать приносить мне пользу дальше. На данный момент у моего адвоката собралась огромная папка компромата на вас, полковник. Только не считайте это угрозой, а обычным предостережением. У вас только что был человек, который представляет для моей фирмы определенную опасность. Если вы войдете с ним в сговор, то это кончится для вас не только потерей погон, но и длительным сроком заключения.

— Боюсь, я вас не совсем понимаю. Как мне известно, Крылов работает в вашей фирме руководителем службы безопасности. Он приходил с пустяковой просьбой о хищении машины, принадлежащей вашей фирме.

Чепурин открыл ящик стола и достал заявление об угоне.

— Можете ознакомиться.

— Такие заявления подаются в другие службы и не таким крупным руководителям.

— У нас давние связи, и он попросил меня проконтролировать ситуацию именно с высоты моего кресла. Закономерное желание и просьба, учитывая дороговизну похищенной машины.

— Хорошо. Начнем с того, что Крылов больше не работает в моей фирме. Я его уволила.

Наташа достала из сумочки документы и разложила их на столе.

— Вот вам объяснение, почему я настаиваю на формулировке: «Шефнер — мой муж». Он всего лишь навсего мой муж, и не более того. Фирма принадлежит мне, а Шефнер в ней работает наемным директором. Полагаю, и он будет в ближайшие дни уволен. Объекты, постройки и земля в Смоленской области также принадлежат мне. Я единственная владелица всей недвижимости и всех зарегистрированных фирмой дочерних предприятий. Все эти годы вы работали на меня, а не на Шефнера. И деньги платила вам я, а не он.

— Очень приятный сюрприз,– разглядывая документы, ворчал себе под нос полковник. Надо сказать, ему не удавалось скрыть свою растерянность.– И как же будет строиться наша работа дальше?

— Достаточно просто. Вы окажете мне содействие в вывозе из Курнакова некоторого оборудования. Для этого потребуется хорошая охрана — охрана от Крылова и прочих ястребов. Теперь я могу посвятить вас в некоторые детали. Вам будет полезно об этом знать, чтобы все ваши эфемерные мечты на хороший, крепкий паек улетучились.

На территории объекта в Курнакове обнаружен немецкий архив военного времени, имеющий огромную

важность для нашей страны, государства и органов контрразведки. Этот архив в целости и сохранности должен доехать до Москвы и попасть в руки ФСБ. Такова моя воля. Я, как честный гражданин России, приняла такое решение. Информацию о готовящемся заговоре я получила из достоверных источников ФСБ.

Как выяснилось, мой муж Ханс Шефнер является агентом западногерманской разведки и вскоре будет арестован. Юрий Крылов отщепенец и бандит, находящийся в розыске. Вам это подтвердят столичные сводки, если вы захотите с ними ознакомиться. Он и Ингрид Йордан, которую вы также хорошо знаете, обвиняются в серийных убийствах, совершенных в столице в прошлом месяце. И тот и другая здесь. Один только что вышел из вашего кабинета. Теперь они разбились на два противоборствующих лагеря и поодиночке собираются завладеть архивом.

— Минуточку, минуточку, не торопитесь. Зачем, как вы говорите, бандиту нужен архив военных лет? И зачем он нужен этой самой Ингрид?

— Помимо архива в ящиках хранятся ценности — музейные картины, антиквариат и тому подобное. Никто сейчас не берется оценивать содержимое ящиков, но речь идет о миллионах долларов. Все это принадлежит государству, и я намерена вернуть народу его ценности.

— Похвально, весьма похвально. Так, значит, описи ценностей нет? Их может быть на пять миллионов, а может быть на сто.

— Это не имеет значения.

— И вы не преследуете никакого личного интереса?

— Мне по закону полагается двадцать пять процентов от государства. И я их получу.

— А почему не все? ФСБ получит архив — а вы деньги. Не проценты, а все.

— Не получится, уважаемый Родион Сергеич. В ФСБ знают о кладе. Кроме того, что вы будете делать, если вам в руки попадет брошь с бриллиантом в четыре карата работы Фаберже? На рынке продадите? С такими вещами носа на улицу не высунешь. Слух распространяется со скоростью вируса южноафриканской лихорадки. Вы и подарить ее никому не успеете, как вас замочат в собственном подъезде. Антикварный рынок давно уже поделен и тщательно контролируется. К сожалению, крестными отцами, а не вами.

— Что ж, вы хозяйка, вам виднее. Конечно, я вам помогу. Попытаюсь договориться с железной дорогой и выбить для вас состав до Москвы. Охрану также выделю. Что еще?

— Мне нужен отряд ОМОНа сегодня ночью: боюсь, готовится попытка вывезти архив с объекта без моего ведома. Это сделает кто-то из троих — Шефнер, Крылов или Йордан. Пусть вывозят, наше дело перехватить груз и отправить его на вокзал. Надеюсь, вы серьезно говорили о вагонах?

— Конечно, этот вопрос мы решим в течение часа. Будет вам и ОМОН. Но, как я понимаю, после вывоза архива вы закроете свои объекты?

— Еще не решила. И вот что еще. Гонорар вы, конечно, получите, не будем нарушать старые традиции, а в Москве я о вас поговорю. У меня очень серьезные связи. Постараюсь сделать так, чтобы в отставку вы ушли генералом. А теперь вызовите для меня машину, и пусть меня отвезут в гостиницу. Во второй половине дня я вам позвоню.

— Конечно, надо позаботиться о вашей безопасности.

Как только она ушла, Чепурин задумался. Такого количества информации в один присест он не получал в течение тридцати лет службы. Тут было над чем подумать.

Крылов не собирался далеко уезжать от Управления и ждал в машине, наблюдая за входом. За рулем сидел Жорж. Когда Наташа вышла, он посмотрел на часы.

— Сорок минут. Немало.

— Гляньте, шеф, она садится в милицейскую машину. Неужели ей удалось перевербовать Чепурина?

— Мы это от него узнаем. Вот почему мы вели за ней охоту. Она наверняка предъявила ему документы на собственность. Теперь остается только один шанс — перевернуть все с ног на голову.

— Поедем следом за ними.

— Уже поздно. Надо было раньше решать эти проблемы. Теперь меня больше интересует полковник.

Крылов достал сотовый телефон и набрал номер.

— Родион Сергеич, Крылов еще раз беспокоит. Каковы ваши впечатления от визита дамы?

— Нам стоит продолжить разговор, Юрий Иваныч. Требуются коррективы. Как я понял, вы где-то рядом. Загляните ко мне еще раз.

— Лучше, если вы выйдете на улицу. Так будет спокойнее.

— Понимаю вас. Сейчас я спущусь. Ждите.

Он положил трубу.

— Ну что?– спросил Жорж.

— Думаю, перевербовка не прошла. Наташа не очень умна. Она плохой психолог и не сумела подобрать ключи к опытному старому шакалу. Очевидно, пыталась его запугать, а такой трюк с Чепуриным не пройдет.

Полковник вышел из Управления один и, желая показать, что не готовит никаких ловушек, направился вдоль улицы в сторону парка.

Машина нагнала его у ворот, и он подсел к Крылову на заднее сиденье. Они тут же сорвались с места и уехали. Убедившись, что их не преследуют, Крылов спросил:

— Что в наших планах меняется?

— Сумма гонорара. Не триста тысяч, а миллион — и архив будет у вас в руках этой ночью.

— Согласен.

— Тогда готовьте свой железнодорожный состав. Я вам доставлю архив в лучшем виде вместе с девчонкой. Ей я сказал, что поезд в Москву я организую и дам соответствующую охрану. Все в ваших руках. Только одно условие: никаких эксцессов, пока не выедете за территорию Смоленской области. Там мои ребята сойдут с поезда, и решайте остальные вопросы сами.

— А транспорт? Кто вывезет архив и доставит его на вокзал?

— Ваши конкуренты. Но кто бы это ни был, я их упрячу за решетку, пока как налетчиков на частную собственность. Важно, чтобы вы успели уйти. И еще: я и пара моих помощников присоединятся к вам в поезде. Где? Еще не знаю, но о взаиморасчетах пора подумать уже сейчас! Вечером созвонимся.

Полковник вышел из машины. Крылов довольно ухмыльнулся.

— Придется нам контролировать все события. Езжай на вокзал, займись составом, а я займусь полковником и подумаю, как нас оградить от его назойливости.

4. Туман рассеивается

Часы бежали, как минуты. В начале второго Гаврилюк появился на блокпосту и вошел в здание охраны. Сидор Погорелов уже знал о гибели Гюнтера, и Николай сумел ему внушить, что до приезда Шефнера и назначения нового начальника объекта он остается за главного. Это позволило начальнику охраны расслабиться. Как-никак,

но он считал Николая своим приятелем. Вместе водку пили, вместе телок ублажали, а тут еще и пятерых рабов по просьбе Николая из зоны выпустил. Так что Сидор почувствовал себя вольной птицей. К тому же он очень прикипел к Валюшке, привезенной ему в знак благодарности Николаем. Покладистая, мягкая, безотказная, живет и ничего не просит. Обещала еще недельку пожить. Вот и выясняется, что даже в зоне можно создать райские условия для существования.

Гаврилюк постучал в дверь и, не дожидаясь ответа, вошел. Валентина сидела за столом и раскладывала пасьянс, а Сидор валялся на кровати и громко храпел. Николай молча подошел к шкафу и открыл его. Все дно было заставлено бутылками.

— Втянулся?– спросил Гаврилюк.

— Да, пару дней сдерживался, а потом сорвался. И сколько у него длятся запои?

Девушка разговаривала с ним, не отрываясь от карт.

— Сегодня к полуночи прекратятся.

Он достал из кармана пузырек с прозрачной жидкостью и поставил на стол.

— Часов в девять вечера подольешь ему в стакан. Надолго отрубится. И тут же уходи из зоны.

— А дальше что?

— Таракан будет ждать тебя в машине у опушки. Времени не теряйте и мчитесь на базу. К одиннадцати вечера все должно быть готово. Заваруха продлится полчаса, не больше. На подготовку мне понадобится еще час. К половине второго костры будут гореть. Точное время откорректирую по связи.

— Все будет сделано, начальничек. Хорошо держишься.

— О чем ты?

— Планы грандиозные строишь. Под силу маршалам решать, а смотришь на вещи, будто на рынке семечки покупаешь.

— Маршал не маршал, а полковником в свое время был. И дергаться мне незачем. Когда операция готовится в течение года, то в момент ее реализации думать уже не о чем. Инструкции написаны, их надо только выполнять: четко, безошибочно и уверенно.

Он посмотрел на спящего, криво усмехнулся и вышел за дверь. Спустившись на этаж ниже, Гаврилюк зашел в другую комнату. Здесь стояло шесть железных кроватей, а за столом сидели четверо охранников в униформе, пили чай и грызли сушки.

— Где остальные?– спросил Гаврилюк.

— Пошли на закладку мин,– ответил здоровяк; похожий на качка из клуба культуристов.

— Знают, как делать?

— Не беспокойся, Николаич, все будет тип-топ. И сработают точно по секундам, шесть штук вдоль дороги, и четыре прямо по центру. Юсупов все рассчитал, как надо.

— Покажи план.

Здоровяк кивнул соседу, тот достал из-под подушки свернутый лист бумаги и две трубки мобильных телефонов. Все присутствующие боевики выглядели сошедшими с фотографий из журнала «Сила и здоровье» — высокие, атлетически сложенные, аккуратно подстриженные, чисто выбритые, да и в глазах проглядывался интеллект.

Эту бригаду из шести человек Гаврилюк набирал из бывших офицеров-десантников, каждого по отдельности с предварительным собеседованием, проверками на прочность и преданность. Немало их прошло через его руки, но он оставил только этих. Вопрос устройства их на работу в охрану зоны решался несложно. Он приводил ребят по одному и давал свои рекомендации Сидо-

ру, которого тут многие не любили, и он платил тем же. Штат раздувать ему не позволяли скудные гроши, которые платил Гюнтер на содержание охраны. Надоевшего ему охранника он выгонял, а нового, с подачи Гаврилюка, брал на его место. Так подобранная прорабом бригада встала на вахту в зоне. К мизерному окладу Николай приплачивал из своих, так что ребята в обиде не были. Их дело служить верой и правдой хозяину и четко выполнять приказы.

— Вот дорога,– начал пояснения охранник, разложив листок бумаги на столе.– Шесть мин с хорошей начинкой разбиты на две части. Три штуки в километре от въезда в лес со стороны шоссе закладываются непосредственно в дорожное покрытие. Дорогу разворотит так, что и танк после этого не пройдет. Взрыв произойдет по телефонному сигналу. Расстояние не имеет значения.– Он положил на листок сотовый телефон. — Набирается нужный телефон, в мине раздается сигнал, и срабатывает детонатор. Сделать это можно в любую минуту, как только ребята вернутся с закладки. Вторая серия из трех мин заложена в километре от нашего блокпоста. Разрушения тех же масштабов. Между двумя эпицентрами взрыва расстояние составляет один километр.

— Все четко, Паша. Молодцы.– Гаврилюк взял сотовый телефон и положил в карман.– Какие номера?

— Они записаны в памяти аппаратов. Нужно вызвать меню телефонной книжки и нажать единицу, то есть букву «А». Ближний к нам заряд сработает. А буква «Е» даст сигнал дальней закладке.

— Так, с этим вопрос решен. Но на посту вас останется четверо. Двое других мне нужны в другом месте, и, я думаю, к главным событиям они подоспеют. Сидор к ночи выйдет из строя, об этом я позаботился. В отсутствии Сидора команду на себя возьмет Фролов, как его единственный заместитель, а он мужик без царя в голове. Большего нам и не надо. За полчаса вы должны предупредить Фролова о волнениях в зоне, чтобы он усилил охрану моста. Чем кончится бойня – никто не знает. Теперь о вашей бригаде. Четверо залягут с пулеметами в тылу своих. Коблов в кювете у дороги, метрах в ста от моста. Юсупов на чердаке склада с продовольствием, Мамедов у окна этой комнаты, Лобзев по другую сторону дороги, против Коблова. Никаких команд вам поступать не будет, действуйте по обстановке. Вас учить не надо, вы уже успели пороху понюхать. Задача одна — уложить нужно всех до единого. Ни одна скотина не должна пройти мимо вас. Раненых добьете. Потом появлюсь я и станем решать дальнейшие задачи. У меня в руках будет фонарь с зеленым огоньком, чтобы в темноте вы и меня не шлепнули.

— Задачка не из легких, Николаич. Двести пятьдесят голов снять надо.

— Не бузи, капитан! – строго сказал Гаврилюк.– Рано паникуешь. В бой вступайте последними. Рабы с надзирателями будут грызться до конца. На вашу долю и половины не останется. А теперь прикинь — вы занимаете самые удобные позиции. Стадо баранов попадает под перекрестный пулеметный огонь. Выскочить из котла нереально. Патронов у вас на армию хватит, с оружием вы тоже не первый год в обнимку спите. Проворонить ситуацию могут только новобранцы, а не кадровые офицеры. Каждый получит столько, сколько заработает. На этом точка. А сейчас Харченко и Толстиков пойдут со мной. У них свое задание будет. И обеспечьте себя рациями, и для меня заготовьте передатчик. Я еще зайду.

Он привел охранников к тем самым трем высохшим соснам, где собирался уходить ночью из зоны.

— Гляньте с обрыва в котлован.

Толстиков подошел к краю опушки и посмотрел вниз.

— Тут ступени вырезаны в стене и поручень есть.

— Воткни туда какую-нибудь ветку, чтобы иметь ориентир. Я появлюсь здесь от одиннадцати до двенадцати. В течение этого часа держите выход с лестницы на прицеле. Хватит двух автоматов. Я приведу сюда еще четверых. Они поднимутся наверх первыми. Оружие у них будет с холостыми патронами, ответить они вам не смогут. Как все четверо окажутся наверху, выходите из тени и бейте по ним в упор. Я даже подниматься не стану. Потом возвращайтесь назад и заходите рабам в тыл. Не дайте им возможности к отступлению. Думаю, к началу операции вы успеете. Наша основная задача заключается в том, чтобы к часу в зоне не осталось ни одной живой души, кроме нас семерых. В час ночи мы должны приступить к завершающей стадии операции. Но об этом потом, на данный момент надо решить главную задачу, а не засорять себе мозги новыми.

— Все ясно, товарищ полковник,– отчеканил Харченко.– Вопросов нет.

— Возвращайтесь в казарму, а я пошел в зону.

Гаврилюк начал спускаться в котлован, а охранники пошли верхом в обратном направлении.

Кусты шевельнулись, и появилась голова Метелкина. Следом вынырнула Настя.

— Этот тип сразу мне не понравился,– сказал Метелкин.– Морда хитрая, змеиная. Ну неужели такой шакал мог поверить Дику про какой-то там порошок, отпугивающий змей! Рискнуть ночью войти в лес только сумасшедший может.

— Или лишенный страха, для которого жизнь стала в тягость. На этом он и играет. Но сейчас о другом думать надо. Как спасать Дика? Ты видел этих костоломов? Одной очереди хватит, чтобы всех уложить, и они это сделают не задумываясь.

— Придется их нейтрализовать. Вернется Митя, мы этот вопрос обсудим.

— Нейтрализуешь охранников, но Дик-то останется в руках беглецов. Хмырь сказал, что их будет четверо. Значит, Дика будут опекать трое смертников.

— Вот именно. Дик — их единственная надежда. Может, те трое и поверили в чудо-порошок.

— И что из этого? Они и толкнут его в спину, мол, иди вперед.

— Тут есть проблема поважнее. Этот самый полковник внизу останется. Наверняка у него с собой будет автомат и не с холостыми патронами. О нем забывать нельзя. Если мы каким-то чудом нейтрализуем охранников, то оставшийся внизу полковник не услышит автоматных очередей и решит сам сделать грязную работу. Получается так, что без войны не обойтись. А кто из нас решится стрелять в живого человека? Ты? Я? Или старики, которых приведет змеелов? Они народ тихий, мирный, какие из них вояки...

— Ну хватит ныть. Тут думать надо. Старики тоже голову имеют: один изобретатель, другой бывший генерал, да и Дмитрий человек неглупый и многое в жизни повидал.

Метелкин посмотрел на часы.

— Скоро придут. Они уже на подходе.

— Скорей бы, а то опять придется возвращаться в деревню. Всего не предусмотришь, мало ли что понадобится. Кулибин мастер на выдумки.

5. Еще один охотник

Машина подъехала прямо к самолету. Сообразительные пассажиры сразу поняли, что только комитетчики могли себе позволить подгонять персональный транспорт

к трапу самолета. Они не ошибались. Виноградов ступил на смоленскую землю, сделал по ней несколько шагов и нырнул в черную «волгу».

— Рад видеть вас, Олег Петрович.

— Здравствуй, капитан. Извини, я на «ты», дурацкая привычка еще с Питера.

— Нормально, товарищ подполковник. Мы здесь все на «ты» ходим.

— Намек понял. Давай докладывай обстановку.

— Крылова мы все ёще не нашли. Шефнер уже здесь. Мечется. Поехал в Ховрино к Гельмуту, очевидно, хочет найти опору и поддержку. На Ингрид мы вышли случайно. Думаю, главная зачинщица сегодня она, остальные от нее отстали. Когда мы получили от вас задание проверить всех наемников на объектах, то нас заинтересовала только одна фигура. Мы ее отрабатывали больше месяца. И думаю, не ошиблись. Именно он нас и вывел на Ингрид, которая очень ловко умеет теряться в толпе. Ингрид может неделями не выходить из норы. Поразительное терпение.

— Не прыгай по кочкам, Андрей. Доберешься до Ингрид. Что за человек вас вывел на нее?

— Некий Николай Николаевич Гаврилюк. Он числится прорабом на объекте Гюнтера. Проверку мы начали с людей, которых брал на работу сам Шефнер или по его прямому приказу. Гаврилюк был принят на объект прорабом по записке от Шефнера. Теперь, как я думаю, он выполнял просьбу Ингрид. Что значит прораб в их понимании? Это главный смотритель работ. Немцы ведь не проводят целые дни на объектах, а прорабы живут там вместе с рабочими. На каждом объекте их по три человека, всего девять. С них мы начали проверку. В Курнакове змеиное место. Об аварии и распространении змей я вам отсылал доклад.

— Да, я его читал и в курсе.

— Двое прорабов погибли от укусов, но Гюнтер почему-то не стал нанимать новых. Гаврилюк остался один. Мало того: теперь и Гюнтер пропал, и прораб превратился в своеобразного царька. Он один хозяйничает на объекте. Там, как мы думаем, и произойдут главные события...

— Опять поскакал по кочкам. Вернись к прорабу.

— Извините, недержание. Хочется рассказать обо всем сразу. Так чем нас заинтересовал Гаврилюк? А тем, что он полковник КГБ в отставке. Комиссовался по болезни два года назад именно в тот момент, когда Шефнер приехал в Смоленскую область покупать участки. Как только Шефнер оформил аренду, а потом и купчую на болото в Курнакове, заместитель начальника следственного отдела ФСБ полковник Гаврилюк лег в госпиталь и через месяц подал рапорт об отставке по состоянию здоровья. Его с почестями отправили на пенсию. Не прошло и пяти месяцев, как его берут на работу прорабом на объект Курнаково по личной записке Шефнера. Вот вам и больной. Решил лечиться на болотах, где царствуют змеи. Как уж он втерся к ним в доверие, мы не знаем, но теперь этот человек сам стал хозяином Курнакова.

Мы подняли послужной список бывшего полковника и наткнулись на очень интересный факт. Почти тридцать лет назад, тогда молодой еще следователь, старший лейтенант Гаврилюк вел дело предполагаемого агента западногерманской разведки. Он его раскручивал в качестве дознавателя, чтобы решить, какому следователю, а может быть, и ведомству передать, если задержанный вовсе не агент, а обычный бандит. Этот человек был задержан в связи со странными обстоятельствами. Он сопровождал тот самый груз из Европы, а именно — змей. Его задержала милиция.

Тут выяснилось, что он немец и был одним из сопровождавших автоколонны. В милиции он сделал неожиданное признание, будто профессора-зоолога Грюнталя, который якобы погиб в аварии, с ними вообще не было, а в машине сгорел подставной человек, предварительно оглушенный и находившийся без сознания. Также задержанный утверждал, что авария была специально подстроена, чтобы выпустить змей в определенном районе. Их вовсе никто не собирался везти в Москву. Эта акция была задумана разведслужбами Западной Германии. Милиция не стала выслушивать бред сумасшедшего, его передали в областное управление КГБ, и он попал в руки старшего лейтенанта Гаврилюка. Со словоохотливым агентом Гаврилюк проработал чуть больше недели и застрелил его.

— Как застрелил?– удивился Виноградов.

— А так, из своего пистолета прямо в лоб. Когда в кабинет вбежал конвой, то Гаврилюк сказал, будто арестованный набросился на него и хотел задушить. Дело спустили на тормозах. Молодого, горячего лейтенанта простили, но самое интересное в другом. Гаврилюк утверждал, что агент упорно молчал и он не смог выбить из него ни единого слова. Никаких показаний не осталось, кроме тех, что сохранились в архивах милиции, да и те-то сохранились чудом. У архивариусов нет средств на транспорт, чтобы вывезти старые бумаги и сжечь. Ведь тут еще волокита с актами на списание.

— Значит, можно предположить, что Гаврилюк получил от агента определенные сведения о болоте, змеях, задании центра и многое другое, а затем решил его убрать, чтобы потом этими сведениями воспользоваться.

— Так оно и получилось. Правда, ждать ему пришлось слишком долго. Но он дождался своего часа. По последним наблюдениям, Гаврилюк трижды встречался с Ингрид Йордан. Он нас к ней и привел. Та в свою очередь дважды ездила к Марку Лагорину — ценителю прекрасного, коллекционеру антиквариата и авторитету одной из крупных преступных группировок, где его называют Маркуша. Он проходил у нас по контрабанде антиквариата. Правда, только как свидетель. Человек с очень крупными связями. Так этот Маркуша заинтересовался грузовым транспортом и заказал на одной из автобаз семь грузовиков на сегодняшний день.

— Остальное мне известно, Андрей. Какие делаем выводы?

— Сегодня, как стемнеет, берем в кольцо район. Как вы приказали, всем будет обеспечена форма сотрудников ГИБДД, три оперативные машины их службы и три наши, без пестрой одежки.

— Отлично. А где этот Гаврилюк?

— Сегодня из зоны не отлучался.

— Надеюсь, нам удастся познакомиться с ним поближе. Любопытная личность.

— Я думаю, человека с его опытом будет непросто обштопать.

— Мы же не собираемся никому мешать, капитан. Мы наблюдатели.

— До поры до времени.

— Конечно, но уйти мы им позволить не можем. Это надо зарубить себе на носу.

— А Крылов?

— Он раньше нас на место прибудет. У этого волчары нюх лучше нашего.

Машина подкатила к зданию ФСБ.

6. Яма

В подвале работы закончили. Рабов перегнали на дальние участки. Кучи песка, тюки с мешками и готовая к работе лебедка.

Гусь, Дылда, Кореец и Вадим сидели на плите и курили.

— Так что, фраерок, стало быть, ты тропу через лес знаешь?

— Тропок нет, их прокладывать надо,– тихо, с ухмылкой отвечал Журавлев.– Я это умею делать, а вы нет. Для того меня ваш бугор и держит.

— Увидим сегодня ночью, на что ты способен,– сквозь зубы процедил Кореец.– А может быть, блефуешь, на Фортуну надеешься? Учти: если хоть один из нас от змеи подохнет, ты следующим будешь.

— Да не пугай ты меня, косоглазый, я ведь вас не боюсь. Это вам надо бояться, и не змей, а бугра своего.

— Бугор без нас ничто,– заметил Гусь.– Он один, и ему нужна опора.

— Опора ему нужна здесь, а там, за лесом, у него найдутся друзья понадежнее вас — свободные, беззаботные, сильные.– Журавлев говорил тихо, без эмоций, но слышали его хорошо.– А с вами только морока одна. Любого мента на улице обходить придется за версту. А человек вольный и сигарету у постового попросить может.

— Только вольный на риск не пойдет,– оскалил зубы Дылда.– За шкуру свою трястись будет, и что они могут? Кассу взять? Перо в бок вставить?

— А кому это надо? Как только бугор ящики достанет из ямы, так ему ни касса, ни перо, ни ваши услуги более не понадобятся. Он в дамки выскочит, а короли живут не зная нужды.

— Им тоже опора нужна,– хмыкнул Гусь.

— Ты, что ли, опорой будешь? Как только свободы понюхаешь, сам королем стать захочешь и долю свою потребуешь.

— Мы свое получим,– твердо заявил Кореец.– Без нас из этой ямы никто ничего не унесет...

Он замолк. В подвале появился Николай. Мужики встали.

— Командуй, Микола, что дальше делать,– хмуро гаркнул Гусь.

— Работать. В мыле и поту. Автоген и сварку принесли?

— Все здесь. Баллоны полные, компрессор готов.

— Тогда начали. Снимаем плиту и опускаем лебедку. Цеплять будем по одному ящику и доставать наверх. С замками нам не сладить. Будем резать автогеном и открывать. Те, что с бумагами, опускаем обратно, те, что с ценностями, перегружаем в мешки, а в ящики сыплем песок, завариваем и опускаем вниз. Задача понятна?

— Ну ты махнул, Микола. Так и за неделю не управимся. Там их штук сорок.

— Другого выхода нет. Нам нужно оставить приманку на месте. Мы будем вывозить ценности в мешках, как картошку на тракторах с прицепами. Но нам нужна гарантия, что за нами не пустят псов. А если они будут знать, что ящики остались в яме целыми и невредимыми, за нами погоню устраивать не станут. Не забывайте: нас слишком мало, а охотников за барахлишком слишком много. Действовать надо наверняка. Много пота и крови мы здесь оставили, чтобы в одну минуту все потерять. Возьмем, сколько сможем.

— Микола прав,– пробасил Гусь.

Лебедка заработала. Плиту подцепили четырьмя крюками и сдвинули в сторону.

— А теперь, Дылда, держи фонарь, вставай на крюк и спускайся на тросе в яму. Будешь цеплять ящики. Поднимем штук десять, разберемся, что к чему, а потом полезем за следующей партией.

Спорить с прорабом никто не собирался. Времени у них осталось не так много. Дылда встал ногой на один из

крюков, уцепился за трос, и лебедка заработала, опуская его. Он спрыгнул прямо на ящик.

— Тут все проще, Микола,– крикнул Дылда из черной пасти склепа.– Ящики сделаны по типу сундуков. У каждого только одна скоба сверху.

Все легли на землю и начали всматриваться вниз, где бегал узкий лучик фонаря.

— Цепляй за скобу все крюки. Боюсь, один трос не выдержит,– приказал Николай.

В ответ они услышали оглушительный душераздирающий вопль.

Все, как ужаленные, отпрянули от черной дыры.

— Пресвятая Богородица! – перекрестился Гусь. — Хана делу, братва!

— Тихо! Без паники. Где большой фонарь? – на лбу у прораба выступили капельки пота.

Кореец принес железнодорожный фонарь, которым пользуются обходчики путей. Яркий, мощный луч разрезал черноту склепа. Дылда валялся на ящике с застывшими глазами и перекошенной от страха физиономией. Вокруг рта сгустилась розовая пена, а по телу ползали змеи. Множество черных шнурков извивалось на фоне светлой холщовой куртки.

— Расплодились, суки! – промычал Гусь.– Тут их не меньше тысячи.

Луч фонаря прошелся по всему склепу от угла до угла. Черный мраморный пол сливался со спинами змей, и их можно было различить, только если они начинали шевелиться.

— Оставили дыру на свою голову! – стукнул кулаком о ладонь Кореец.– Что делать будем, Микола?

Прораб молчал. Впервые урки увидели в его глазах растерянность.

— А что? – заревел Гусь.– У нас тут есть один смельчак, и змеи ему нипочем. Он с ними в корешах ходит. Пусть прыгает в яму.

Гаврилюк глянул на Вадима.

— Что скажешь, чужак?

— Ящики стоят группами, по десять штук в каждом углу. Я так думаю, их сортировали по принадлежности. Одни с документами, другие с золотом, третьи еще с чем-нибудь. Поднять надо по одному из каждого угла. Это к вопросу о потере времени.

— А гадюк ты ногами потопчешь?– со злобой спросил Гаврилюк.

— Спускаться вниз надо троим с факелами, змеи на огонь не пойдут, их травить надо, а факелы возле земли держать и круги ими описывать, стоя спина к спине. Хорошо бы канистру с бензином, опоясать кольцом из горючего один угол, поджечь и, пока бензин горит, создавая круговую стену, можно успеть ящика три подцепить.

— А может быть, их всех зажарить?– предложил Гусь.

— Солярки не хватит,– резко ответил прораб.– Беги с Корейцем к тракторам, тащите сюда пару канистр с топливом, ветошь и палки. Больше не берите. Трактора много солярки жрут, а нам путь предстоит неближний.

Подручные кинулись выполнять приказ.

— А ты мужик с головой,– искоса глядя на Журавлева, сказал прораб.– Соображаешь, что к чему.

— А я, вообще, человек очень полезный, а главное — не алчный. Мне много не надо. Ты ведь тоже не дурак, Микола. Сам знаешь, сегодня идеи стоят дороже жизни. Порой одна хорошая идейка миллионы человеку принести может. Ты мне лучше скажи, кого себе в партнеры взял. Ведь на ящики тебя не твой нос вывел, а человек напра-

вил. А ты теперь своего же хозяина в дураках оставить хочешь. Думаешь, фокус с мешками у тебя пройдет? Вряд ли.

— Поживем – увидим, парень. А жить тебе или нет, один я решать буду.

Не успел он это сказать, как Журавлев схватил его за грудки, резко оторвал от земли и поднес к яме. Хватка была слишком крепкой. Гаврилюк и не предполагал, что в этом парне столько силы.

— Ну что, жучара? Кто чью судьбу решает? Мне недолго руки расцепить.

— Брось, парень, ты чего... я пошутил...

— Могу и бросить. Там с тобой черноголовки разберутся. Говори толком: кто тебя нанял?

— Ингрид, немка. Это их участок. И земля им принадлежит.

— Она сюда приедет?

— Нет, будет ждать за лесом на машинах. Сегодня ночью.

Вадим поставил Гаврилюка на землю.

— Это ты только при своей шпане такой смелый. А сам по себе труха. Так вот, прораб, Ингрид тоже не лыком шита и ловушек везде сама понаставила. Но и на старуху бывает проруха. На нее, в свою очередь, другие людишки капканов понаставили. Тут, как в матрешке, одну открываешь, а там другая, и очень трудно дожить до того момента, пока до последней доберешься. Так что мой тебе совет: имей дело со мной — тогда, может, выберешься живым на сушу.

— Я так и думал, что ты здесь не случайно оказался.

— И это мы с тобой обсудим, но для начала дело закончить надо. И не мудри раньше времени. Один останешься — и золото не спасет. Что с него проку в змеиной яме! А ты уже давно в ней сидишь и не чуешь, как кобра к тебе подползает.

Разговор оборвался с появлением Гуся и Корейца. Они принесли все, что требовалось.

— Лучше на лебедке оставить Гуся, — посоветовал Журавлев.– Он самый неповоротливый, а со змеями нужно уметь юлой крутиться.

— Пожалуй, чужак прав,– согласился, к удивлению урок, их хозяин.– Не будем терять времени. Готовьте факелы.

На метровые палки намотали тряпки, хорошо вымоченные в солярке, взяли фонари и приготовились к спуску.

— Для начала надо бросить в яму подожженные тряпки, штуки три. Змеи расползутся в стороны, и мы приземлимся на чистую поверхность.

Три горящих, вымоченных в горючем мешка упали на мраморный пол склепа. Сверху им показалось, будто земля зашевелилась и превратилась в водяные круги после упавшего в озеро камня. Кореец, Вадим и Гаврилюк встали на крюки и повисли над склепом, держась одной рукой за трос и выставляя другую руку с факелом перед собой.

— Держите факелы ниже, от центра в разные стороны,– отдавал приказы Журавлев.– Опускай.

Гусь нажал на кнопку пульта, и барабан с тросом закрутился. Они медленно опускались вниз. Спрыгнув на землю, все разом присели на корточки и выставили факелы вперед, прижимая пылающие тряпки к полу.

— Опускай вниз канистры! – крикнул Журавлев и добавил: — Начнем с левого угла. Смотрите, на ящиках есть маркировки и номера. Номера в правом углу начинаются с нуля. Очевидно, это самые важные ящики.

— Вот их и надо брать, — прохрипел дрожавшим басом Гусь.

— Для немцев самым важным грузом были документы. Они делились на три категории. Особо секретные,

очень важные и картотеки. Ценности могли относиться только к четвертой категории, вот мы и начнем с ящиков, начинающихся на цифру четыре.

Канистры были спущены вниз. Огороженный огнем, Вадим разлил топливо полукругом от стены до стены и поджег солярку.

— Минут за пять сгорит,– предположил Гусь.

— Надо опробовать вес ящиков. Они не такие уж большие, лебедка может вытянуть семьсот килограммов, — рассуждал прораб.– Попробуем зацепить по два крюка на каждый ящик, лебедка выдержит пару сундуков, главное, чтобы тросы не оборвались, и тогда дело пойдет вдвое быстрее.

— Помахайте факелами. Змеи могут забиться между кофрами.

Кореец залез на самый верх. Три гадюки тут же забились в щели.

— Их и здесь хватает. Лучше их не двигать, а только цеплять и оттаскивать в сторону.

Первая попытка удалась. Лебедка выдержала два ящика, и они благополучно добрались до верха, где были отведены в сторону и отцеплены.

— Давай лебедку вниз, Гусь! – кричал Гаврилюк.– Радуга еще горит вокруг нас, успеем еще пару поднять.

Подняли еще два ящика. Огонь стал угасать, и в третий раз они поднялись на лебедке сами.

Осмотр стальных сундуков ничего не дал.

— Петель не видно, замков нет, только щель по кругу.

Журавлев ухмыльнулся.

— Смешно смотреть на блатного, который не знает, с какого конца чемодан открывается.

— А сам-то знаешь? – спросил прораб.

— По клепкам определить можно. Здесь они гладкие, а с этой стороны выемки имеются под крестовую отвертку. Выкручивать нечем и долго. Срезай их автогеном, Кореец. Начинай с середины. Скорее всего, запор должен находиться в этом месте.

Вспыхнула горелка, посыпались искры, и металл начал раскаляться. Клепки отскакивали так, будто держались на пружинах. Одна, вторая, третья, на седьмой что-то щелкнуло.

— Хватит! – скомандовал Гаврилюк.

Он поднял с полу лопату, просунул ее в щель и приподнял. Крышка открылась. Ящик был забит рулонами бумаги, будто они достали архив инженера-строителя с чертежами. Гусь развернул один рулон, и на пол упал свернутый холст, похожий на кусок мешка с жеваными углами. Кореец развернул его.

— Картина какая-то. Старый хлам тут, а не золото.

— За этот старый хлам тебе отвесят золота столько, сколько пожелаешь. Автор этого хлама великий художник Веласкес. Миниатюрный вариант картины, до войны висевшей в Пушкине под Питером. Тысяч на триста долларов потянет, если, конечно, знать, кому продать. Ингрид знает.

И Журавлев многозначительно взглянул на прораба, а его рабы тупо разглядывали старое потрескавшееся полотно гениального мастера.

7. Всплеск эмоций

«Мерседес» затормозил возле шлагбаума, преграждавшего дорогу. Гельмут, сидевший за рулем, остался в машине, а Шефнер вышел и направился к вооруженному охраннику.

— Мне нужно проехать на объект.

— На вас есть пропуск?– холодно спросил охранник.

— Какой еще пропуск? Я хозяин этого объекта. Это моя собственность. Меня зовут Ханс Шефнер.

— У меня один хозяин — начальник охраны. Я стою на посту и выполняю приказ. Сегодня никого пропускать не велено. Объект на спецрежиме.

— Никаких режимов я не объявлял. Соедините меня с вашим начальником.

Охранник провел Шефнера в будку, снял трубку со стены и нажал кнопку.

— Третий, я первый. К объекту подъехал «мерседес». Некий Шефнер требует, чтобы его пропустили.

Выслушав третьего, он положил трубку.

— Ждите. Сейчас к вам выйдут.

Шефнер вернулся в машину.

— Тут что-то не так! – возмутился он.

— Я уже давно это понял, как только Гюнтер не явился на совещание. Его нет уже трое суток.

— Кто же здесь руководит работами?

— Прораб Гаврилюк. Странно, почему Гюнтер не нанял других. По инструкции, положено три прораба — один другого контролирует. У нас на объектах работает очень опасный контингент, и во избежание сговора все, работающие непосредственно с рабами, должны сами находиться под пристальным присмотром. Прорабы меняются каждые сутки, а здесь учинили свои правила. Очевидно, Гюнтер попал под влияние.

— Гаврилюк... Да, я его помню. Его рекомендовала Ингрид. Вроде он руководил какими-то работами на Севере в одном из лагерей. Имеет большой опыт в общении с заключенными. У меня к нему нет претензий, и Гюнтер был им доволен. Жестокий и сильный человек, отлично справлялся с работой, и этот объект всегда опережал план, в отличие от ваших. Если Гюнтер ему доверял, почему я должен в нем сомневаться?

— Давай подождем. Сейчас все прояснится.

— Подождем, только чего? Я не могу понять, что происходит. Куда делся Крылов? Кто устроил на него налет в центре Смоленска? Может быть, его тоже убили? Крылов всегда был главной моей опорой. Я чувствовал себя с ним как за каменной стеной. Два года безупречной службы, ни одного нарекания. Потеря Крылова равноценна трагедии. Куда исчезла Ингрид? Уж с ней-то ничего не могло случиться. Более осторожных людей я не знаю. Если Крылов всегда был связан с риском, то Ингрид шла на него только в самых крайних случаях, когда организации что-то грозило извне. Я не могу себе представить Ингрид растерянной, испуганной или застигнутой врасплох. Она умеет просчитывать все ходы наперед.

— Сейчас, Ханс, тебе не об этом думать надо. Все они хороши были, находясь в равных условиях. Но если архив в действительности обнаружен и цель достигнута, многое может стать непредсказуемым.

— Эти вопросы были решены еще до начала операции. Ингрид получает тридцать процентов от общего числа найденных ценностей. Американцы довольствуются копиями всех документов. Договора подписаны, и никто ничего изменить не может.

— Конечно, если бы мы находились в Германии, так оно и было бы. Но мы на территории той страны, где нет законов, а те, что есть, существуют только на бумаге. Прожив здесь два года, Крылов и Ингрид это поняли и могли пересмотреть свое отношение к договорам, заключенным в Берлине. С такими деньгами совсем не обязательно возвращаться на Запад. Им и здесь можно найти применение, пустить в оборот, и через год-два появятся новые Березовские, Абрамовичи, Гусинские в лице Крылова или какой-нибудь прибалтийки Магды Вяйле.

— Я в это не верю. В них еще остался здравый смысл.

— Тебе виднее. Я высказал свое мнение, а ты решай, если, конечно, твои решения будут для кого-нибудь иметь значение.

Шефнер тяжело вздохнул.

Но если Шефнер и Гельмут занимались умственной работой, то Гаврилюк, назначенный Шефнером на должность прораба, взмок от физической нагрузки. В подвале работа шла полным ходом. Выбившиеся из сил четыре человека вскрывали пятнадцатый по счету ящик. Содержимое стальных кофров придавало им силы и энергии. В углу стояло тридцать мешков, набитых доверху бесценным грузом.

Вскрыли крышку очередного кофра. Теперь они делали это с легкостью, поняв секреты запоров. Сверкавшие кольца, колье и браслеты только поначалу слепили глаза. Теперь они уже не вызывали особых эмоций, а перегружались в мешки, как зерно при помощи лопаты. Каждый спуск в склеп сопрягался со смертельной опасностью. Горючего в канистре оставалось еще на один заход. Сожгли более десятка факелов. Силы были на исходе. Освободив кофр от ценностей, они загружали его песком, запирали кофры и опускали вниз.

— Так,– вытирая пот со лба, прохрипел Гаврилюк, — там осталось пять ящиков. С нас и этого хватит, силы еще понадобятся. Все с этим согласны?

Никто не возражал.

— А куда мешки девать?– спросил Кореец.

— Нам хватит двух тракторов с прицепами. Подгоняйте их ко входу. Загрузим мешки, накроем их брезентом и отгоним груз за мой барак. Пусть до ночи стоят там. За частоколом их не видно, да и кого заинтересует прицеп с мешками. Главное, чтобы здесь все выглядело пристойно. Все ящики на месте, вес подходящий, заперты, вот только стоят не так, как надо, но кто может знать, как и кто и по какому принципу их укладывал. Так, ну хватит болтать. Кореец и Гусь, отправляйтесь за транспортом. Нам пора грузиться, отгонять груз и готовить людей к ночной операции.

Урки побросали лопаты и направились к выходу.

— Да, Николай, боюсь, ты откусил кусок больше, чем в состоянии проглотить. Может быть, на начальном этапе тебе удастся обмануть Ингрид, а что дальше? Ведь с таким грузом по России не побегаешь. Все равно тебя достанут.

— Это мы еще увидим. Так, значит, ты сам вышел на этот объект через Ингрид? Уж слишком много ты о ней знаешь.

— Она меня давно интересует, и я знаю, что ты с ней встречался, приезжал к ней в гостиницу «Варшава». Я уже тогда понял, что ты на нее работаешь, и не ошибался. Когда дело касается таких денег, никто ни на кого не работает. Каждый сам по себе.

— Я давно понял, что ты парень с головой, чужак. Меня не интересует твое имя и твои цели. Ты мне нужен сейчас. Навредить ты уже ничем не сможешь. Сделаешь свою работу, получишь долю — и прощай. А там — как знаешь. Меня тебе не достать, а с Ингрид разбирайся сам. В склепе осталось еще пять сундуков золота. Вам этого хватит, если сумеете договориться. А меня это не касается. Мое останется при мне. Я тридцать лет ждал этого момента.

Из кармана бушлата прораба раздался зуммер. Он вынул рацию и нажал кнопку.

— Слушаю.

— Говорит ноль седьмой. Николай Николаич, на подъезде к зоне у первого поста гость объявился. Рвет на себе рубаху.

— Кто?

— Сам Ханс Шефнер. Его, разумеется, не пустили, но он не уезжает. Ждет объяснений. Как бы к Чепурину за помощью не побежал.

— Плевать я хотел на Чепурина. Ладно, подготовьте мне машину, я к нему сам выеду.

— Приказ понял.

Гаврилюк убрал рацию в карман.

— Что, еще один наследник объявился?– усмехнулся Журавлев.

— Пусть грызутся. Мое дело – сторона.

— Не хочешь поделиться планами?

— Всему свое время. Сам увидишь. Ладно, вывозите мешки на место. Я скоро вернусь.

— Не боишься, что сбегу?

Прораб усмехнулся. Кивнув на мешки, он сказал:

— От такого не бегут. Даже если мешок прихватишь, то с ним тем более далеко не уйдешь. Так что тяни свою лямку до конца. Я не кровожадный, в обиде никто не останется.

С этими словами прораб ушел. Вскоре появились помощники.

— А где Микола? – спросил Гусь.

— Отправился на блокпост отшивать очередного прихлебателя. Задание получено, надо выполнять. Тридцать шесть мешков, по двенадцать на брата, давайте таскать.

Дело было не из легких. Работу подогревало содержимое невзрачных, пыльных и грязных мешков с трафаретными надписями «Сахар». Две повозки были забиты доверху и накрыты брезентом. Тракторы оттащили прицепы за высокий забор, окружавший барак прораба. Журавлев обратил внимание на огромную кучу хвороста и дров, сложенных у частокола. Он обошел кучу и присел на корточки. Под хворостом стояли две канистры, от которых несло бензином. Вадим встал и осмотрелся. Гладкая поверхность котлована простиралась километра на три.

— Зачем ему хворост? – спросил он у Гуся, заливавшего солярку в бак трактора.

— Печь топить. Это в скворечниках зимой и летом живут как попало, а бугор должен жить по-человечески.

— Я смотрю на котлован и удивляюсь: зачем надо было выравнивать поверхность, будто по ней утюгом прогладили?

— А кто его знает? Площадка под строительство, а потом на ровном месте змею заметить проще. Эти стервы любят коряги, камни и ямы. Так что не зря корчевали. Но они теперь особнячок облюбовали. Их оттуда не вытравишь. А если весной травка пробьется, то тут жизни, окромя змеиной, не будет. Все захватят, хуже саранчи.

— О какой весне можно говорить, когда здесь жизнь сегодня ночью закончится!

— Нас это не касается,– уверенно заявил Кореец.

Он ошибался. Гаврилюк никого не забыл, и каждый должен был получить то, что ему уготовили.

«УАЗик» проехал лесополосу и подкатил к шлагбауму первого поста, с которого начиналась зона. Прораб вышел из машины, миновал будку охраны и направился к «мерседесу». Шефнер вышел ему навстречу.

— Что здесь происходит, черт побери?! Почему меня не пропускают? – пошел в атаку хозяин объекта.

— Это я дал такое распоряжение, господин Шефнер. Мы готовим взрывные работы, и в зоне находиться опасно. Придется вам немного подождать. Приезжайте вечером вместе с госпожой Йордан, и вас пропустят. Мы ей обещали, что к одиннадцати вечера завалы будут разобраны.

— О каких завалах идет речь?

— А вы не знаете? Странно, я думал, госпожа Йордан вам доложила обстановку.

— Оставьте ее в покое и доложите еще раз.

— Пожалуйста. На прошлой неделе мы вычистили откопанный нами старый особняк. В подвале обнаружили усыпальницу с гробницами и хорошо задраенный люк в склеп. Подручными средствами попытались его открыть. При этом присутствовал начальник участка Гюнтер Краузе. Люк вскрыли, а он оказался заминированным. Гюнтер и еще шестеро рабочих погибли. В склеп никто не спускался. Мы осмотрели его сверху при помощи фонарей. В склепе лежат стальные ящики, штук сорок, может, больше. Лестницу снесло взрывом, так что нужна лебедка, чтобы туда спуститься и достать ящики. Но вчера произошел обвал в подвальном помещении. Придется взрывать, разгребать, ставить опоры и устанавливать лебедку с подъемником. Работы идут полным ходом и к полуночи будут закончены. Госпожа Йордан сказала, что пригонит сюда грузовики и заберет ящики, поэтому к полуночи мы обязаны все подготовить к их подъему, что мы и делаем. Так что не сердитесь, но сейчас в зоне находиться очень опасно. Приезжайте вечером вместе с госпожой Йордан, и вы сможете увидеть все своими глазами и забрать ящики.

— Я вижу, вы толковый работник, Гаврилюк. Хорошо, продолжайте работать. К полуночи я буду здесь. Но вы должны отдавать себе отчет, что объект является моей собственностью, а Ингрид Йордан всего лишь мой менеджер. На территории объекта действуют только мои приказы.

— Никто с этим не спорит, господин Шефнер.

— Хорошо, не буду вас отвлекать от дел.

Шефнер вернулся в машину. «Мерседес» развернулся и поехал в сторону шоссе.

Гаврилюк смотрел ему вслед и усмехался.

8. Незаметный воробушек

Удовлетворенный Сидор слез с Валюхи и повалился на бок.

— Ну и трахаться ты здорова, баба. От тебя оторваться невозможно.

— А почему нет, когда рядом такой мужик. Мне с тобой хорошо.

— Оставайся у меня жить, Валька. Все для тебя сделаю.

— Не получится, Сидорчик. У меня родители старенькие, им помогать надо, кормить, лечить, ухаживать, деньги зарабатывать.

— В гостиничных номерах?

— Там, где больше платят. А что с охранника возьмешь? Тебе меня на халявину Колька дал на неделю, за что с меня долги списал. Вот и все расчеты.

Она встала с кровати и накинула халатик.

— Да, о деньгах-то я никогда и не думал,– проворчал Сидор.– Всю жизнь на всем готовом прожил. Но кто знал, что встречу такую, как ты. Налей-ка мне стакан.

Стакан стоял на столе уже полный, и Валя не забыла вылить в него пузырек с прозрачной жидкостью, оставленный Николаем. Она подцепила грибок на вилку, взяла стакан и подала его любовнику. Тот опрокинул содержимое в глотку, и водка проскочила в желудок без глотков. Сунув в рот гриб, он его немного пожевал, и выплюнул.

— Что за гадость!

Лицо его начало краснеть, он открыл рот, пытаясь вздохнуть, приподнялся, но тут же упал на кровать и застыл.

Валя равнодушно взирала на происходившее. Когда клиент отключился, она переоделась и вышла в коридор.

Спустившись на второй этаж, Валя заглянула в одну из комнат, где сидели трое крепких парней.

— Кто меня вывезет из зоны, мальчики?

— Ты Валентина? – спросил один из них.

— Она самая. Можно подумать, у вас здесь гарем.

— Идем, я отвезу,– сказал один из парней и встал.

Они сели в дежурный «УАЗик», и девушку доставили к первому посту. Там ее поджидала другая машина. Она пересела в «волгу» и глянула на часы на приборной панели. Половина девятого. Времени у нее хватало, она действовала с опережением графика.

— Все в порядке? – спросил шофер.

— А иначе и быть не может. Если ноты расписаны, то по ним и играть следует, тогда и музыка звучать будет. А у любителей импровизации только шум получается.

— Ну да, ты же у нас консерваторию окончила.

— Не то что некоторые. Поехали на базу, хватит травить.

Дорога до так называемой базы заняла около двух часов. Это была огромная ферма, где в парниках выращивались овощи, обеспечивающие всю Смоленскую область в течение зимы. За фермой раскинулись орошаемые поля с привозной землей, тут даже имелось несколько самолетов — два так называемых кукурузника для орошения полей и «Ил-18», древняя, по нашим временам, машина, выкрашенная в зеленый цвет, с красными звездами на крыльях и белым парашютом на хвосте. Боковая дверь в самолете отсутствовала. Когда-то эта машина стояла в боевом ряду на аэродроме в десантных войсках и на ней отрабатывали технику прыжков с парашютами молодые бойцы. После расформирования десантной дивизии старую технику начали списывать и не потому, что вышла из строя, а стала не по карману. Приватизация докатилась и до армии, и нашелся один предприимчивый бизнесмен, который купил старый «Ил» для своей фермы, используя самолет для доставки овощей, фруктов, саженцев и прочего, сделав из него летающий грузовик. И был этим покупателем овощной король округа господин Князев Альберт Григорьевич. Кто он на самом деле, понять было трудно. У него и банк свой был, и торговые фирмы в области. Темная личность. Он привел самолет в надлежащий вид, зарегистрировал, нанял летчика и вошел со своим графиком полетов в навигационную систему авиационных перевозок. Так что зрелую продукцию господин Князев доставлял заказчикам воздушным путем, если, конечно, у заказчиков имелись условия для посадки и взлета.

Альберт Григорьевич лично встретил Валю у подъезда двухэтажного офиса. Девушка вышла из машины и чмокнула солидного мужчину в щеку.

— Привет, Альбертик. Будто сто лет тебя не видела. Какой же кошмар мне пришлось пережить! Там не люди, а скот безмозглый, и условия у них хуже, чем в коровниках. Только и мечтала о хорошей ванне с душистой пеной.

— Ванна готова. Какие проблемы, можешь отдыхать.

Они вошли в здание и поднялись на второй этаж, где располагалась квартира бизнесмена. Здесь имелось все для комфортной, беззаботной жизни.

— Что там Николаша, весь в трудах, бедняга?

— Ему непросто, кругом враги,– девушка села в кресло и взяла сигарету.– График может быть нарушен, Альбертик. Николаша даст знать, когда вылетать. Кроме летчика просит только троих грузчиков. Груз тяжелый, лишних людей в воздух поднимать незачем.

— С оружием, надеюсь?

— Тут уж как водится. Пусть все сидят наготове, сигнал может поступить в любую минуту, и машину тут же надо поднимать в воздух.

— Лету тут двадцать минут. Баки полные. Он о посадке позаботился?

— Три костра на месте касания шасси с почвой, а дальше по лунной дорожке. Потом рулежка и назад. Груз потянут тракторы, а это — время, так что пилоту придется покататься по котловану в обе стороны.

— А сигнал отбоя?

— При срыве он запалит четвертый костер, тогда самолет уходит на базу, и включим запасной вариант.

— Надеюсь, срывов не будет.

— Один момент учесть надо — неизвестно, кто к нему примажется. Он сам этого не может предугадать, так что придется обеспечить достойную встречу здесь, на базе. Нужно выждать момент, когда все тихо сойдут и начнут разгрузку.

— Об этом он мог бы меня не предупреждать.

— Тогда все. Я пошла в ванну смывать с себя нечистоты черных сновидений.

Князев нажал кнопку селектора на столе и скомандовал:

— Готовность номер один. Снять с самолета бригаду и оставить троих. Оружие убрать за подшивку. Пилота — в кабину. Пойдет на малой высоте. Отбой.

9. Чем дальше в лес, тем больше дров

Ни Харченко ни Толстиков своей жизнью попусту рисковать не собирались. Идти к трем соснам в конец карьера верхней дорожкой вдоль опушки, да еще в темное время суток, было бы непростительной глупостью. По котловану, и то приходилось идти с оглядкой, хотя ровная поверхность песочного цвета хорошо освещалась луной.

Вся надежда возлагалась на сапоги, под которыми поверх портянок были прикреплены специальные обручи из жести. Но кобра может ударить выше колена, а дрофа упасть на голову сверху. Отделаться от страха не так просто, но они привыкли выполнять приказы, а не обсуждать их. Добравшись до выдолбленных ступеней, оба охранника поднялись из котлована на опушку и осветили фонарем округу.

— И где здесь спрячешься? Деревья растут в полутора метрах от края, а мне углубляться в эту черноту как-то не с руки.

— Но здесь же тоже стоять, как овечки, нельзя,– ответил Толстиков.

— Уж лучше по рабам из пулемета строчить, чем выжидать хануриков на змеиной куче.

— Давай отойдем в сторону, засядем на краю обрыва, чтобы хоть одна сторона оставалась безопасной. Я возьму на мушку лестницу, а ты шугай палкой по траве, отпугивай червяков. На этих лохов мне одной очереди хватит. В крайнем случае потом добьем, но хоть сами уцелеем.

Они подошли почти вплотную к тем кустам, где сидела засада, и присели на корточки один за другим. Харченко, устроившийся за спиной Толстикова, начал шуровать палкой по траве, а его напарник следил за тем местом, где находилась лестница.

И тут появилось видение. Растерянные мужики вскочили на ноги и схватились за автоматы. Буквально в трех шагах от них из кустов появилась *она* — высокая, молодая и совершенно голая. В холодном свете луны ее тело казалось белее молока.

— Господи! Смерть пришла! – прошептал Толстиков.

— Не бойтесь меня, смелые воины. Пока я рядом, никакие змеи вам не страшны.

Ее голос звучал, будто она говорила в микрофон. Шутка была слишком опасной. Кулибин и Дмитрий взяли их на мушку и в любую секунду могли выстрелить. Метелкин держал руку на регуляторе громкости стереофонического магнитофона, из динамиков которого доносился таинственный голос Насти. Причем звуковые колонки расставили по сторонам от кустов для объемного звучания.

— Сложите оружие на землю и идите за мной. — Голос стал звучать еще громче. Харченко перекрестился. — Кто поднимет на меня оружие — тот падет на землю мертвым. Я царица этого леса. Змеи — мои слуги. Моя воля – жить вам или нет.

Голос стал звучать еще громче. Мужики готовы были бежать сломя голову, но у них отнялись ноги. Обнаженная красавица повернулась и направилась в глубь леса. Первым укол получил Харченко, следом Толстиков. Одному шприц вонзился в ногу, второму — в ребро. В глазах все помутилось. Харченко успел нажать на спусковой крючок, но автомат стоял на предохранителе, а привидение уже исчезло. Оба как подкошенные упали на землю.

Все разом вышли из засады. Настя очень долго смеялась.

— Дурочка! – изрек Метелкин.– Такие игры плохо кончаются.

— Ни один мужик не будет стрелять в обнаженную женщину! – гордо сказала она, надевая джинсы.– Но какое-то развлечение нам все же надо получать в этой тоске змеиной.

— Все развлечения еще впереди,– заметил генерал, вынимая шприцы из тел поверженных гладиаторов.– Хорошее снотворное, Митя.

— Это не снотворное. Такой затормаживающей сывороткой носорога можно успокоить за секунду. Ею снабжают зоологов в африканских саваннах, чтобы ловить крупных животных. Но только там они пользуются специальными пневматическими ружьями с оптическим прицелом, а не арбалетами твоей собственной конструкции.

— Они ими пользуются потому, что у них нет моих арбалетов,– с гордостью заявил генерал. — Могу поспорить, что я на сто метров прошью насквозь спичечный коробок...

— Ладно хвастать,– вмешался Кулибин.– Давайте-ка этих молодцов привяжем покрепче к дереву и заклеим им рты липкой лентой.

Боевиков оттащили к высохшей сосне и привязали. Рядом оставили «змееотвод», чтобы к ним не подползали ядовитые твари.

— Ну что, ребятки, ждем следующую партию искателей приключений. Тут ты, Настя, ничем не рискуешь, можешь плясать перед ними в чем мать родила. Оружие у них с холостыми патронами будет,– смеялся Дмитрий.

— Хватит с вас одного концерта. Пора ставить капканы. Жизнью Дика мы рисковать не можем.

Метелкин достал сотовый телефон и набрал номер.

— Это Управление? Скажите, майор Марецкий уже на месте? Отлично. Это Метелкин, позовите его, он ждет моего звонка.

* * *

Сняв с руки часы, Николай протянул их маленькому щуплому мужичонке и сказал:

— Начнешь ровно в одиннадцать тридцать, Прыщ. Твоя группа идет на прорыв первой и будет сигналом для остальных. Только на твоих людей хватило стальных щитов, вы и пойдете на мост грудью вперед. Главная задача —

захватить обе будки по краям моста, где установлены пулеметы. Этим можно спасти жизни многим.

Перед прорабом стояли трое мужиков, истерзанных работой, голодом и страхом. Они готовы были идти на пулеметы, хотя и понимали, чем это может закончиться. Силы не равные, но жажда свободы перекрывала все аргументы, говорившие о безрассудности бунта.

— Ты, Резак, поведешь за собой вторую группу. Как только перейдете мост, захватывайте казарму. Если вы не перебьете всех охранников, то погони не избежать. Захватывайте оружие и косите всех.

Гаврилюк подошел к третьему командиру.

— Твоя группа замыкающая, Фикса. И людей в ней останется больше, чем у других. Прорветесь на ту сторону, уничтожите охрану и берите приступом продовольственный склад. Каждый должен получить паек на три дня. И помните: все уцелевшие в бойне должны понять главное. Из Смоленской области надо уходить сразу: ни одного налета, ни одного грабежа и даже кражи. Ищите для своих дел новые места. Идите на запад. На Украине и в Белоруссии вас не знают. Там и начинайте новую жизнь. Удачи!

За спиной Гаврилюка стояли Гусь, Кореец и Вадим, которому дали прозвище Мудрила за его сообразительность. Гаврилюк махнул своим помощникам и сказал:

— Пошли в барак.

Он привел их в свою берлогу за частоколом, и они впервые попали в его комнату, где он жил.

— Ну вот, орлы, пришел и наш черед.

Николай взял со стола гвоздодер и с его помощью вынул одну половую доску, потом еще две. В тайнике лежало оружие. Он доставал по одному автомату «калашников», вставлял в него рожок и передавал каждому по очереди. Последний автомат он оставил себе и надел на плечо сумку с дополнительными боеприпасами.

— Ну вот, кажется и все, пора нам уходить. Наша задача — пройти через лес, обойти зону, убрать охрану с наружных постов и встретить оставшихся беглецов плотным огнем. Только из чистой зоны мы сможем вывезти тракторы и уйти незамеченными. Вперед, хлопцы.

Получив в руки оружие, они почувствовали к себе доверие, и тот, кто еще сомневался в искренности прораба, готов был теперь идти за ним хоть на край света. Конечно, речь шла о Гусе и Корейце, но не о Журавлеве.

Вадим прекрасно понимал, что у прораба есть свои планы и ни в какой лес идти он не собирался, в чудо-порошки не верил, а таким образом избавлялся от лишних нахлебников. Где-то должен ждать их сюрприз — совсем близко, чтобы Миколе не пришлось долго возвращаться к своей базе. Одного только не понимал Вадим: что он будет делать с Ингрид, которая приедет в полночь на машинах? Не может же он всерьез рассчитывать на то, что толпа голодранцев расправится с пятьюдесятью вооруженными до зубов охранниками. Вывод напрашивался сам собой: главные сообщники Миколы среди охранников. Это и логично, и разумно.

Они шли по прямой через котлован и были хорошо видны в лунном свете. Обычно прораб предпочитал ходить краем, вдоль обрыва, а сейчас вышел на открытую площадку. В любой бинокль их будет хорошо видно. Для снайпера и вовсе благодать. Ни одного укрытия. Он может уложить всех поодиночке без особой спешки. Вадим шел рядом с Гаврилюком и, немного отстав, оказался у него за спиной. Тот не обратил на это внимания. Значит, идея со снайпером отпадает. Уж если кого и опасался прораб, то в первую очередь Журавлева, как самого хитрого и находчивого, значит, и стрелять должен в него, а уж потом в остальных. Просто Николай вывел их на открытое место, чтобы показать кому-то количество. Не

стоит забывать, что за этот день их численность сократилась. Дылда погиб в яме.

Логическая цепочка Журавлева была правильной с одной небольшой погрешностью — в бинокль за ними в действительности наблюдали, но не люди Гаврилюка, а Метелкин.

— Их четверо,– сказал он, оглядываясь назад.

— Тем лучше, — ответил генерал, заряжая шприцем свой арбалет.

— С автоматами,– добавил Метелкин.

— Только патроны там холостые. Как только все, кроме главного, поднимутся наверх, надо дать пару очередей в воздух или по кустам. Тогда их бугор уйдет с уверенностью, что операция закончилась успешно.

— Не сразу, Настенька, а после того, как генерал им укольчики сделает,– поправил девушку Дмитрий.

— Они подходят, приготовьтесь.

Через несколько секунд на опушке никого не осталось.

— Ну вот, ребята, и добрались,– облегченно вздохнул Гаврилюк.– Видите, какие нам ступени рабы сделали. По окончании работы я их отпустил в лес. Царствие им небесное. Ну что ж, иди первым, Мудрила. Ты у нас теперь за главного. Твоя тропа нас проведет сквозь змеиные дебри.

— Уж будьте уверены.

— Постой! – возразил Гусь.– Он поднимется и даст ходу — только мы его и видели. Нет, первым пойду я, а его посылайте вторым.

— Как знаешь, Гусь,– согласился прораб.

И здоровяк начал подниматься из котлована к опушке. Как только он ступил на твердую землю и сделал шаг вперед, ему в плечо впилась игла. И секунды не прошло, как ему сдавило горло, руки и ноги начали отниматься. Все закрутилось перед глазами, и он рухнул на землю.

— Ну а теперь ты, Мудрила.

Журавлев подмигнул Гаврилюку.

— Классный ты мужик, Микола. Отлично придумано, но мы это еще обсудим.

— Несомненно. Вперед.

Вадим поднялся наверх. Огромную тушу Гуся, валявшегося под ногами, он не мог не заметить. Мигнул свет фонарика из кустов. Из тех самых, где утром он видел Настю. Значит, они здесь. Не зря он надрывал глотку, чтобы они слышали его разговор с прорабом. Вадим схватил за ноги Гуся и отволок его тушу в сторону. В эту минуту на поверхность вышел Кореец.

— Эй, мужики, вы где?

Больше ему ничего не удалось сказать. Игла со шприцем вонзилась ему в шею. Он сделал шаг вперед и упал лицом в траву. Метелкин встал в полный рост и дал три короткие очереди по кустам. Стоявший внизу Гаврилюк выждал еще полминуты и отправился в обратный путь. Операция прошла гладко.

Теперь друзья встретились и долго обнимались. Бандитов привязали к соседней сосне. Охранники уже пришли в себя и с ужасом следили за происходившим. Но их так старательно примотали к дереву, что они могли только головами крутить.

— Ну что будем делать, Дик?– спросил Метелкин.

— Возвращаться в зону и вывозить золотой запас Третьего рейха.

— Как?

— Думаю, на самолете. Есть у меня такое подозрение. Я вижу, у нас здесь отличная команда собралась, да еще с оружием. Так просто нам товар не отдадут, но я уже прикинул план действий. Можно обсудить. Только один вопрос меня волнует: угоним мы самолет, а куда сажать будем? Ему же площадка нужна километра в два-три.

— Эту задачу мы решим, если ты дашь ответ на другой вопрос: что думаешь делать с золотом?

— Сдадим государству. Нашли, мол, в огороде у Дмитрия. Двадцать пять процентов наши. Разделим на всю команду и будем жить припеваючи.

Тут Кулибин вступил в разговор.

— Хорошая идейка. Мы тут нашли скрытое бомбоубежище в лесу у Симашек. Там змей нет. Лес сухой, редкий, не приглянулся он этим тварям. Так в этом бомбоубежище целый оружейный арсенал с немецкими снарядами, пистолетами, патронами. Полк вооружить можно, а почему бы там и золото не могло храниться?

— Отличная идея! – обрадовался Дик.

— Ты что, решил все сдать?– удивленно спросила Настя.– Белены объелся, или у тебя крыша поехала после зоны?

— Ничего мы с этим золотом не сделаем. Уникальные вещи, с ними в комиссионку или скупку не сунешься.

— Я сделаю. Среди моих клиентов-ювелиров и коллекционеров хватало. Уж как-нибудь пристроим.

— Нет, Настя, забудь о золоте, без него спокойней спать будет.

— Хорошо,– согласился Метелкин,– сдадим так сдадим, тогда я подключаю к делу Степана.

— Он здесь? – спросил Вадим.

— Ждет звонка с опергруппой наготове. Зачем ему сюда ехать? Тут делать нечего. Пусть ищет площадку для посадки самолета и встречает нас там. А с летчиком мы сумеем договориться.

— Самолет — это всего лишь мое предположение. Тут отличное поле для посадки. Хворост и бензин заготовлен для сигнала. А главное — идея Гаврилюка с вывозом ценностей на тракторах ни в какие ворота не лезет. Бред сивой кобылы. А ведь прораб далеко не дурак. Он тут такого наколбасил, что не каждый штаб такие операции способен разработать. Вот я и пришел к выводу о самолете, исходя из размаха фантазии и дерзости господина Гаврилюка.

Где-то неподалеку послышались беспорядочные выстрелы, потом застрекотали пулеметы.

— Что это?– спросил генерал.

— План господина Гаврилюка в действии. Рабы пошли в атаку на охрану. Тут уж никто ничего сделать не сможет. Нам остается только ждать, когда прозвучит последний выстрел.

И они ждали.

* * *

Зрелище было чудовищным. Мост прогибался под тяжестью бежавшей по трупам толпы. Пулеметы не прекращали огня. Охранники выскакивали из казармы в одних подштанниках, но с оружием. Те, кому удалось перейти мост и кто пытался захватить огневую точку, тут же погибали. Их косили пулеметы, установленные в окне казармы и на крыше продсклада. Четверо сообразительных зеков, успевших завладеть оружием, сумели ворваться в казарму, выбив окно с тыловой стороны здания. Они стреляли во всех, кто попадался им на пути. С озверевшими лицами они прорвались на третий этаж и врывались в каждую комнату. Тот, кто еще замешкался, был убит. Наконец они напали на огневую точку, где был установлен пулемет. Стрелявший из него Мамедов не ждал появления противника с тыла и даже не запер дверь. В него палили из четырех стволов. Не прошло и пяти секунд, как от Мамедова ничего не осталось. Его тело разлетелось на куски. Место у пулемета занял раб и тут же открыл огонь по охранникам.

Толпа начала теснить надзирателей к дороге. Группа из десяти человек бросилась к складу, другая к дороге, но их встретил плотный пулеметный огонь. Заработали новые точки. С двух сторон дороги из укрытий в толпу полетели трассирующие пули. Бежавшие впереди не могли отступить, их подпирали сзади. От безвыходности многие бросились врассыпную и бежали в лес, где их поджидала более коварная смерть. После десяти минут боя живых не осталось. Последних четверых зеков, захвативших пулемет в казарме, добили трое пулеметчиков — они имели достаточно опыта по захвату зданий и справились с задачей в течение десяти минут.

Когда они спустились вниз, то увидели одинокую фигуру, стоявшую на горе трупов, с зеленым огоньком от фонаря.

— Операция завершена, товарищ полковник,– доложил Паша Коблов.– Будем добивать?

С разных сторон доносились стоны.

— Времени нет. Сбрасывайте всех в овраг, оттуда никто не выползет. Через час здесь должно быть чисто, будто ничего не происходило.

— Но кровь-то мы не смоем,– возразил Юсупов.

— Из машины ее не заметят. А где Мамедов?

— Рабы расстреляли.

— Жаль, крепкий был боец. Кто на первом посту?

— Фролов и Копытов. Они в курсе событий и ждут гостей.

— Подготовьте мне машину. За руль сядет Коблов, а Юсупов с Лобзевым отправятся в подвал. Ждите меня там.– Вдруг прораб что-то вспомнил и нахмурил брови.– А Харченко и Толстиков не возвращались?

— Никак нет. Очевидно, пошли верхом и нарвались на змей.

Гаврилюк ничего не ответил.

13-1518

10. Сведение счетов

Двое оперативников ФСБ, одетых в форму автоинспекторов, прохаживались по шоссе чуть дальше поворота на Курнаково. У обочины стояла припаркованная патрульная машина, где сидели Виноградов и капитан. По шоссе курсировали еще четыре автомобиля с частными номерами. Одна из них подкатила к патрульной «волге» и, не выходя из своих «жигулей», водитель открыл окошко. Капитан сделал то же самое.

— Андрей, приближается колонна. Впереди идет вишневая «Ауди-А8», в ней двое — мужчина и женщина. Следом тянутся семь «ЗИЛов», бортовые, с брезентовым верхом. В кабинах только шоферы, что под брезентом — не знаю. Минут через семь будут здесь.

— Кто хозяин «ауди»?

— Будешь удивлен — Маркуша.

— Тут удивляться нечему. Мы об этом догадывались. Ладно, катайся поблизости.

Не успел отъехать один «жигуленок», как подкатил следующий, но с другой стороны дороги. И опять разговор проходил через открытые окна.

— Андрюша, тут к вам боевые ребята присоединились.

— Догадываюсь, говори — кто?

— Три автобуса, битком набитых ОМОНом, а впереди «волга». Я притормозил и подошел к машине. Дорогу в Ховрино решил выяснить. За рулем сидит сам полковник Чепурин при полном параде. А рядом молодая женщина, судя по фотографии, которую я видел, она очень смахивает на Наталью Шефнер. Метрах в трехстах обосновались.

— Понял. Катайся дальше, но далеко не уезжай.

Андрей закрыл окно.

— Неужто Чепурин сменил окрас? Или мадам Шефнер обещала ему больше?

— Ты говорил, что к Чепурину утром приходил Крылов.

— Совершенно верно. Мало того: они встречались дважды. Я уверен, что Чепурин отдаст предпочтение Крылову. Девчонке он попросту не поверит.

— А зачем гадать? Мы все увидим сами. Но только у полковника ОМОН, и если он почувствует свой крах, то может отдать неразумный приказ. А нам только еще с омоновцами схлестнуться не хватает. Придется нам побеспокоить начальника УВД Смоленска. Все зависит от того, куда Чепурин поведет грузовики, когда их перехватят.

— Вы хотите сказать, Олег Петрович, что мешать им не будем?

— Ни в коем случае. Пусть доведут дело до конца.

— У Чепурина должен быть человек возле зоны. Он засел слишком далеко. Отсюда до леса больше восьми километров.

— Человек есть наверняка, а перехватит он их на полпути, но тогда, когда они пойдут с грузом обратно. Сейчас ему дергаться нет резона. И нам тоже.

Появилась автоколонна, шедшая со стороны города. Машины включили мигалки на поворот.

— Сворачивают на Курнаково! – воскликнул капитан.

— Вижу, Андрюша. Меня больше волнует вопрос: куда они свернут на обратном пути — в Смоленск или на Оршу. Свет мигалок и определит дальнейший ход нашей операции.

* * *

Колонна автомашин подошла к лесу и остановилась. Перед шлагбаумом стоял серебристый «мерседес».

— А это кто? – спросил Маркуша, поворачиваясь к Ингрид.

— Мой дорогой шеф Ханс Шефнер. Успел-таки к разделу пирога.

— Но он же один. На что он рассчитывал?

— На свой авторитет. Будем действовать так, как задумали. Не надо с ним ссориться. Он должен мне поверить, а убрать его мы всегда успеем. Нужно сначала убедиться, что за ним никто не стоит. К чему нам лишние неприятности и заботы.

Шефнер, Ингрид и Маркуша вышли из машин одновременно. Они сошлись на середине, где перехлестывались лучи автомобильных фар.

— Я рада, что ты приехал вовремя, Ханс.

— Рада? Верится с трудом!

— А зря. Мне тут тяжко было воевать одной против Крылова. Ведь этот подонок решил, что архив принадлежит ему одному. Змею на груди грели. Пришлось преподать ему урок при помощи моих друзей. Правда, это нам обойдется в круглую сумму, но иначе я поступить не могла. Они же мне и машины достали, и путь расчистили.

— Куда ты намеревалась вывезти архив?

— На нашу базу под Оршу. А куда же еще? Мне хотелось сделать тебе сюрприз и позвонить в Москву, когда все лежало бы на месте. Но сюрприза не получилось. Извини.

— Когда же мы поедем на объект?

— Сейчас за нами придет машина, тут ведь иномарки не проедут.

Там, где лес срастался, а дорога уходила в черноту, появились огни фар. Они становились все больше и ярче, и наконец к шлагбауму подъехал «УАЗик».

Гаврилюк вышел из машины и подошел к постовым.

— Автопоезд пропустить через десять минут после моего отъезда. Сами сядете в первую машину и подгоните колонну к особняку, но до моего появления никого туда не пропускать.

— Как на объекте, шеф?– спросил один из постовых.

— Чисто — как над облаками. В машины не садитесь. Оба поедете на подножках с обеих сторон на головной машине.

— А шлагбаум?

— Он уже никого не интересует. Конец зоне.

Гаврилюк вышел на дорогу и приблизился к стоявшей в лучах фар троице.

— Рад видеть вас, господа,– он склонился и поцеловал даме руку.– Прошу убрать с дороги ваши шикарные кабриолеты и перейти в мою скромную тележку. Троих я вполне могу с собой взять. Грузовики пойдут следом, как только им поступит команда от охраны. Сейчас мои люди сдадут пост сменщикам и сопроводят колонну на место под погрузку. Рабочей силы понадобится много. У меня ее нет. Все рабочие — в своих кроватях, и вставать им с места запрещено. Впрочем, они и не смогут этого сделать.

Гаврилюк повернулся и зашагал к «УАЗику». Марк подозвал к себе шофера первой машины.

— Отгони наши легковушки в сторону. На место вас будут сопровождать постовые, а мы поехали вперед. Без моего приказа ничего не предпринимать.

— Все понял, Маркуша.

Марк догнал Ингрид и Шефнера и сел с ними в «УАЗ».

— А что случилось с рабочими?– спросил Шефнер.

— Эпидемия. Малярия. Охранников — тех, кто ее подцепил, мы отправили в больницу, а рабочих нельзя. Причины вы сами знаете.

— Почему вы мне утром ничего не сказали?– спросил Шефнер.

Ингрид удивленно посмотрела на Николая.

— Не хотел вас пугать. По этой причине я не пустил вас в зону. Забирайте свои ящики — и, как говорится, закрываем засов. Здесь находиться больше нельзя.

Машина неслась на огромной скорости. Дорога имела гладкую, ровную поверхность, и, почему здесь нельзя ездить иномаркам, было непонятно. Но сейчас у всех голова была забита другим. Они рвались к цели — столь долгожданной и в то же время призрачной, что им не терпелось потрогать все своими руками, взглянуть и убедиться в существовании несметных сокровищ.

Машина чуть ли не на крыльях взлетела на мост и, проскочив его, помчалась по котловану. На освещенном луной горизонте чернел контур мрачного особняка, гордо стоявшего в одиночестве среди бескрайней равнины.

Шофер затормозил у крыльца с высокими колоннами. Гаврилюк достал из багажника мощные фонари и дал по одному каждому.

— Идите за мной.

Длинные черные анфилады, лестницы, высоченные своды потолков, и, наконец, подвал. Вокруг люка были выставлены фонари — десятка два, не меньше. Николай их зажег, и в подвале стало светло как днем. Над люком висел кронштейн с тросами, крюки которого были прикреплены к небольшой бетонной плите размером метр на метр. Гаврилюк опустил свой фонарь, и луч упал на груду ящиков в склепе.

— Вот ваше добро.

Все подошли к краю и посмотрели вниз.

— Отсюда ни черта не видно! – сказал Марк.

— А как нам взглянуть на них поближе?– спросил Шефнер.– Тут нет лестницы.

— Зато есть лебедка. Если не терпится, я могу опустить вас туда на этой плите.

— Отличная мысль! – воскликнул Шефнер.– Так давайте же не будем терять времени.

Все трое встали на плиту и ухватились за канаты. Гаврилюк взял Ингрид за руку.

— Там грязно, мадам. Вам лучше остаться здесь. Вы их увидите чуть позже.

Ингрид почувствовала, как Николай с силой сжимает ее руку.

— Ну хорошо. Я терпеть не могу грязи на туфлях.

Она сошла с плиты.

Прораб нажал черную кнопку на огромном пульте, и плита оторвалась от земли. Он подвел женщину к зияющей дыре и начал опускать плиту вниз.

— Попрощайся с ними, Ингрид. Теперь у тебя нет конкурентов.

Она не сразу поняла, что он хотел сказать, но ужасный вопль, раздавшийся из ямы, заставил ее вздрогнуть.

— Здесь змеи! – послышался голос Марка, и следом раздался крик.

— Я не советую тебе смотреть туда,– ухмыльнулся Николай.– А теперь пойдем встречать машины. Сколько человек приехало с колонной?

— Семь шоферов и семеро — в кузовах. Люди Марка. Они вооружены.

— Ясно. Без вожака волчья стая превращается в стадо баранов.

Они вышли из помещения на свежий воздух. Колонна машин уже выстроилась в ряд, подав задом к зданию. Шоферы стояли все вместе и курили.

Из-за колонн вышли люди Гаврилюка.

— В каждом кузове находится вооруженный человек! – встав посреди ступеней, громко заговорил Николай.– Теперь здесь командую только я. Так было и так будет впредь. Советую не дожидаться пули в лоб, а спрыгнуть на землю и отбросить оружие в сторону. У меня вооруженная бригада десантников, и лучше с ними не связываться. Считаю до трех.

Братва испытывать судьбу не стала. Повыпрыгивали все. Ножи, пистолеты и автоматы полетели под ноги к новому пахану.

— А теперь всем построиться в одну шеренгу. Шоферов это тоже касается.

И эта команда была выполнена.

— В подвале сорок ящиков. Нам хватит четырех машин. Первая тройка слева выгружает деревянные короба из машины. Шесть человек снимают баки с бензином с трех автомобилей, стоящих слева. В склепе змеи. Только что двое нетерпеливых подохли от их укусов. В склеп надо вылить не меньше трехсот литров горючего и поджечь. Другого способа уничтожить змей нет. После этого при помощи лебедки мы достанем ящики, обошьем их деревом и погрузим на машины. Двое в склепе, двое на приемке, остальные десять таскают. На всю работу с погрузкой вместе отпускается час времени. За вами наблюдают мои десантники. Любое ослушание моей команды – смерть на месте. А теперь живо за работу.

И работа закипела. Ингрид стояла рядом с Николаем и держала его за руку.

— Я знала, что не ошибусь в тебе. Ты настоящий мужчина. Я думала, такие бывают только в кино. Когда ты с ними говорил, я чувствовала влажность в тех местах, которые ты так любишь. Я готова была отдаться тебе прямо на ступенях.

— Я запомню твое предложение, и мы его еще успеем осуществить.

* * *

— Они грузят последнюю машину,– доложил Метелкин, отрываясь от бинокля.

— Сколько охранников ты насчитал?

— Пятеро, твой Микола шестой.

— Справимся,– сказал генерал с видом стратега.

— Пора нам спускаться в карьер и продвигаться вперед. Мы успеем к тому времени, как уйдут машины.

Дмитрий повернулся к Насте.

— Иди, девочка, к пленникам и поставь возле них второй «змееотвод». У этого скоро аккумулятор сядет.

— Хорошо, Митя.

Настя взяла аппарат и отнесла его к соснам.

— Ну что, душегубы. Эта штука, которая отгоняла от вас змей, через полчаса отрубится. А вторую я включать не собираюсь. Сумеете выпутаться сами за эти минуты — ваше счастье, а на нет и суда нет. Только не думаю, что Господь будет на вашей стороне.

Настя ушла, а друзья спустились по ступеням в карьер.

— До моста пойдем вдоль стены, а потом перескочим к бараку прораба и засядем за частоколом. Я все еще не уверен в своей версии, и решение будем принимать на месте,– рассуждал Журавлев.

— Настя, веди меня под руку, я ничего не вижу,– сказал Метелкин, не отрываясь от бинокля.– Там творится что-то непонятное. Все машины уже погружены.

Все, что там творилось, соответствовало планам Гаврилюка, и для него все было предельно ясно. Он вновь выстроил команду в ряд и приступил к инструкциям.

— Три машины без бензобаков останутся здесь. Шоферы приедут с бензином за ними завтра. Люди покойного Маркуши поедут в кузове. С каждым шофером в кабине поедет мой человек. Командовать маршрутом будет эта женщина,– он выдвинул вперед Ингрид. — Она поедет в головной машине рядом с шофером и моим десантником. Подчиняются ей все беспрекословно. Когда колонна выйдет на шоссе, люди Марка сойдут с машин. Скатертью дорожка. Ищите себе нового пахана или разбредайтесь по другим группировкам. Трое шоферов оставленных здесь машин поедут до конца и примут участие в разгрузке, после чего все машины возвращаются на базу. Мои люди останутся на месте и будут дожидаться меня. А теперь по машинам.

— Ты не едешь? — удивилась Ингрид.

— У меня «УАЗик», я вас догоню, дорогая. Мне необходимо законсервировать зону и подорвать подъездные пути. Не можете же вы стоять и дожидаться меня с таким грузом!

— Но ты даже не знаешь, куда ехать!

— У моих ребят есть сотовые телефоны, и у меня тоже. Сегодня связь уже не проблема. Они дадут мне точное направление. Я ведь здешний, найду вас, не беспокойтесь.

— Ты хочешь отпустить шоферов? Они же свидетели.

— Мои ребята проинструктированы. Никто живым не уйдет. Важно, чтобы они разгрузили и складировали ящики. Остальное – дело техники. Езжай и жди меня. Главное — добраться до безопасного и надежного места. Завтра здесь уже будет работать вся милиция и ФСБ округа. Я не могу оставить следов и прочих подарков для следствия.

— Ты настоящий мужчина. Я в восторге от тебя.

Она направилась к головной машине. Ингрид не очень беспокоили четверо десантников Николая. У нее своя армия. Люди уже сидят в засаде и ждут ее прибытия. Адрес особняка под Оршей никто никогда не узнает. Это единственно надежное место. Остальные особняки, чис-

лящиеся на балансе фирмы, использоваться не могли. Фирме Шефнера конец, и ею сейчас занимается прокуратура, а может быть, и все органы правопорядка России. Она к этой фирме никакого отношения не имеет. К тому же ее зовут Магда Вяйле, а Ингрид Йордан находится в Мюнхене и в Россию не собирается. Она единственная в этой афере осталась чистой. Ингрид была довольна результатом своей работы.

К Гаврилюку подошел Паша Коблов, командир его отряда, и удивленно спросил:

— Ты чего, Николай, серьезно хочешь всех нас отослать и остаться один? Без охраны?

— Не будь глупцом, Паша. Я не могу оставить груз без охраны, а на мою задницу покушаться некому. А вот за груз ты отвечаешь головой. У этой бабы надежный бункер для хранения, им мы и воспользуемся. Она нам не помеха, пустое место. Ее даже искать никто не будет, потому что такой в России нет и не было. Ингрид такая же нелегалка, как наши рабы из Молдавии. Документы поддельные, да и сама она подделка, самоуверенная индюшка. Ее раздеть, дать ей пинка под зад и пустить на все четыре стороны. И уверяю тебя, защиты ей искать негде. Немка без документов и денег может стать только бомжихой. Ладно. Прибудете на место — дашь мне знать. А мне тут еще поработать надо и все подходы к зоне уничтожить. Вперед, Паша.

Колонна из четырех машин тронулась с места и направилась к мосту. Как только машины скрылись из виду, Николай достал телефон и набрал нужный номер.

— Альберт, я готов, запускай двигатели и пускай голубя. Я раскладываю костры.

— У меня все готово, Николаша. Жди. Высылаю трех грузчиков, пилота тоже можешь подрядить на работу.

— Справимся.

Николай осмотрелся. Зона вымерла в прямом и переносном смысле. Он один на сотню гектаров пустыни. Он и его сокровища!

11. Каждому — свое

Автоколонна уперлась в стоявший поперек дороги автобус. Не успели они продвинуться и на два километра, как выехали из леса, и тут на тебе — первый сюрприз. Дорога проходила через степь с вязкой почвой и была слишком узкой, чтобы можно было объехать препятствие.

Дальше все происходило как в кино. Со всех сторон к машинам бросились омоновцы в касках, бронежилетах и с автоматами. Они налетели на автоколонну, как саранча. О сопротивлении и речи быть не могло. Из машин повыкидывали всех и уложили на землю лицом вниз. Защелкали замки наручников. С Ингрид обращались ничуть не лучше, чем с остальными. Если Николай позаботился о ее туфлях и не пустил ее в склеп к змеям, то среди омоновцев джентльменов не нашлось. Дамочку так изваляли в грязи, что ее дорогостоящий наряд уже не подлежал восстановлению.

На дороге появился полковник Чепурин, рядом с ним молодая особа очень привлекательной внешности.

— Поставьте их на ноги.

Захваченных врасплох подняли с земли и уже в который раз выстроили в общую шеренгу. И опять у них сменился начальник. Только теперь он был одет в милицейскую форму.

— Перед вами владелец земель, частная собственница, хозяйка объекта, с которого вы возвращаетесь. Зовут ее Наталья Шефнер. У меня есть от нее заявление о том, что ее частная территория подверглась разбойному напа-

дению, о покушении на ее жизнь, грабеже и погромах. И этот факт подтвержден. Вы задержаны с поличным.

— Мы никого не грабили! – выкрикнул Паша Коблов.– Мы из охраны объекта и были взяты в заложники.

— Я так сразу и подумал,– усмехнулся Чепурин.– Безоружные шофера тебя, бедолагу, вооруженного до зубов, скрутили по рукам и ногам и взяли в заложники. И при этом забыли забрать у тебя автомат. Освобождены будут только шоферы, после того как с них снимут показания. Четверо шоферов сейчас. Снимите наручники с тех, кто управлял машинами. Они поведут их дальше, но только уже другим маршрутом. Кто сидел за рулем — шаг вперед.

С четверых человек сняли наручники.

— Остальных в автобус и в Управление. Пусть посидят в предвариловке. По три омоновца в каждую машину. Один — в кабину, по два — в кузов. Остальным сопровождать задержанных в Управление и сдать майору Полетаеву.

Наташа подошла к Ингрид.

— Ну что, получила архив? Сидела бы в своем Мюнхене, прогнившая селедка! Так нет — и она туда же.

К ним присоединился полковник.

— Да, мадам, с вами вопрос куда сложнее обстоит. Помимо всех выдвинутых здесь обвинений вами еще интересуется ФСБ. Вы ведь живете в России по поддельным документам на имя гражданки Литвы Магды Вяйле. А также вас ищет Московский уголовный розыск. Там на вас повесили пять убийств ни в чем не повинных женщин. Вы просто лакомый кусочек для следственных органов. За вами очередь выстроилась.

Чепурин поманил пальцем омоновца.

— А за этой кралей, лейтенант, нужен особый надзор. Поместите ее в одиночку и выставите пост. Она ведь и в окно выпорхнуть может.

Лейтенант грубо схватил Ингрид за локоть и повел к автобусу. Все разбрелись по своим местам.

Полковник и Наташа вернулись в ждавшую их «волгу».

— Ну что, госпожа Шефнер, едем на вокзал?

— У вас все готово?

— Сейчас уточним.

Он взял мобильный телефон и набрал номер.

— Говорит первый. Груз готов к отправке. Что с составом?

Выслушав ответ, он сунул трубку в карман.

— Все в порядке. Состав в третьем тупике на товарной станции. Я знаю, где это. Поехали.

Как только колонна выехала на шоссе, ее остановил патруль ГИБДД, что крайне разозлило Чепурина. Пока он выходил из машины и искал старшего патруля, несколько гаишников успели сунуть свой нос в кузова машин и даже осмотреть автобусы с ОМОНом. Правда, двери им не открыли, но водители коротко пояснили ситуацию. Чепурин накричал на капитана, помахал в воздухе кулаком, и колонна двинулась дальше. Капитан вернулся в свою машину и доложил:

— В каждом грузовике по три омоновца, всего двенадцать. Остальные возвращаются на базу. Чепурин арестовал всю команду, в том числе и Ингрид Йордан. Он везет архив на железку.

— А что докладывают ребята с вокзала?– спросил Виноградов.

— Состав, зафрахтованный Крыловым, загнали в третий тупик Смоленска-товарного. Там хорошая высокая платформа. Крылов нашел двадцать человек рабочих, расплатился с ними наличными. Они ждут прихода машин. Ящики архива обшиты досками. Все выглядит безобидно.

— Как оборудован состав?

— Пять товарных вагонов под груз. Последним подцеплен почтовый, а впереди два купейных. Тепловоз подадут в три часа ночи. График Смоленск—Минск. Значит, Крылова кто-то будет встречать в Минске, если он, конечно, не отгрузится по пути и не пустит состав до Минска холостым ходом.

— Рискованно. Так мы его упустим. Будем брать Крылова на товарной.

— Почему упустим? Он архив не бросит.

— Вызывай людей на товарную. Будем оцеплять станцию.

— Понял, товарищ подполковник.

* * *

В воздухе послышался гул самолета. Костры, разложенные прорабом, уже полыхали. «Ил-18» шел на малой высоте, но с первого раза на посадку не пошел, а сделал еще один заход. Очевидно, летчик хотел осмотреть всю площадку. Сидевшие в засаде Журавлев и его команда начали заметно нервничать.

— Старенький десантный «илюшник»,– прокомментировал генерал.– Боковой двери нет. Предназначен для тренировочных полетов парашютистов. Самолет не герметизируется. Там места хватит для трех десятков десантников.

— В том-то и дело, что мы не знаем, сколько их на борту,– суетился Метелкин.– Рисковать не имеет смысла. Надо Миколу обезвредить сейчас. Потом будет поздно. Если их в самолете человек десять, то мы с ними не справимся.

— Ему столько не понадобится. Он подгонит тракторы с прицепами прямо к люку. А мешки закидать — минутное дело.

Журавлев наблюдал в бинокль, как Гаврилюк достал из кармана сотовый телефон и, набрав номер, не стал прижимать трубку к уху. В лесу раздался оглушительный взрыв. Все вздрогнули. Прораб повторил операцию, и последовал еще один взрыв.

— Он взрывает дорогу. Теперь в зону на машине не проехать. Значит, самолет — единственный способ вывезти груз из зоны,– рассуждал Журавлев.

— Прораба надо вырубать,– сказал свое веское слово змеелов.– Упустим момент — другого не будет.

— Ладно, согласен,– вздохнул Вадим.

— С Богом, Алексеич,– глянул на генерала змеелов.

Генерал зарядил свой арбалет и выполз из-за частокола. Он сливался с землей, но подползти ближе к кострам не мог — от него появилась бы тень, а чем ближе он подбирался к огню, тем больше тень растягивалась по земле. Николай запрокинул голову и следил за маневрированием самолета. Сейчас тот опишет дугу и пойдет на посадку. Если прораб обернется в другую сторону, то заметит пятно на земле, а у него на плече автомат. Генерала отделяло от цели шагов тридцать. С такого расстояния можно промахнуться, к тому же по котловану гулял ветер, стрела могла отклониться.

Алексеич вскочил на ноги и бегом побежал навстречу прорабу. Самолет прогремел над самой головой. Гаврилюк оглянулся назад и увидел стоявшего в десяти шагах человека с каким-то странным предметом в руках, и тот вроде как целился в него. Прораб скинул с плеча автомат и передернул затвор. В ту же секунду в его грудь впилось что-то острое. Автомат тут же стал весить целую тонну, и он не смог удержать его в руках. В голове промелькнула только одна мысль: «Проиграл» — и он повалился на землю.

Из укрытия выскочили остальные и подбежали к бессознательному телу великого стратега.

— Оттащите его за частокол,– приказал Вадим.– Настя, останься там же в укрытии. Митя и Кулибин с обрезами садятся на тракторы. Я и Метелкин встречаем гостей. Будьте готовы к худшему.

Самолет коснулся колесами земли рядом с кострами. Летчик, сидевший за штурвалом, был асом, тут сомнений не оставалось. «Ил» прокатился по карьеру и остановился километрах в двух, затем развернулся и уже на автомобильной скорости начал возвращаться назад. Возле костров он сделал новый разворот в сторону разгонной полосы и заглушил двигатели.

Через открытую боковую дверь на землю спрыгнули трое крепких парней. Вскоре и летчик появился в проеме.

— С прибытием, господа,– улыбнулся Журавлев.– Виртуозно летаешь, мастер.

— А где хозяин?– игнорируя комплимент, спросил пилот.

— Мост минирует. Там бомба не сработала. Сейчас придет, ну а нам велено грузить мешки. А ну-ка, подай мне руку.

Пилот немного растерялся, но руку подал. Вадим вскарабкался в машину и дал сигнал тракторам. Те затарахтели и потащили за собой два прицепа, крытые брезентом.

Вадим подал руку Метелкину, и тот тоже влез в самолет. Грузчики остались на земле, не понимая, что им делать и почему они поменялись местами.

— А вы, ребята, залезайте на прицепы и подавайте нам груз! – крикнул Журавлев.

— А ты что здесь командуешь? – возмутился пилот.

— Заткнись, извозчик! Коля мне доверил погрузку, остальные молчат, когда я говорю. Врубился, фраер?

Пилот проглотил слюну и ничего не ответил.

Сначала разгрузили один прицеп, затем второй. Летчик требовал, чтобы мешки относили подальше от люка — может качнуть и груз снесет за борт.

Прилетевшая рабочая сила хотела перейти с опустевшего прицепа в самолет, но трактор дернулся и отъехал на несколько метров в сторону. На землю спрыгнули трактористы с обрезами в руках и наставили оружие на рабочих. Появился еще один, и тоже с обрезом. Метелкин вынул из сапога штык и прижал его к спине летчика.

— Не трепыхайся, летун,– скомандовал Вадим и обшарил пилота. У него под кожаной курткой в подвесной кобуре лежал пистолет. Вадим его конфисковал.– Кто же так оружие носит, когда идет на дело! Сто лет до него добираться. Ладно, оно тебе больше не понадобится. Мы из уголовного розыска. На этом концерт окончен, аплодисментов и цветов не надо.

Грузчики тащили к самолету тело Николая.

— А вот и последний мешок.

Тело приняли на борт, а рабочих — нет.

— А вы, ребятки, здесь перетопчетесь. Идите к своему хозяину пешком и передайте ему привет от Московского уголовного розыска. Скоро и его очередь придет, пусть готовится. Дорога одна — через мост и по шоссе. В лесу змеи, туда заходить не стоит. А теперь кругом и шагом марш!

Так они и сделали. Их оружие осталось под обшивкой самолета, но на всякий случай генерал все же проверил их одежду.

— Ладно, вы летите, а мы вернемся в деревню. С нас на сегодня хватит приключений,– сказал змеелов.

— Скоро увидимся,– улыбнулся Вадим.– Идея с бомбоубежищем остается в силе.

Настя подошла к генералу.

— Алексеич, подари мне свой арбалет. Неравнодушна я к красивым вещам.

Старик улыбнулся и протянул ей оружие.

— Только осторожно, там ампула заряжена. Снимешь с пружины и вытащишь ее.

— Я уже все знаю. Спасибо.

Она чмокнула его в щеку и подбежала к люку. Вадим взял ее за руку и втащил в самолет.

— А это тебе зачем?

— Подарок. Память останется о путешествии в Смоленск.

Метелкин уже связался по телефону с Марецким и дал координаты.

— Военный аэродром на юге от Смоленска. Фелонино знаешь? – спросил он летчика.

— Его все знают.

— Так вот, нам там шестую полосу очистили. Туда и полетим. Просили идти на бреющей высоте. Специальный воздушный коридор нам не дали, и на посадку заходи с севера. Понял?

— Он все понял,– сказал Вадим.– Я посижу с ним рядом в кабине, чтобы парень ничего не перепутал.

Двигатели заработали. Генерал, Кулибин и змеелов махали вслед разбегавшемуся по котловану самолету. Лайнер оторвался от земли и начал набирать высоту.

* * *

Погрузка вагонов подходила к концу. Омоновцы, стоявшие в ряд вдоль платформы, наблюдали за рабочими. Чепурин и Наташа осмотрели купейный вагон и вышли на дощатый перрон, примыкавший к зданию складов.

— Я отправляю с вами шестерых человек для охраны. Один поедет в кабине машиниста. Прямого пути на

Москву нам не дали, так что придется немного поколбасить. Второй вагон мои ребята запрут, чтобы туда бомжи и безбилетники в дороге не набились — ведь проводники на рейсе не предусмотрены.

— И все же мне немного страшновато,– сказала Наташа.

Но тут ее настроение переменилось. Она увидела шедшего по перрону рядом с каким-то важным генералом Олега Виноградова — того самого, что приносил Никанору важные сведения из ФСБ и помогал в разработке операции. Теперь ей уже бояться нечего. Архив попадет туда, куда следует. Однако, когда военные приблизились, ее приподнятый дух сошел на отметку «ноль». Вместо приветствия генерал начал с вопроса, строго глядя на вытянувшегося в струнку Чепурина.

— Что вы здесь делаете, полковник?

— Согласно заявлению гражданки Шефнер, товарищ генерал. Она перевозит свою собственность с объекта, принадлежащего ей по документам, в Москву. На нее готовился налет, который мне удалось предотвратить с помощью спецназа.

— Все так и было,– подтвердила Наташа.

— Могло бы быть,– строго сказал генерал и подозвал к себе старшего группы ОМОНа.– Собирайте свой отряд, капитан, садитесь в автобус и возвращайтесь на базу. На сегодня ваша задача завершена. Выполняйте.

— Слушаюсь, товарищ генерал.

Омоновцы освободили платформу.

— Вот, полковник, познакомьтесь, подполковник главного управления ФСБ Виноградов. Вы отстраняетесь от занимаемой должности. Против вас заведено дело, которое будут вести следственные органы ФСБ.

Чепурин хотел открыть рот, но Виноградов его опередил.

— Все, что вы скажете, полковник, я знаю, но вы не сможете объяснить элементарные вещи. Откуда взялся этот состав, в который вы грузите ящики?

— Госпожа Шефнер...

— Он врет! – выкрикнула Наташа.

— Мы об этом знаем. Этот состав зафрахтован Юрием Крыловым, особо опасным преступником, и должен направляться в Минск. О вашем предварительном сговоре нам известно. Рассказывать мне о его заявлении в ГИБДД не нужно. Вы имели неосторожность трижды за сегодняшний день с ним разговаривать по телефону и дважды встречаться. Доказательств вашей связи с Крыловым у нас достаточно. Подумайте о том, как вам выкручиваться из этой ситуации, а на сегодня вас никто не задерживает. Завтра к девяти утра явитесь в Управление ФСБ Смоленска к следователю Никитину.

Полковник ничего не сказал. Он молча повернулся и направился к сквозному выходу через склад к дороге.

Всю эту картину наблюдал Крылов из-за ящиков в конце перрона.

— Кажется, мы упустили свой шанс, Жорж. В дело вмешалась ФСБ. Состав нам не перехватить.

— Я же говорил вам, что тут нечисто. Боюсь, нас обложили со всех сторон. Иначе они не стали бы играть в открытую. Зачем им себя выдавать, пока они нас не взяли?

— Они не виноваты, им всю песню генерал испортил.

— Что будем делать?

— Возвращаться в Вашингтон с пустыми руками.

— Но для начала надо отсюда выбраться.

— Это несложно. Каждые десять минут мимо проходит состав. Сядем на ходу и уедем.

— И никто этого не заметит?

— Мы их отвлечем. Так или иначе, нам надо было избавиться от Чепурина. Вот я и заготовил несколько вариантов. Один из них ты сейчас услышишь. Как думаешь, он уже дошел до своей машины?

— Уверен.

Крылов достал небольшую черную коробочку и нажал на синюю кнопку. Машина взорвалась в тот момент, когда полковник сидел за рулем и тупо смотрел перед собой. У него не было сил уехать. Так всем его страданиям пришел конец.

Мощный взрыв на оживленной дороге города сорвал всех оперативников с места. Этого никто предусмотреть не мог. А Крылов тем временем стоял на подножке поезда и смотрел на растворявшиеся огни товарной станции. Почему-то ему казалось, что он еще вернется в эту страну.

* * *

Самолет приземлился там, где ему положено. На взлетную полосу выехали двенадцать машин. Правда, омоновцев здесь не было. Бригада из оперативников, возглавляемая майором Марецким, подъехала к самолету с оружием наготове. Взяв люк на прицел, они засели за свои машины.

Первой в темном проеме появилась Настя и ввела в замешательство дюжину крепких мужиков с пистолетами в руках. Следом появились Журавлев и пилот.

Журавлев помахал рукой.

— Захват террористов отменяется. Их здесь нет!

Марецкий дал отбой команде. Ребятам помогли спуститься на землю. Майор подскочил к Журавлеву и спросил:

— Что все это значит?

— Ты чего так разволновался-то, Степа? Ничего не случилось. Отличная воздушная прогулка перед сном. Чтобы ты не очень расстраивался, я тебе привез очень интересный экземпляр из особого контингента преступников. Парень на пожизненное тянет. Работать с ним будет — одно удовольствие. Не показания, а тысяча и одна ночь, сказки Шахразады, но им придется поверить.

— И где же он?

— Спит на мешках с золотом. Усыпили при помощи выстрела из арбалета, в который был заряжен шприц со слоновой дозой снотворного.

— А Метелкин?

— То же самое,– Журавлев кивнул на Настю.

— Так получилось. Арбалет лежал у меня на коленях, заряженный шприцем. Самолет качнуло, он выстрелил и попал прямо в ногу Метелкину. Чистая случайность. К утру придет в себя.

— О каком еще золоте вы тут лопочете?! Я получаю сообщение за сообщением. Что кругом творится? А вы меня привязали к этому дурацкому аэродрому. Там на шоссе ОМОН накрывает Ингрид Йордан с архивом, вывозящимся из Курнакова. И почему-то это делает какой-то полковник Чепурин. Потом в Смоленске архив перехватывает ФСБ, и Чепурина тут же снимают с должности. И там же оказывается твоя Наташа, за которой ты пустился в погоню. А мы?

— Ну вот видишь, Степа, все без нашей помощи решилось. Странный ты парень. Радоваться надо. А вызвали мы тебя совсем не за этим. У нас в самолете товара миллионов на сто долларов. И ты знаешь, где мы его нашли? В лесу. В заброшенном бомбоубежище. Там еще оружия осталось на целую роту. Подумай сам, Степа: ну как мы такой груз без тебя до Москвы довезем? Вот это я понимаю — важная задача, ответственность. Поступок, если хочешь! А Ингрид Йордан поймать — не велика честь. Она ни от кого не бегала, чтобы ее ловить. Вот у нас дей-ствительно улов!

Пока Вадим разглагольствовал, Настя уже успела познакомиться с оперативниками и весело с ними смеялась над каким-то анекдотом.

— Боже, а машин-то сколько! У каждого своя? – спросила Настя.

— Есть и свои, но в основном казенные.

— А ну, мальчики, кто из вас настоящий кавалер и предоставит умирающей от усталости даме свой автомобиль для легкой прогулки в мою каморку?

— Давайте я вас отвезу.

— Нет-нет, я сижу за рулем только сама и езжу одна. Завтра утром заберете свою машину у гостиницы «Варшава», ну а перед этим сможете зайти в двенадцатый номер на чашечку кофе.

Три пары ключей полетели в ее сторону. Она поймала только одни.

— Чьи?

— Мои,– признался симпатичный парень с яркой улыбкой.

– Завтра жду.

— Крайняя белая «нива».

— Жаль прощаться с такими классными ребятами, но мои силы уже на исходе.

Настя села в машину и уехала.

— Эй, галдежники! – крикнул майор.– Быстро под разгрузку. Забиваем тачки мешками — и в Управление на опись. И не забудьте: там еще два живых мешка лежат.

Работа шла весело. Золото разгружать проще, чем ловить бандитов.

Эпилог

Со дня бурных событий прошла неделя. Журавлев лежал на диване, заваленный газетами. Метелкин чувствовал себя на седьмом небе и расхаживал по комнате.

— И все же я гений! Ты-то хоть это признаешь? Одна статья лучше другой. Никого не забыли: и Змеелова, и Кулибина, и Генерала. А главное — ты теперь у нас опять в герои вышел. Полная реабилитация! И квартиру менять не надо, и фамилию вернули. Теперь и соседи на тебя как на памятник смотрят.

— Конечно, им тот, что на кладбище, уже порядком поднадоел.

— Мелочи жизни. Мы вернулись с победой. Ингрид раскололась, и мне теперь разрешили писать об убийствах в Москве. Больше это не является тайной следствия. Я думаю, и Крылова найдут, а нет, так черт с ним. Главное — ты можешь ходить без вставных челюстей и открыто смотреть в глаза людям. А Степана пригласили работать на Петровку. Он у нас скоро в генералы выскочит.

— Жаль только, что наши двадцать пять процентов пропали. На черта писать было про операцию в зоне! — возмутился Журавлев.— А какая классная идея была с бомбоубежищем! Нет, взял и загубил песню.

— Я тут ни при чем. Гаврилюк все равно раскололся. Он все подробности выложил, а свои проценты Наташенька получит. Стерва. Даже спасибо тебе не сказала, а ты ее столько раз от смерти спасал. Ей сейчас не до нас. Они с генералом Скворцовым архив разбирают и ждут свои проценты. А мы так, ни при чем.

— Все бабы – стервы! А Настя? Взяла и свалила куда-то в Смоленске и до сих пор носа не кажет.

— А может, она замуж вышла? Ей там один оперативничек приглянулся...

Зазвонил телефон. Вадим снял трубку и гордо произнес:

— Живой и здоровый Журавлев слушает.

Он некоторое время слушал, потом положил трубку.

— Кто это? – спросил Метелкин.

— Настя, легка на помине.

— А что ты трубку бросил?

— Это не я, это она. Крикнула: «Быстро приезжайте ко мне. Срочно требуется ваша помощь!» — и бросила трубку.

— Что делать будем?

— Потрясающий вопрос. Ты адрес ее помнишь?

— Конечно.

— Тогда вперед!

Они неслись как на пожар. От центра до Ясенева добрались за полчаса. Взмыленные влетели на пятый этаж и начали давить на звонок.

Дверь открылась. Настя стояла спокойная и улыбчивая в очень красивом платье.

— Что случилось?– задыхаясь, спросил Журавлев.

— Ничего, проверяла вашу оперативность. Показатели не самые высокие, но сносные, если учитывать, на каких драндулетах вы разъезжаете. Ладно, заходите. Стол уже накрыт.

Как загнанные лошади рыцари ввалились в квартиру. В комнате был накрыт шикарный стол на три персоны. Но больше всего их поразили стены. Они были увешаны картинами.

— Мать честная! – обалдел Вадим.– Левитан, Репин, Крамской, Васнецов... Что это?

— Вы получили свои двадцать пять процентов?— вопросом на вопрос спросила Настя.

— Какие проценты! Метелкин, правдист хренов, их на сенсацию обменял.

— А я знала, что имею дело с психами, у которых, кроме алых парусов, в башке ничего нет. Пришлось самой обо всем думать. Пальнула я из арбалета в Женьку, он и отрубился. Самолет шел низко над землей. Вижу факел нефтеперерабатывающего завода, а рядом деревня. Вот я и скинула на курятник мешочек. Только мы приземлились, а тут на тебе — транспорта сколь хочешь, и тебе его сами предлагают. Села на «ниву» и поехала. Где находится нефтеперерабатывающий завофд, и спрашивать не пришлось, — факел за десять верст виден, и деревеньку найти нетрудно было. Груз мой крышу проломил и в навозе валялся в коровнике. Я его забрала и вернулась в город. Остальное легко дофантазировать.

— А зачем ты меня-то усыпила? — с глупым видом спросил Метелкин.

— Чтобы ты и об этом в газетах не написал. Идем в спальню.

Стены спальни также украшали картины великих русских живописцев. В углу комнаты скромно стояли два серых мешка.

— Там червонцы царской чеканки девяносто шестой пробы. Я ведь не один, а три мешка скинула. А теперь я думаю, что нам пора открыть настоящее детективное агентство. Надеюсь, вы не возражаете? По глазам вижу, что нет. Работка каждому из нас по душе. Так вот, мальчики, я вас нанимаю в свое агентство частными сыщиками, ибо на сей раз агентством буду руководить я!

Молодые люди стояли в оцепенении.

— По глазам вижу, что не возражаете. А теперь, как говорил Жванецкий, прошу к столу, вскипело!

СОДЕРЖАНИЕ

Литературно-художественное издание

Серия «Криминальный проект»

Михаил Март
ЗМЕИНАЯ ЯМА

Романтический триллер

Генеральный директор издательства *С.М. Макаренков*

Редактор *Г. Треер*
Художественное оформление *Е. Амитон*
Компьютерная верстка: *О. Лаврова*
Технический редактор *Е. Крылова*
Корректор *Н. Иванова*

Подписано в печать с готовых диапозитивов 20.02.2001 г. Формат 84x108/32.
Гарнитура «Newton». Печать офсетная. Печ л. 13
Тираж **15** 000 экз. Заказ № **1518**

Адрес электронной почты: info@ripol.ru.
Страничка во «всемирной паутине»: www.ripol.ru

ИД «РИПОЛ КЛАССИК»
107140, Москва, Краснопрудная ул., д. 22а, стр. 1
Изд. лиц. № 04620 от 24.04.2001г.

ФГУП Владимирская книжная типография
600000, г. Владимир, Октябрьский проспект, д. 7
Качество печати соответствует качеству представленных диапозитивов